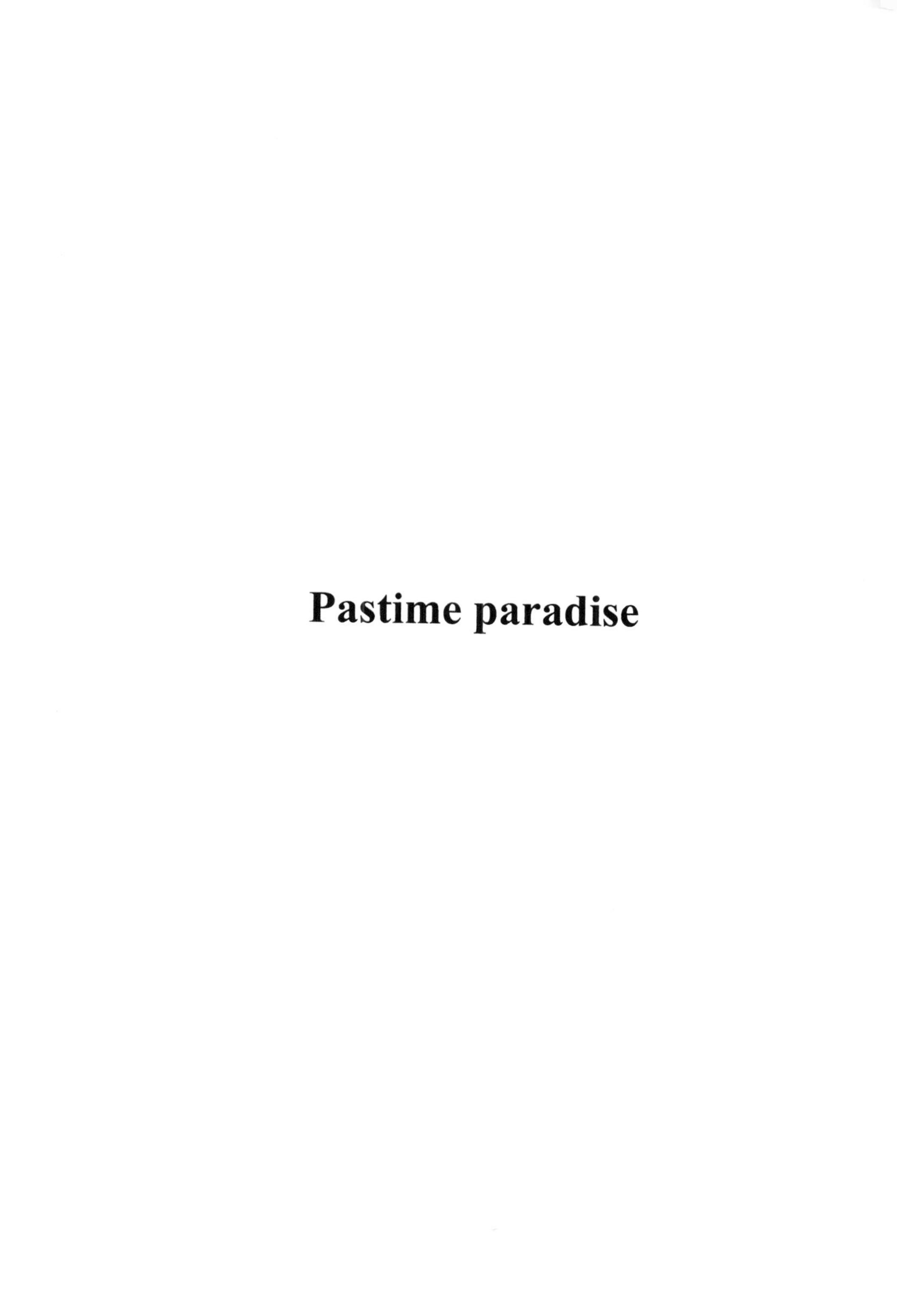

Pastime paradise

Margaux Laurent

Pastime paradise

Roman

ISBN : 979-10-377-5004-4

Chapitre 1

Je sautille sur un pied en enfilant la paire d'escarpins que j'ai prévue avec ma tenue. Je me suis levée en retard, comme d'habitude. Et maintenant je cours partout pour rassembler mes affaires et les enfourner dans mon sac à main. Mon portable se met à sonner et je le colle distraitement à mon oreille.

— Sophia ? j'entends ronchonner à l'autre bout du fil.

— Vous êtes un patron extrêmement exigeant, Mr Bailey, je ricane en claquant la porte de mon appartement.

Mes clés, ornées d'un pompon blanc, pendent à ma serrure quand je m'efforce de me dépêcher.

— Je suis là dans 15 minutes !

J'entends un vague grognement au bout du fil puis je me hâte de rejoindre la bouche de métro en bas de chez moi. C'est un luxe d'être si proche. C'est peut-être pour ça que la moitié de mon salaire part dans mon loyer alors que je vis dans le Queens. Mais j'imagine que c'est de ma faute, j'aurais dû quitter New York à la fin de mes études.

Quand j'arrive au bureau, je salue Sarah qui se marre en me tendant un café dans un gobelet éco-responsable marron. J'y jette un coup d'œil et fonce dans le couloir en toquant à deux reprises avant de l'entendre m'indiquer que je peux entrer.

— Désolée, Parker, je soupire en posant mon ordinateur portable sur son bureau. J'ai tout.

— Refais-moi la présentation, marmonne-t-il en jetant un coup d'œil vers la porte, toujours assis dans son fauteuil.

Il a l'air de mauvaise humeur, alors j'élargis mon sourire. Je ne suis pas si en retard que ça, il exagère. Quand mon ordinateur s'allume en prenant son temps, je bois mon café en croisant et décroisant les jambes sur le siège en cuir en face de lui.

Au bout d'une vingtaine de minutes, j'ai terminé le PowerPoint et lâche la baguette en bambou que je tenais pour pointer les données importantes.

— Est-ce que ça te convient ?

— Ça ira.

Trouvez un patron plus pointilleux que le mien et je vous paie une bière. Je me penche pour débrancher la prise de mon ordinateur. J'ai complètement oublié de le charger hier, et me voilà prisonnière des prises qui ornent nos locaux pour au moins une heure.

— Tu vas assurer, boss, je lui lance dans un sourire malicieux en déposant une clé USB sur son bureau.

Il me fait un clin d'œil et détaille rapidement ma tenue avant de me faire signe de sortir en levant les yeux au ciel.

Quand dans l'après-midi la porte de mon bureau s'ouvre, je relève la tête et décoche un sourire.

— Comment s'est passée la présentation ?

Il se penche sur mon bureau et tend sa main vers moi pour que je tape dedans. Visiblement, comme sur des roulettes.

— Ils ont adoré tes propositions, lance-t-il en se laissant tomber sur la chaise en plexiglas posée face à moi.

— Génial alors, je lance, ravie.

Je bosse dans cette agence de pub depuis huit mois. J'ai le poste d'assistante de Mr Bailey. Alors je passe mes journées avec lui et parfois même plusieurs soirées quand il s'agit d'un gros projet. J'ai réalisé des études en marketing et communication et être ici me permet non seulement de les utiliser mais également d'en apprendre davantage. Parker bosse dans le milieu depuis dix ans, a monté sa boîte il y a sept ans et a ouvert une succursale sur la côte ouest il y a un an. Tout ça, sans foutre un pied dans une faculté. Autant dire que je bois ses paroles.

— Tu viens à la maison ce soir ? me propose-t-il à mi-voix.

Je jette un coup d'œil vers la porte ouverte en faisant les gros yeux et il me répond par un sourire enjoué. J'articule un oui après avoir mordu ma lèvre inférieure pour lui montrer ma désapprobation. Je ne veux pas que quiconque découvre ce qui se passe entre nous.

Il se lève et je le détaille rapidement. Sa barbe est impeccable, tout comme ses cheveux châtains plus longs sur le dessus de son crâne et tirés en arrière. Il porte un costume bleu nuit dont la chemise blanche rehausse le tout. Je me liquéfie presque sur ma chaise quand il sort les mains dans les poches, nonchalant.

Chapitre 2

Je m'arrête en bas de l'immeuble et salue le concierge.

Niel me voit désormais approximativement trois fois par semaine depuis six mois. On se connaît, il connaît très bien la nature de ma relation avec Parker et j'ai plaisir à discuter avec lui car il connaît New York comme sa poche. Petit plus, il côtoie Parker depuis bientôt plus de trois ans alors quand je sors en furie de l'immeuble après une prise de tête, cet homme âgé de la soixantaine m'attrape toujours avant que mes pieds touchent le trottoir et j'ai le droit à un conseiller conjugal gratuit. Nos disputes se finissent à chaque fois très bien grâce à lui.

— Il vient d'arriver, m'avertit-il en jetant un coup d'œil à l'ascenseur.

— Seulement ?

Qu'avait-il à faire au bureau pour rester si tard ? Non pas qu'il me dise tout, mais cela devait être sacrément important car je n'en ai pas la moindre idée.

J'y grimpe, pose mon badge sur le boîtier électronique et presse le bouton du 24ème et dernier étage de l'immeuble. Il s'ouvre sur l'immense salon épuré et parfaitement rangé de Parker. Cet homme est maniaque. Il déteste que je laisse traîner mes affaires chez lui et pourtant, il adore m'y inviter.

Je retire mes escarpins et les pose près de l'entrée alors que les portes se referment dans mon dos. Seul le bruit de la douche retentit dans l'appartement et je comprends rapidement qu'il est en train de se rafraîchir avant que j'arrive. Pour une fois, il est en retard et ne m'a pas prévenu. Je pars vers les grandes baies qui bordent tout son salon. J'apprécie d'y découvrir comme toujours Central Park. Nous sommes au mois de juin, Central Park est rempli de visiteurs, touristes et New-Yorkais venus se détendre et apprécier le poumon vert de la grosse Pomme. J'ai découvert pour la première fois la vue de son appartement en décembre. Il neigeait à cette époque et c'était absolument charmant. Mais voir Central Park si vivant durant les mois de l'été me fait esquisser un sourire. J'adore cette ville. Je l'aime de tout mon cœur et m'y sens chez moi. Il était hors de question que je rentre à Miami après mes études. Cette option était inenvisageable. Et aujourd'hui, je sais que j'ai pris la bonne décision : j'adore mon job, je suis dingue de mon patron et je suis dans la ville qui me fait me sentir vivante à chaque seconde.

— Salut, toi, chuchote-t-il en se penchant à mon oreille, les mains sur mes hanches.

— Vous êtes en retard, Mr Bailey, lui dis-je en me tournant vers lui, passant mes mains derrière sa nuque.

Il esquisse un sourire et je sais qu'il a envie de me faire remarquer que c'est l'hôpital qui se fout de la charité mais il n'en fait rien. Ses lèvres se pressent contre les miennes et j'apprécie le fait qu'il n'y ait personne pour nous déranger. Nous ne nous cachons pas au bureau. Enfin, presque pas. Parker s'en fout, mais j'aimerais éviter qu'on me fasse passer pour la fille qui a le poste car elle ne sait pas garder sa petite culotte en présence de son patron. Pourtant, je suis presque sûre que tout le monde est au courant. D'une part, parce que les regards ne mentent pas. D'autre part, parce que Parker est insatiable. Mon bureau est entièrement vitré, tout le monde passe devant dans le couloir et il ne peut pas s'empêcher d'y venir tout le temps. La plupart du temps, il sait se modérer. Il n'empêche que mes collègues doivent se dire, soit que je suis une idiote et qu'il a besoin de me surveiller tout le temps, soit qu'on flirte à longueur de journée. Pour ainsi dire, c'est un peu les deux.

— Qu'y avait-il de si important au bureau ? je demande en penchant la tête, soucieuse.

— Je parlais avec Collin, commence-t-il en m'attirant sur ses genoux, confortablement installé sur son canapé qui peut accueillir plus de dix personnes. Je pense qu'il ne réalise pas qu'il est à Los Angeles et nous à New York.

J'esquisse un sourire en caressant ses cheveux d'une main alors que la sienne remonte effrontément de mon genou à ma cuisse.

Collin est le bras droit de Parker. Il gère l'agence de Los Angeles. C'est un grand mec, blond, typiquement l'image du surfeur bronzé qui passe son temps à jouer dans les vagues de Malibu. Malgré ça, il porte le costume à la perfection et c'est un génie de la communication publique.

Sa main remonte progressivement sous ma jupe et je hausse un sourcil en l'interrogeant du regard.

— Ça fait deux semaines, se plaint-il en arrêtant sa main sur l'intérieur de ma cuisse, son majeur effleure presque la dentelle de mon string.

Je le détaille et il lève les mains à hauteur d'épaule en signe de reddition.

— J'ai compris, je t'emmène dîner.

Je le récompense d'un baiser en caressant ses joues mal rasées avant de me lever. Parker est un homme à femmes. C'était même un sacré connard. J'ai vu défiler au moins trois filles défiler au bureau, durant mon premier mois chez Bailey Corp. Et il ne s'agissait pas de consultantes.

Il me jure qu'il a changé, mais j'ai besoin de lui faire une piqûre de rappel de temps en temps. Rien que pour lui rappeler que je ne suis pas une de ces femmes.

Il me met une fessée en passant et je m'esclaffe avant de presser mes lèvres entre elles pour contenir mon excitation. Cela fait également deux semaines pour moi. Deux semaines qu'il a passées dans mon bureau, à me faire du rentre-dedans loin d'être subjectif, en me lançant son petit sourire en coin que j'adore une dizaine de fois par jour. C'était une torture, mais j'ai tenu bon. D'une part, pour rester concentrée et assurer mon plan d'action pour Ross Graham. D'autre part, parce que ça ne lui fait pas de mal que quelqu'un lui dise non.

Mais ce soir, je serai très loin de lui dire non.

On monte dans son Audi. J'adore les belles voitures. D'autant plus quand elles sont rutilantes comme la sienne. Son nouveau jouet est arrivé il y a un mois. D'ordinaire, il fait appel à des chauffeurs pour se rendre au bureau et en revenir mais depuis qu'il a cette voiture, chaque sortie autre que pour se rendre au travail est une nouvelle excuse pour exposer son bébé.

On emprunte le pont de Brooklyn. À cette heure-ci, il y a encore de la circulation mais j'apprécie le reflet de la skyline dans mon rétroviseur. Sa main attrape la mienne puis la porte délicatement à ses lèvres. Parker est incapable de déléguer, il est autoritaire au travail et il est incapable d'accorder sa confiance mais je ne peux que reconnaître qu'il sait prendre soin de moi et qu'il y met beaucoup de bonne volonté.

— Tu n'as pas prévu de vêtement de rechange, me fait-il remarquer.

Non, je n'ai pas pris de sac cette fois-ci. Il est temps que je me décide à accepter ses cadeaux. Et son dressing est plein de cadeaux…

— J'ai tout plein d'affaires chez toi.

Je lui fais un sourire et je vois son petit air satisfait poindre sur le bout de ses lèvres.

— Tu crois que je peux te reproposer d'emménager avec moi du coup ?

Je me mets à rire en levant les yeux au ciel alors qu'il garde ma main dans la sienne fermement.

— Je suis très sérieux.

Et maintenant, je suis mal à l'aise.

Parker et moi sommes seulement ensemble depuis six mois. Pourtant, il me l'a proposé pour la première fois il y a deux mois. Je suis seule depuis trois ans, j'y suis habituée. Je suis habituée à mes petites manies, je suis habituée à être seule. Accepter de sortir avec lui relevait du miracle. Je me sens bien à ses côtés car il est attachant, attentionné et qu'il me traite comme une reine. Mais il est plein aux as et je vis à Long Island car je n'ai pas les moyens de m'offrir un studio mieux placé. Je n'ai pas vécu avec quelqu'un depuis trois ans. Depuis Lucas. J'ai peur d'être cataloguée comme la fille qui profite de son argent. J'ai peur de tomber amoureuse pour de bon. J'ai peur de m'attacher et de revivre une déception à nouveau.

— Tu sais que c'est compliqué, j'élude en pivotant vers lui pour inspecter son visage.

— Qu'est-ce qui est compliqué au juste ? s'agace-t-il en lâchant ma main pour la poser sur son volant.

Je vois ses phalanges serrer le cuir.

— Sophia, ça fait trois ans. Il va peut-être falloir tourner la page.

Il sait exactement pourquoi je refuse de vivre avec lui.

— Et tu n'es pas une fille comme ça. Tu es ma petite amie, clarifie-t-il pour la énième fois en me jetant un coup d'œil.

Je porte mes doigts à mes lèvres pour m'empêcher de les mordiller. Je suis tellement mal à l'aise. Ses paroles me mettent mal à l'aise. Et ça ne devrait pas le moins du monde. Je suis dingue de lui. J'apprécie tout chez Parker. Il est magnifique, il est intelligent, il me fait rire, il est aux petits soins pour moi, sa personnalité est renversante et c'est pour ça que j'ai craqué pour mon patron. J'ai complètement craqué et j'ai peur de m'engager plus auprès de lui. Alors que lui n'a aucun doute sur notre relation. Pas un seul. Il n'a jamais été amoureux, il n'a jamais été attaché à une fille. Et pourtant il n'a pas peur de s'attacher à moi et de passer à l'étape supérieure en si peu de temps. Pourquoi suis-je si assaillie par la peur ?

On arrive sur le parking dans un silence pesant. Notre soirée de retrouvailles tourne au vinaigre car mon esprit tourne à mille à l'heure. Et si je lui laissais une chance après tout ?

Il m'ouvre la porte galamment au Juliana's. C'est un restaurant connu de Brooklyn, pourtant c'est une petite pizzeria qui n'accueille pas plus de vingt tables. Il n'y a pas de chichis ici. J'adore cet endroit. C'est notre endroit quelque part. Parker est plein aux as, pourtant, il ne côtoie pas que les restaurants chic. Il n'est pas arrogant pour un sou, ni même hautain. Il est parfait.

Je prends sa main d'un coup. Je ne veux plus réfléchir, il est temps d'avancer dans ma vie.

— C'est oui.

Je croise son regard, j'y lis beaucoup d'incompréhension.

— Oui, je veux vivre avec toi Parker, je clarifie en lui souriant.

Je suis stressée. Mais je sais que c'est la bonne décision.

Son sourire, à ce moment-là, me réchauffe le cœur. Tout le monde le qualifie comme quelqu'un de fermé et d'autoritaire. Je ne l'ai jamais perçu ainsi, car il ne s'est jamais comporté comme un connard avec moi. Peut-être parce qu'il savait depuis le début comment il voulait que notre relation évolue.

— Une bouteille de champagne, indique-t-il au serveur en serrant mes doigts dans ses deux grandes mains. Putain, je suis tellement heureux.

— Et moi je suis terrifiée, je lui confie.

Je n'ai jamais eu peur de lui confier quoi que ce soit. Il ne m'a jamais blessé, ne s'en est jamais servi contre moi et ne m'a jamais jugée.

— Tu es terrifiée de vivre dans un appartement de cent vingt mètres carrés alors que ton studio en fait dix-neuf. Je comprends.

Il blague car il sait comment m'aider à me détendre.

— Et qu'est-ce qu'on va dire au boulot ? je demande car je pense déjà à l'enchaînement que mon emménagement va créer.

— Je les emmerde au bureau, s'esclaffe-t-il en regardant le serveur remplir nos deux coupes.

Il a toujours été très clair depuis le début là-dessus. C'est moi qui ai souhaité freiner son engouement de peur du regard des autres.

— Qu'est-ce que ça peut leur foutre qu'on soit ensemble ? Ça change quelque chose à leurs salaires ? Rien, appuie-t-il comme si c'était un argument recevable.

— Heureusement, sinon je passerai ennemie publique numéro un, je plaisante mais c'est le cœur lourd que j'y pense.

— Je me fous de ce qu'ils pensent. Et tu devrais faire pareil.

Il porte ma main à ses lèvres et j'esquisse un sourire. J'ai l'impression d'être totalement folle d'emménager avec lui après seulement six mois de relation. Pourtant, je me sens étrangement très heureuse. Puis d'un coup, je réalise : Josh va me tuer.

Quand on rentre à son appartement, j'ai à peine le temps de sortir de la cage d'ascenseur que je n'ai plus de jupe. Il a trouvé sans mal la fermeture éclair de ma jupe portefeuille en daim noire et il m'offre sa main pour m'aider à l'enjamber sans encombre avec mes escarpins.

— Garde tes talons, murmure-t-il contre mes lèvres en retirant ma veste de mes épaules.

Elle rejoint le sol et mes doigts trouvent la boucle de sa ceinture en un rien de temps avant de s'attaquer au bouton et la fermeture éclair de son jean.

Mes genoux heurtent l'accoudoir de son canapé en cuir beige et je tombe à la renverse en l'attirant avec moi. Nous n'atteindrons pas sa chambre. Et il n'y a aucun vis-à-vis de son appartement. Autant dire que rien n'est prêt à nous arrêter. Je me pince les lèvres et gémis quand ses doigts éloignent mon string afin de s'occuper de mon intimité.

Quand je me réveille le lendemain matin, mon corps est légèrement endolori. Je m'étire en restant tout contre Parker. Sa main est posée sur mes reins et il garde les yeux fermés alors que son réveil continue de sonner dans un bruit strident. Brutalement, sa main s'abat sur la table de nuit et je comprends qu'il n'est pas du matin car le bruit s'arrête brusquement. Habituellement, je pars avant que son réveil ne sonne car je retourne à mon appartement pour me préparer avant d'aller au boulot. Aujourd'hui, je ne l'ai pas fait. Il a garni son dressing de fringues à ma taille, d'escarpins à talons à ma taille et de sous-vêtements hors de prix. Même sa salle de bain a une brosse à dents neuve pour moi.

— Salut, toi, je murmure alors qu'il me jette un coup d'œil, le visage toujours embrumé par le sommeil.

Je suis définitivement plus du matin que lui. Et soudain, je suis hissée sur lui sans aucun doute sur la nature de ses pensées quand il m'embrasse et que ses mains descendent sur mes fesses.

— J'adore ma vie, souffle-t-il en faisant courir ses lèvres dans mon cou.

Chapitre 3

On arrive au bureau avec dix minutes de retard. Si je ne voulais pas attirer l'attention, c'est raté. Son chauffeur conduit une Mercedes. Ai-je dit à quel point il est plein aux as ? Non ? OK, je parais vénale maintenant.

L'ascenseur s'ouvre sur le bureau d'accueil et la standardiste nous salue joyeusement avant de nous regarder l'un puis l'autre d'un œil inquisiteur.

— Bonjour, Sarah ! je m'exclame un peu trop joyeuse.

— On se voit plus tard, me lance Parker en passant une main dans le bas de mon dos avant de lancer un signe de main à la petite jeune qu'il a engagée pour tenir le standard.

Il disparaît dans son bureau et c'est à ce moment-là que je me rends compte que je l'ai délibérément suivi du regard.

— Un petit café ? me demande Sarah pour attirer mon attention alors que je détourne le regard un peu trop brusquement pour paraître innocente.

— Très bonne idée, j'accepte en lui faisant un sourire.

Je me rends à mon bureau et trouve un bouquet de roses blanches posé devant mon ordinateur. Il est énorme. Je ne saurais compter le nombre de fleurs à vue d'œil. Bouche bée, je m'en approche et attrape la petite enveloppe couleur crème où est calligraphié mon nom. Maintenant, je suis intriguée. Parker a fait livrer des roses, sur mon bureau. Savait-il déjà que j'allais dire oui pour emménager avec lui hier soir ?

Encore merci, Sophia.
Peut-être que l'on pourrait fêter mon futur retour chez les Celtics autour d'un dîner.

Ross G.

J'ouvre de grands yeux. Là, je suis carrément prise au dépourvu.

— Est-ce que j'ai de quoi m'inquiéter ? demande Parker dans mon dos.

Je me tourne vers lui, la carte toujours entre les doigts. Il est appuyé sur l'encadrement de ma porte et ses sourcils sont légèrement froncés.

— C'est Ross, dis-je stupéfaite.

Il s'avance sur moi comme un boulet de canon et attrape la carte avant d'y jeter un coup d'œil.

— Ton café Sophia, annonce-t-elle en me tendant toujours un gobelet marron moche mais éco-responsable. Un mec est venu porter ça ce matin. Tu as un admirateur secret, elle me fait un sourire complice avant de me donner un petit coup de coude.

Parker lui lance un regard peu amène et je n'imagine même pas ce qu'elle doit penser. Elle m'a vu débarquer avec Parker ce matin et devait donc penser, tout comme moi, qu'il s'agissait de son bouquet. Or, elle vient de le découvrir en train de regarder les fleurs comme s'il s'agissait d'un extraterrestre parachuté au milieu de mon bureau.

— Je pensais qu'elles étaient de toi.

C'est un mini reproche. J'aurais aimé qu'il ait cette attention.

Maintenant, Sarah arrive en s'esclaffant, un énorme bouquet de roses rouges dans les mains. Je ne la vois même plus derrière.

— Tu as vraiment un admirateur ! se marre-t-elle en posant le bouquet sur mon bureau.

D'ailleurs, on ne le voit presque plus sous cet amas de fleurs.

Là, je suis stupéfaite.

— De qui ça vient ? me demande-t-elle, curieuse en attendant à mes côtés.

Une chose est sûre, sa suspicion de relation entre Parker et moi est très loin dorénavant.

Parker me regarde très satisfait lorsque je lui jette un regard. Je comprends mieux pourquoi il avait l'air furieux. Celui-ci est son bouquet. Et de toute évidence, il l'avait commandé avant de savoir qu'un autre trônerait fièrement sur mon bureau avant le sien.

Quand j'attrape la carte blanche, je pivote légèrement pour ne pas laisser entrevoir le message à Sarah qui est carrément surexcitée par ces évènements.

— Je rêve qu'un homme m'envoie des fleurs ! C'est tellement romantique ! s'exclame-t-elle en portant une main à son cœur avant de regarder Parker.

Je rêve où elle essaie de lui faire passer un message ?

Tu peux rapporter seulement tes sous-vêtements, le reste ne te servira à rien chez nous.

Le plus heureux des hommes

Je sens mes joues s'empourprer et je cache la carte dans mon dos quand Sarah se penche pour essayer d'apercevoir ce qui me fait retenir mon sourire à ce point. Quand je relève les yeux vers Parker, il exulte carrément.

— Sarah, il s'éclaircit la voix. Est-ce que tu veux bien emporter le bouquet blanc ? Cela fera une très jolie décoration pour le hall d'accueil. Sophia ne peut décemment pas travailler avec autant de fleurs sur son bureau.

Je lis l'incompréhension sur son visage mais elle s'exécute et le bouquet rival disparaît en même temps qu'elle dans l'angle du couloir.

— Alors ? demande-t-il en jetant la carte de Ross dans ma poubelle avant de m'attraper par les hanches.

Mes lèvres s'étirent dans un sourire avant de passer mes bras autour de sa nuque pour l'embrasser. Je me fous que la porte soit ouverte. Son bouquet va trôner près de mon ordinateur toute la journée et ce soir, je le ramènerai à la maison. Chez nous. Je suis la plus heureuse sur terre et des papillons me chatouillent l'intérieur de l'estomac.

— Elles sont parfaites, je glisse contre ses lèvres. Et si Sarah avait lu le mot ?

— Je m'en fous, me dit-il dans un petit sourire.

Et je sais qu'il le pense. J'en mouille ma culotte tant cet homme me fait de l'effet. Je me recule et lui fais signe de partir alors que je me mords les lèvres pour contenir ma joie et mon excitation. Je l'entends se marrer quand il passe la porte.

— Veuillez mettre ces fleurs dans un vase, mademoiselle Rial, lâche-t-il à voix haute dans le couloir.

L'apparition de Sarah dans mon bureau avec un vase rempli d'eau me fait savoir qu'elle est toujours aussi curieuse. Je soupire. Elle est un peu plus jeune que moi et a rejoint l'équipe il y a deux mois. Elle est pleine de vie et on s'est liés d'amitié. Elle ferme la porte derrière elle avec un air de conspiratrice.

— Dis-moi que je rêve, dit-elle, et ses yeux sont grands ouverts.

Je lui fais signe de se taire en ouvrant à mon tour grand les yeux. Les murs sont en verre. Tout le monde va l'entendre hurler de surprise.

— Tu ne rêves pas, j'articule doucement.

Alors qu'elle vient de faire des avances à mon petit ami, elle se jette littéralement sur moi. Je déteste les personnes trop tactiles. Même si à force, je m'y suis habituée en côtoyant mes meilleurs amis : Élodie et Kevin.

— Tu ne dis rien, je dis sérieusement en la prenant par les épaules.

— Sophia, tout le monde va être au courant. Il y avait déjà des rumeurs, s'en amuse-t-elle. Ça fait quoi de se taper le boss ?

— Tu n'auras aucune information.

Je la pousse vers la porte en la remerciant pour le vase puis l'encourage à aller décrocher puisque c'est sa principale mission ici, chez Bailey Corp.

Chapitre 4

Pour le déjeuner, je rejoins Parker dans son bureau avant d'aller me chercher un truc à grignoter. Je laisse volontairement la porte ouverte. Si je ferme cette porte, je vais oublier de déjeuner.

— Tu veux que je te rapporte un truc ? je demande en restant debout derrière les chaises qui entourent son bureau.

Il refuse d'un signe de tête.

— Garreth vient déjeuner à midi. On va commencer à parler du projet pour voir s'il est possible de s'associer.

Parker veut dorénavant étendre sa clientèle aux personnages publics et élargir les missions de Bailey Corp aux gestions de crise. Ross Graham est notre premier client de ce genre. C'était un essai. Maintenant qu'il voit les possibilités pour son entreprise, Parker veut développer cette clientèle tout en gardant les campagnes publicitaires pour les entreprises. Dans ce sens, il a contacté Garreth, un ami à lui et avocat de New York pour qu'il nous serve de consultant juridique pour ces affaires. Je vais fermer la porte, parce que cette décision n'est pas encore connue de tous.

— Viens là, m'appelle-t-il en reculant sa chaise de bureau.

J'esquisse un sourire. Je n'ai même pas encore fermé la porte qu'il cherche déjà à faire céder toutes mes limites au travail.

— Pas de vitre, me fait-il remarquer en balayant d'un geste de la main ses murs en pierres et sa porte en bois massif.

Nos bureaux sont tous en vitres. Sauf le sien. Je ne peux m'empêcher d'imaginer à quel point c'était pratique pour lui de venir faire ses petites affaires ici avec ses précédentes conquêtes. Je lève les yeux au ciel puis viens m'asseoir sur ses genoux parce que clairement, je suis encore tout émoustillée par notre nouvelle vie commune.

— Est-ce que je t'ai dit à quel point tu étais belle aujourd'hui ?

— Pas encore, dis-je dans un sourire avant de l'embrasser, ma main posée sur sa nuque. Ne rêve même pas, je pose ma main libre sur la sienne qui remonte négligemment sur ma cuisse.

— J'ai un verrou, sur ma porte, m'indique-t-il.

— Et moi, une image à tenir.

J'encadre son visage de mes mains et lui fais un sourire réconfortant. Je sais qu'il adorerait qu'on fasse l'amour sur son bureau. Je sais qu'il adorerait pouvoir m'avoir quand il veut ici. Car c'est son entreprise, et qu'il emmerde tout le monde.

— Tout le monde chuchote déjà sur mon passage grâce à ton bouquet de fleurs.

— Est-ce que toi tu l'aimes ?

— Oui, je réponds, mais je suis troublée.

Son regard a tellement d'intensité sur moi que j'ai l'impression qu'il pense à la même chose que moi. Il ne parle pas seulement du bouquet de fleurs. Et j'ai répondu sans ciller. Il n'a pas l'habitude de ça chez moi, j'en ai conscience. J'étais extrêmement fermée depuis le début. Et pourtant, j'ai accepté de vivre avec lui hier. Et je dois bien avouer que je l'ai accepté tout entier dans ma vie finalement. Il se penche pour m'embrasser et sa main remonte sur l'intérieur de ma cuisse sans que j'aie mon mot à dire. Mon souffle se coupe un quart de seconde et mon corps entier se tend quand il se fraye un chemin jusqu'au point le plus sensible de mon corps, ses lèvres toujours posées contre les miennes.

— Putain, tu me rends dingue, murmure-t-il alors que deux de ses doigts me pénètrent et que son pouce titille mon clitoris.

Je gigote sur lui alors que j'essaie de me contenir et de ne pas fondre complètement dans ses bras. Il me pose délicatement sur le bord de son bureau et j'entends les froissements de ses vêtements dont il doit se dégager. Ses mains saisissent mes hanches et retroussent ma jupe sur mes cuisses pour me pénétrer plus aisément. Sur son bureau. Mais je m'en fous. Putain, ce que je m'en fous !

— Tu peux me repousser autant que tu veux, dit-il dans le creux de mon oreille. On sait tous les deux que tu craques toujours.

Je lui mords l'épaule et m'accroche comme je peux à ses épaules en retenant mes gémissements. Parker sait très exactement que les femmes veulent parfois seulement un petit coup rapide. Il n'est pas assez bête pour penser que je veux toujours des bougies, des chocolats et de la douceur.

Je reprends mes esprits contre son torse alors qu'il se rhabille rapidement. Son téléphone sonne et il décroche en haut-parleur. Très content de lui, je le vois enfoncer ma culotte dans sa poche de veste de costume sous mon regard médusé.

— Garreth vient d'arriver, lance Sarah à l'autre bout du fil.

— J'arrive.

Il raccroche et je lui fais remarquer que je ne peux pas me permettre de me balader sans sous-vêtements sous ma jupe.

— Tant que tu ne le dis à personne, me sourit-il en me tendant un mouchoir.

— Très prévenant, je marmonne en m'essuyant rapidement tout en gardant le peu de contenance qu'il me reste.

Je sais qu'il est ravi de savoir que je vais être mal à l'aise toute la journée. D'autant plus que ce malaise proviendra entièrement et complètement de lui et qu'il me permettra de ne pas oublier notre escapade sur notre lieu de travail.

— Hé mec ! T'en mets du temps putain ! s'exclame Garreth en entrant dans le bureau alors que je jette précipitamment le mouchoir dans sa poubelle.

Je pense que je suis cramoisie à cet instant. Car je suis bloquée entre Parker et son bureau. Cela ne laisse place à aucun doute.

— Sarah ! gronde Parker.

Vas-y, appelle donc plus de monde. Je lève les yeux au ciel en m'extirpant de cette position gênante.

— Je t'ai dit que j'arrivais, l'engueule-t-il alors qu'elle rentre dans le bureau en grimaçant.

— Je sais, mais il m'a dit qu'il n'y avait pas de ça avec lui.

Elle ne se laisse pas démonter. En même temps, il est vrai que Garreth étant un ami, il ne laisse pas vraiment la place au choix quand il débarque. C'est notre faute, je n'avais qu'à fermer cette foutue porte à clé. Mieux, je n'aurais carrément pas du coucher avec lui ici. D'un coup, le regard de Sarah se porte sur moi et elle camoufle son sourire. Je suppose qu'elle comprend tout de suite pourquoi Parker est furieux.

— Ça va Sophia ? m'interpelle Garreth en s'asseyant sur le fauteuil face au bureau.

— Super, il faut que j'aille me chercher un truc à manger.

Je ne trouve que ça pour fuir rapidement de cette pièce. C'est extrêmement gênant. Je contourne le bureau en bois, fais un petit sourire gêné à l'assemblée et lance un signe de main à Parker. Il va adorer ça, je le sens.

J'arrive devant le comptoir où trône une multitude de petits bacs comportant des légumes crus découpés, je ne peux m'empêcher de penser au fait que Sarah n'a désormais plus aucun doute. Je commande ma salade et patiente le temps que l'employée la mélange dans une boîte en plastique. C'est à côté du bureau, il y a peu de monde car les gens n'ont pas un attrait pour les salades exceptionnelles à New York et ça me permet de garder la ligne.

Je paie rapidement, retourne à mon bureau et ouvre mon ordinateur portable en plantant ma fourchette dans une boule de mozzarella. Mon téléphone se met à sonner près de ma main et j'esquisse un sourire en découvrant le visage de mon meilleur ami.

— Sophia Rial, j'écoute.

Son rire tonitruant me réchauffe le cœur.

— T'es conne. Tu bosses demain soir ?

— Vendredi soir ? je lance perplexe.

— Je veux dire, tu fais des heures supplémentaires ?

J'entends le sarcasme, la pointe d'ironie et les sous-entendus dans sa voix, je n'ai même pas besoin de voir sa tête. Kevin sait pour Parker. Parce que Kevin connaît toute ma vie. Et comme ma vie était très vide ces trois dernières années, dès que j'ai eu quelque chose à raconter, j'ai sauté sur mon téléphone.

— Je vais faire encore plus d'heures supplémentaires.

Là, je sens clairement qu'il ne comprend pas. Enfin, c'est un homme, il comprend le sous-entendu salace bien évidemment.

— J'emménage chez Parker.

— Il faut absolument qu'on se voie, lâche Kevin.

Kevin n'est pas mon meilleur ami gay, loin de là. Mais c'est mon meilleur ami et j'entends rien qu'à sa voix qu'il est heureux pour moi.

— Je vais être très occupée à faire des cartons ce week-end.

Je plante une tomate et la porte à mes lèvres :

— Je serai ravie d'avoir un homme fort et viril à mes côtés.

— Je sens que Parker va adorer, commente-t-il.

— Je voulais dire, un deuxième.

— Est-ce que ton frère est au courant ?

— Que je couche avec mon patron ? Non pas encore, je lance, sur le ton de l'humour.

— Il ne sait toujours pas que tu vois Parker ? s'étouffe Kevin à l'autre bout du fil. Et là, tu veux lui annoncer que tu emménages avec ? Bonne chance !

— Je savais que ça faisait too much, j'opine, maintenant ironique. Est-ce que tu viendras m'aider alors ?

— Bien sûr, je ne vais pas te laisser te débrouiller toute seule. Je viens demain soir chez toi.

— Amène des bières ! je crie avant qu'il ne me raccroche au nez.

Après cinq heures passées dans mon bureau, je décide d'en sortir. Officiellement, c'est la fin de ma journée. Je n'ai pas eu de contact de l'après-midi avec Parker. Je ne sais pas où il en est de sa réunion avec Gareth et je me demande comment est censée se passer cette fin de journée. C'est son chauffeur qui nous a amenés ce matin. Je suppose que c'est son chauffeur qui est censé nous ramener. Ce qui signifie que nous sommes censés rentrer ensemble. Mais, et s'il en avait pour des heures encore ?

— On rentre ?

C'est flippant. C'est comme s'il m'avait entendu penser. Je lève les yeux vers lui, surprise et décontenancée. Il est appuyé contre le chambranle de ma porte et tient son portable dans son poing. J'acquiesce, prends mes affaires et le rejoins rapidement.

— Bonne soirée, nous lance Sarah une fois que nous sommes sortis du bâtiment tous ensemble.

Elle a fait comme si de rien n'était dans l'ascenseur et je lui en suis reconnaissante. Car je suis toujours aussi gênée. Il m'ouvre la portière de la Mercedes puis s'engouffre derrière moi, me tendant son téléphone pour que je le plonge dans mon sac à main.

— On ne peut plus faire ça, je lui lance, autoritaire, en me tournant vers lui.

Mon genou effleure le sien. Et son sourire me fait dire qu'il sait très bien de quoi je parle.

— Je suis sérieuse Parker. On ne peut plus coucher ensemble au bureau.

C'est la seconde fois que je monte avec son chauffeur en voiture. Mais quelque chose me dit qu'un mec qui a un chauffeur le paie suffisamment cher pour qu'il soit discret.

— C'est Garreth, soupire-t-il. Il n'est pas foutu de toquer à une porte.

— Et si ça avait été Sarah ? je le confronte.

— Elle aurait toqué.

Il fronce les sourcils, catégorique.

— Et alors ? J'étais assise sur ton bureau. Comment veux-tu que les gens ne s'imaginent pas des choses ?

Il soupire et me demande son portable. C'est à mon tour de froncer des sourcils maintenant.

— Voilà, marmonne-t-il en me le tendant de nouveau, l'écran est éteint.

— Qu'est-ce que tu as fait ? je lui demande, grognon.

— J'ai envoyé un mail à tout le monde disant que le bouquet de ce matin est de moi, car nous sommes ensemble et que je remercie par avance tout le monde de faire preuve de compréhension et de bonne foi.

J'ouvre de grands yeux. Je suis scandalisée.

— Sarah m'a déjà dit qu'elle savait et que le reste du bureau s'en doutait. Autant que les choses soient claires. Je préfère que les rumeurs ne courent pas, dit-il en haussant les épaules. Tu as honte de moi ou quoi ? s'agace-t-il.

Il a tellement raison d'un côté. Plus personne ne peut chuchoter sur mon passage si nous assumons. Enfin si, les gens peuvent complètement chuchoter sur mon passage et faire preuve de mauvaise foi, cela n'empêchera rien. En fait, rien ne les empêchera.

Je lui fais signe d'approcher d'un signe de main.

— Es-tu encore fâchée ? demande-t-il sur un air réprobateur.

— Je suis tout, sauf fâchée, je lâche assez sûre de moi pour qu'il comprenne le message.

Je le vois lever les yeux au ciel en réprimant un sourire. Le message est passé.

Chapitre 5

Vendredi soir, j'ouvre la porte de mon appartement, suivi de près par Parker. J'ai revêtu un legging noir et un débardeur ample en sortant du bureau pour me préparer aux nombreux cartons que j'ai à faire ce soir. J'emporte quelques affaires, j'entrepose mes meubles au garde-meuble du coin de la rue. Tout le reste finira dans l'association d'aide aux sans-abri la plus proche.

Je referme mon troisième carton avec du scotch et Parker l'empile sur les deux autres en me souriant.

— Heureusement que l'appartement est spacieux.

Ça toque à la porte et celle-ci s'ouvre un quart de seconde après, sans intervention de ma part. Kevin rentre en sweat, un pack de bières dans une main et un sac en papier kraft sous le bras.

— J'ai amené de quoi bouffer !

Il est rayonnant. Je lui souris et attends qu'il vienne à nous.

— Comment as-tu réussi à emmagasiner autant de bordel dans 20 m² ? grimace-t-il en enjambant des sacs poubelle remplis.

Il me soulève dans ses bras quelques secondes avant de serrer la main à Parker.

— Kevin, le meilleur ami.

Je pouffe de rire en le frappant dans l'épaule.

— Parker, le copain.

Je lève les yeux au ciel en le voyant l'encourager dans sa bêtise.

Comme je m'y attendais, la fin de journée se passe très bien. Kevin est mon meilleur ami. C'est presque mon frère. Sauf qu'il serait le gentil frère dans cette histoire. Il taquine Parker, n'hésite pas à rire avec lui et me prend par l'épaule en me faisant un clin d'œil de temps à autre. Josh ne lui aurait pas adressé la parole et se serait contenté de me lancer des regards noirs. Ils m'aiment différemment…

Une fois terminé, je les invite à manger dans un fast food. J'ai envie que Kevin apprenne à connaître Parker. J'ai envie qu'il l'apprécie et qu'il arrive à convaincre mon grand frère trop protecteur.

— Bon, alors Parker j'espère que tu es solide, observe Kevin en me lançant un regard amusé.

Je fronce les sourcils en l'interrogeant du regard alors que Parker pose sa main sur ma nuque pour la masser tendrement.

— Comment ça ?

— Parce que Josh ne va pas y aller de main morte avec toi, se marre mon meilleur ami. Tu sors avec sa petite sœur, tu l'emploies et maintenant tu la fais emménager avec toi, énumère-t-il. Et tout ça, sans l'avoir consulté.

— Je ne savais pas qu'on était encore au Moyen-Âge dans cette famille.

Il me lance un regard amusé et je secoue doucement la tête en faisant les gros yeux à Kevin.

— Écoutes Kevin, j'aime Sophia. Tout est cool, tempère Parker.

— Pour moi, tout est toujours cool, dit Kevin en levant les mains à hauteur d'épaules d'un air innocent. T'as l'air d'être un mec bien. Sophia est heureuse.

Il me jette un regard tendre et je lui souris.

— Je suis content pour vous, conclut-il. Mais ne lui fais pas de mal, sinon je te démonte.

J'éclate de rire.

— Et si je vous invitais, toi et Josh, à un match de basket la semaine prochaine ?

Je manque de m'étouffer et Parker ne lâche pas du regard Kevin. Il a son air de négociateur en puissance. Celui qu'il fait quand un dossier devient compliqué avec un client et qu'il cherche à mettre toutes les chances de son côté.

— Pardon ?

— En bord de terrain, ajoute-t-il, comme si cela ne suffisait pas.

— Parker !

— Mec ! s'exclame Kevin, ravi et surexcité.

***

Dans la voiture, je suis tournée vers la vitre. Je suis furieuse. Putain, qu'est-ce qui lui donne le droit de me forcer la main à parler de lui à Josh ? J'ai conscience que ma réaction est disproportionnée et que de toute façon, je vais être obligée de faire face à la situation. Mais je voulais plus de temps. Je voulais prévenir Josh une fois que quelques mois de plus se seraient bien passés. Pour lui dire ; tu vois Josh, fais-moi confiance, tout va bien. Maintenant, la seule chose qu'il va voir, c'est que tout va trop vite et que je suis impulsive.

— Tu crois pas que tu en fais un peu trop ? me questionne-t-il quand on rentre dans l'ascenseur.

Je le fusille du regard.

— Ton frère n'est pas un tueur à gages, Sophia.

Son trait d'humour passe mal.

— Je te fais honte ou quoi ?

C'est à son tour de s'énerver. Il sort le premier de l'ascenseur et part sur le balcon en me laissant là. J'aimerais qu'il me comprenne. Qu'il se mette cinq minutes à ma place. Mais Parker est un homme, il n'a pas eu à rendre de compte à sa grande sœur. Il n'a pas pleuré son chagrin sur le canapé de sa sœur pendant des mois. Il ne s'est pas laissé dépérir après une rupture en entraînant sa famille dans sa chute.

Je m'arrête sur le seuil de la baie vitrée. Il fume une clope en profitant de la vue, toujours dans son jogging et son débardeur. J'esquisse un sourire. La seule raison pour laquelle il ne peut pas me comprendre, c'est car je ne lui ai jamais expliqué. Parce qu'une part de moi est encore en mille morceaux de ma dernière rupture avec Lucas. Bien sûr, je vais mieux. Parker est mon rayon de soleil. Je sais que je suis folle de lui. Et j'ai peur de rouvrir cette page de mon histoire pour qu'elle me détruise à nouveau.

— Je n'aurais jamais honte de toi, je lui avoue accoudée sur le battant.

Il tressaille sans se retourner.

— Je suis amoureuse de toi, Parker.

Toujours rien. J'esquisse un sourire. Je sais qu'il n'est pas en mesure de me repousser. Pas quand je tire sur sa corde sensible. Il n'a jamais été amoureux. Il ne s'est jamais attaché à une fille ni même vécu avec une seule. Et pourtant, en huit mois, il a tout rattrapé sans jamais douter une seconde. Il n'a jamais cherché à faire marche arrière, il n'a pas connu de moment de doute non plus. Et je crois que c'est pour cela que j'en suis là. Je pensais ne plus jamais m'attacher à quiconque. Je ne pensais plus être capable de faire confiance, ni même de me livrer à quelqu'un à ce point-là. Et me voilà là.

— J'appellerai Josh demain.

Il se tourne lentement vers moi.

Je parle peu. Je me livre assez peu aussi. Appeler mon frère demain relève du calvaire mais je vais le faire, si ça peut le rendre heureux.

— Je ne lui ai rien dit par rapport à moi. En aucun cas par rapport à toi, je clarifie en faisant la moue. Josh m'a vu tellement mal que j'ai peur de sa réaction quand je lui dirai que je suis avec quelqu'un à nouveau…

Il me rejoint en quelques enjambées et me serre dans ses bras en embrassant mon front. Je suis compressée contre son torse mais je ne peux m'empêcher d'être soulagée. Nous ne nous coucherons pas fâchés ce soir. Et j'espère d'ailleurs aucun autre soir.

— Tu seras toujours ma priorité, me dit-il en relevant mon menton pour croiser mon regard.

J'acquiesce mais mes larmes sont difficiles à contenir. Il sait pourquoi ma relation avec Lucas s'est finie. Parce qu'un soir j'ai réussi à lui en parler. Il sait comment je me suis sentie, il sait à quel point certaines fissures chez moi ont toujours besoin d'être consolidées. Et il le fait, toujours.

Chapitre 6

Quand j'arrive au bureau le lundi, j'ai le cœur lourd. Je dois appeler Josh aujourd'hui. Parker a préféré qu'on profite pleinement de notre week-end avant de partir à Los Angeles.

— Bonjour, Sarah.

— Il y a Ross dans ton bureau.

— On n'avait pas rendez-vous, dis-je les sourcils froncés en attrapant le café qu'elle me tend.

Je lui fais signe que c'est bon, puis je pars vers mon bureau en soupirant.

— Bonjour Ross, je le salue poliment. Que me vaut votre visite ?

Il se lève en me souriant et vient me serrer la main.

— Vous avez reçu mon cadeau ?

— En effet, je lui fais un sourire poli en passant derrière mon bureau. Merci, c'était très gentil d'ailleurs.

— Du coup, quand seriez-vous libre pour dîner ?

Je m'assieds en réfléchissant aux mots à employer pour ne pas froisser l'ego d'un homme.

— Je suis extrêmement flattée. Malheureusement je vois déjà quelqu'un.

Il n'a pas l'air gêné pour un sou. Au contraire, il a l'air surpris.

— Je ne vois pas d'alliance à votre doigt, observe-t-il.

— Parce qu'une femme n'a plus besoin d'avoir une alliance pour être dans une relation de nos jours, je lui souris, mais il commence à m'agacer.

— Une femme comme vous le devrait.

Je me pince les lèvres en tentant de continuer à sourire. C'est très flatteur, c'est vrai. Mais la manière dont il se penche sur mon bureau est oppressante.

— Écoutez Ross, je m'occupe de votre image. J'ai fait tout mon possible pour vous permettre de retourner en NBA, et j'y suis arrivée. Si un jour vous avez à nouveau besoin de notre société dans le cadre de votre carrière, je serais ravie de m'investir dans un nouveau projet. Mais notre relation s'arrête à une collaboration.

Je me suis levée, l'ai contourné et lui ai ouvert la porte.

— Un seul dîner, insiste-t-il en face de moi, la main sur la porte également.

— Je vous demande de sortir de mon bureau, je clarifie.

— J'espère que vous aimez les roses. Je compte continuer à en envoyer tant que vous n'aurez pas dit oui.

Il me sourit et je lui rends la pareille en pinçant mes lèvres. Oh le lourd. Quand il s'éloigne dans le couloir, je lève les yeux au ciel et je surprends Sarah en train de m'interroger du regard. Je me renferme dans mon bureau en soupirant. Il est 4 heures de moins à Los Angeles, ce qui signifie que Parker ne devrait pas tarder à être debout.

— Allô, je réponds surprise à la quatrième sonnerie de mon portable.

Je n'ai pas regardé mon écran, or j'aurais peut-être dû.

— Sophia, pourquoi j'apprends par Kevin que tu emménages chez ton copain ? lâche froidement la voix de Josh.

— Josh ! je n'arrive qu'à lâcher ça, d'une petite voix.

— Depuis quand es-tu avec lui ?

— Comment ça va ? je le questionne en ignorant délibérément sa colère.

Note à moi-même : tuer Kevin.

— Sophia, tu te fous de moi ?

— J'allais te le dire, je soupire. J'allais vraiment te le dire aujourd'hui.

— Il sort d'où ce type ?

— Kevin ne t'a pas déjà tout raconté ? je demande, agacée.

— Figure-toi qu'il m'a simplement dit qu'il t'avait aidé pour ton déménagement vendredi.

— Josh, je te jure que j'allais te le dire aujourd'hui.

Visiblement, ça n'arrange pas la situation.

— Depuis quand tu connais ce gars ?

— Huit mois.

Il s'étrangle carrément en répétant ma réponse.

— Tu te fous de moi là ?

— Est-ce qu'on peut en discuter calmement ?

Comme il continue à s'énerver au bout du fil, je raccroche en levant les yeux au ciel avant d'envoyer un message à Kevin pour lui décrire toutes les horreurs que je vais lui faire subir.

— Tu es calmé ? je demande en décrochant au bout du sixième appel.

— Tu viens manger à la maison ce soir, avec ce type.

Très homme des cavernes.

— Ce type s'appelle Parker. Et je ne peux pas venir avec lui, car il est à Los Angeles.

Comme je l'entends se moquer du fait que je viens d'emménager chez un homme qui part deux jours après à l'autre bout du pays, je raccroche à nouveau en le mettant sur silencieux. J'irai chez lui ce soir, peut-être qu'il sera plus apte à discuter.

Chapitre 7

J'arrive vers vingt heures. Je toque et il se passe quelques secondes avant d'entendre le verrou tourner dans la serrure.

— Sophia ! s'exclame ma belle-sœur en me faisant les gros yeux avant de me serrer dans ses bras.

Je me mets à rire et lui frotte le dos jusqu'à ce qu'elle se recule.

Mon frère et Alex ont emménagé ensemble deux ans après l'hospitalisation de Josh.

Cette nuit-là, il s'était battu et avait fini renversé par une voiture. Je m'en souviendrai toute ma vie alors que je n'étais même pas là… mais Élodie l'était. Nous étions allés passer une soirée tous ensemble – mes amis, mon frère, mon ex et moi – pour nous détendre avant les examens finaux. Et j'étais rentrée plus tôt avec Lucas pour ne pas être trop fatiguée et pouvoir continuer à réviser le reste du week-end. J'avais tellement peur de les rater et de manquer la chance que j'avais fini par récupérer en devenant la femme que je suis aujourd'hui. Mais cette soirée était devenue un cauchemar une heure plus tard… Mon frère avait pris ma défense alors qu'on me critiquait de ce que m'avaient raconté mes amis. Et aussi, peut-être, s'était-il aussi laissé emporter par la jalousie de voir son ex – ma meilleure amie – embrasser un autre homme que lui. Je me rappelle l'onde de choc qui m'avait tétanisée sur place ce soir-là, quand j'avais récupéré mon téléphone. J'ai su tout de suite que quelque chose n'allait pas.

J'avais rappelé Alex une fois que la terreur m'était passée. Alex, la femme joyeuse qui avait réussi à se frayer une place dans la vie de mon frère après sa rupture avec ma meilleure amie. Alex, qu'il avait quittée du jour au lendemain sans explication.

Pourtant, elle n'avait pas pris plus d'une heure après mon appel pour débaucher et rejoindre l'hôpital et aller le retrouver. Elle était passée outre ses rancœurs pour venir à son chevet et pour prier avec nous qu'il aille bien et sorte du coma.

Puis elle l'avait aidé pour sa rééducation, avait encaissé ses humeurs massacrantes et avait refusé toutes ses offres d'« aller se faire voir ». J'aime à penser que dans la vie, on rencontre deux relations. La relation de jeunesse, la plus destructrice et douloureuse. Puis la relation sage et douce, où l'autre apparaît comme un rayon de soleil dans une journée pluvieuse. Et c'est celle-ci la bonne. Parker est mon rayon de soleil. Alex est celui de Josh.

— Alors comme ça, tu me caches ça, même à moi ? s'offusque-t-elle en me poussant à l'intérieur.

— Je l'ai caché à tout le monde.

— Non pas à tout le monde, objecte mon grand frère.

Je me tourne et fais un sourire forcé à Josh.

— Kevin était le seul au courant.

— Tu préfères en informer Kevin, plutôt que moi ?

Je me tais et vais m'asseoir dans leur canapé.

— Alors, qui est ce type ?

— Parker, le reprend Alex en le noircissant du regard.

— On s'est rencontrés au travail.

Alex a l'air tout excitée et enjouée par mon histoire. Mon frère, c'est autre chose…

— Il m'a fait la cour pendant des semaines – j'omets de dire qu'il s'agit de mon patron – et un soir, j'ai accepté de sortir avec lui.

— Trop mignon, roucoule Alex en portant sa main sur l'épaule de Josh.

— C'est vraiment un chouette type – j'insiste – il est attentionné.

— Alors tu ne verras aucune objection à ce qu'on vous invite vendredi, me coupe Josh.

Je lève les yeux au ciel et Alex se met à rire.

— T'as pas bientôt fini ? le charrie-t-elle. C'est quoi cette réaction ? Ta sœur est malheureuse comme les pierres et toute seule depuis des années, et maintenant qu'elle est tout heureuse, tu te la joues vrai con.

J'ouvre de grands yeux et les regarde tour à tour.

— Tu sais quoi, Sophia ? Ton grand frère chéri t'a caché quelque chose aussi.

Elle lui fait un grand sourire avant de se lever.

— Tu vas être tatie d'un petit garçon.

Ma mâchoire se décroche et il me faut quelques secondes avant de réagir. Les larmes me montent aux yeux et je la serre si fort dans mes bras que j'arrive à la décoller du sol.

— Mais de combien de temps ? je demande en essuyant mes yeux. Papa et Laurenn sont au courant ?

Je renifle en interrogeant Josh du regard et il commence enfin à se dérider.

— Pas encore, on va à Miami à la fin du mois pour le leur annoncer.

— Ça fait quatre mois. On attendait de savoir le sexe pour te l'annoncer.

— Oh mon dieu ! je m'exclame en essuyant mon nez avec la manche de mon pull en lin. Je vais être tatie, je sanglote.

Dans le taxi du retour, j'apprends la bonne nouvelle à Parker et il me répond avec des emojis de biberon, bébé et confettis ce qui m'arrache un sourire.

Chapitre 8

Parker arrive dans mon bureau vendredi après-midi, je saute littéralement de ma chaise pour aller le serrer dans mes bras. Il me soulève et je passe mes jambes autour de sa taille en déposant un chaste baiser sur ses lèvres. Il m'a énormément manqué mais nous sommes en public.

— Tu es habillée comme ça depuis ce matin ? me questionne-t-il en jetant un œil réprobateur à mon décolleté vertigineux.

Je me mets à rire et tourne sur moi-même quand il me repose au sol. Son regard appréciateur montre qu'il apprécie plutôt bien mon tailleur-pantalon blanc ainsi que le fait que je n'ai que mon soutien-gorge sous la veste.

— T'es très jolie, me glisse-t-il à l'oreille en posant sa main dans le creux de mon dos.

Je frissonne des pieds à la tête. Soudain, son regard s'arrête sur un coin de mon bureau et il hausse un sourcil.

— Qui t'a envoyé ces roses ?

— Ross, encore, je lève les yeux au ciel en allant jusqu'au bouquet.

Il gratte du bout des doigts sa barbe et je sens son visage se pincer.

— Il est revenu ici ?

J'acquiesce en m'asseyant sur le bord de mon bureau.

— Des fois que je ne sache pas lire les cartes, je plaisante.

— Au prochain bouquet, je l'appelle, me prévient-il les lèvres pincées.

— Ça risque d'arriver rapidement alors, puisqu'il a promis d'en envoyer jusqu'à ce que j'aille dîner avec lui.

— C'est hors de question ! fulmine-t-il en fronçant les sourcils.

— Calme-toi, je soupire en me levant pour attraper le portable qu'il sort de sa poche. Je gère, je le tempère en cherchant son regard.

***

Plus tard, Alex nous ouvre la porte et Parker entre le premier sans se démonter. Il complimente la future maman et elle le regarde ravie. Et dire qu'à une époque, il passait son temps à charmer chaque femme qui passait près de lui. C'est terrible, ça coule dans ses veines. Alex me donne un coup de coude, visiblement très appréciatrice du candidat que je lui ramène ce soir alors je me mets à rire.

— Vous devez être Parker, commence Josh.

— Et vous Josh, le grand frère..., observe en souriant mon petit ami. Enchanté.

J'ai comme l'impression qu'ils se broient la main réciproquement. J'opine en me disant qu'il doit s'agir d'un truc de mecs.

— Alors du coup, c'est vous qui avez invité ma sœur à venir vivre chez vous.

Je regarde Josh en fronçant les sourcils. *Bah oui, banane.*

— Ça vous dit qu'on aille parler un peu tous les deux ? commence Parker.

Il est fait pour négocier, tout va bien se passer. Et puis, Josh ne pourra pas rester éternellement fermé au fait que je partage ma vie avec quelqu'un. C'est impossible. Qui ferait ça ?

— Il est canon, m'encourage Alex en tenant mon coude.

— Espérons qu'il sera toujours beau avec le nez fracturé, je plaisante et elle se met à rire en partant vers la cuisine. Dis-moi, vous allez être serrés une fois que bébé sera là.

— On va chercher un appartement à L.I.C. Le système scolaire a l'air bien là-bas. Et puis, les loyers sont plus bas.

J'opine. Je ne lui dis pas que je vis à Manhattan avec Parker. Ce serait résolument too much pour les présentations. Quand ça sonne à la porte, j'interroge ma belle-sœur du regard, suspicieuse.

— On attend quelqu'un d'autre ?

— Tu connais ton frère, il était au basket avec Kevin donc il l'a invité.

Je fronce les sourcils, mécontente. Mon meilleur ami entre dans l'appartement et soulève Alex dans ses bras en la félicitant chaleureusement. Visiblement, je n'ai eu l'exclusivité que quelques jours. Il s'avance vers moi en me faisant un petit sourire puis il fait un rapide tour visuel du salon.

— Où sont-ils ?

— Ils parlent entre hommes, se moque Alex.

Je croise les bras sous ma poitrine et fusille Kevin du regard.

— Oh allez, Sophia, c'est bon. Tu aurais bien été obligée de nous le dire de toute façon ! le protège ma belle-sœur.

— En plus, je te jure que c'est sorti comme ça. Ce n'était pas fait exprès ! s'exclame Kevin en levant les mains à hauteur d'épaules.

Je le noircis du regard quand visiblement, celui de Kevin est attiré au-dessus de moi. Un bras se pose autour de mes épaules et l'autre vient serrer la main de mon meilleur ami.

— Comment ça va mon pote ? lance-t-il chaleureusement. Alors Josh, t'as réussi à te comporter de manière civilisée mon vieux ? charrie mon meilleur ami.

Et quand je vois Josh prendre sous son bras Kevin pour lui frapper à plusieurs reprises l'épaule brusquement, mon cœur ne peut pas s'empêcher de fondre. Peu importe combien ils m'insupportent, je les aime tellement. Et c'est ma famille. Je me laisse aller contre le torse de Parker. Je me sens chez moi.

Chapitre 9

Un mois plus tard, je suis à mon bureau et mon pied tape le sol frénétiquement. Je suis excédée, furieuse, à court de mots. Alors que je marchais jusqu'au bureau car ça ne me fait pas de mal de temps en temps, je suis tombée sur un magasine en tête d'un kiosque ambulant. Puis d'un second, et d'un troisième. Au quatrième, j'ai acheté un magasine en tendant trois billets d'un dollar au vendeur puis suis grimpée dans un taxi pour arriver plus vite au bureau. Parker n'est pas encore arrivé mais l'objet de ma colère entre dans mon bureau, précédé par Sarah qui sourit mal à l'aise.

— Qu'est-ce qui ne va pas chez vous ? je vocifère à l'encontre de mon client en me levant.

— Mes roses ne sont pas supposées être sur le hall d'accueil, remarque-t-il en me faisant un léger sourire.

— Sarah, ferme la porte je te prie, la congédié-je en pinçant mes lèvres.

Quand elle m'encourage d'un signe de tête, je ferme les yeux un instant en inspirant profondément.

— Vous venez de ruiner mes trois derniers mois de travail, j'accentue chaque syllabe en le fusillant du regard. Vous veniez de signer votre contrat avec les Celtics. Mais non, il faut qu'un putain de paparazzi vous trouve le nez plongé dans un rail de coke ! je lâche, complètement hors de moi.

— Peut-être que c'était pour vous revoir.

— Si c'est ça, c'est bien l'idée la plus conne que je n'ai jamais entendue, je siffle. Non seulement vous êtes un drogué, mais en plus vous êtes un imbécile.

— Je ne vous permets pas Sophia, il commence à s'agacer.

Le ton monte et quand je lui claque le magazine sur le bureau, la porte s'ouvre à la volée.

— Ross, parle calmement Parker en allant lui serrer la main.

Il lui pose une main sur l'épaule puis me fait un sourire.

— Est-ce que Sophia vous a annoncé la nouvelle ? s'enquiert mon cher et tendre et je fronce les sourcils en l'interrogeant du regard. Elle n'aura malheureusement pas la possibilité de s'occuper de votre image cette fois-ci. Mr McCarran, notre chargé de mission crise, va prendre le relais.

Je suis stupéfaite quand il me fait signe de passer un coup de téléphone. Parker me retire mon cas. Le premier cas important qu'il m'a confié. J'obtempère en gardant ma rancœur pour moi et quand Smith décroche, je l'invite à nous rejoindre rapidement dans mon bureau. Il entre, souriant comme à son habitude. Smith doit avoir la trentaine. Il est toujours habillé dans un style décontracté chic. Sa chemise est remontée sur ses avant-bras, il a noué sa cravate noire dans un nœud plutôt lâche. J'avale difficilement ma salive en le voyant serrer la main de Ross et sembler pris au dépourvu un quart de seconde quand Parker lui annonce que c'est désormais son cas. Je bous de l'intérieur. Et Smith me fait un signe de tête pour me saluer.

— Laissez-moi étudier le cas, mettre en place un plan d'action et on se retrouve cet après-midi pour disons… Trois heures ?

Je le hais pour son sang-froid.

— Ça me semble parfait Smith, acquiesce Parker en posant sa main sur son épaule pour l'encourager. Ross, je vous accompagne à notre salle de repos ?

Celui-ci cherche mon regard et quand ils se croisent, j'avale difficilement ma salive en lui faisant un sourire pincé. Ross Graham a été le premier gros cas que j'ai eu dans cette entreprise. Le plus gros cas de ma carrière complète puisqu'avant ce poste, je n'avais eu que des jobs d'assistantes comme Sarah. J'avais d'ailleurs peu d'espoir sur le fait de recevoir un cas pareil avant mes trente ans, le temps d'acquérir de l'expérience. Pourtant Parker me l'a confié en restant toujours présent pour m'aider au besoin et souhaitait tout de même avoir un droit de regard sur mes propositions. Il m'a fait confiance et visiblement, ce n'est plus le cas. Ils sortent tous les trois de mon bureau en fermant délicatement la porte et prise de colère, je balance mon pot à crayon dans le seul mur viable. En serrant les poings, j'inspire profondément et me rassieds pour boucler le dossier sans importance que j'ai reçu à la suite de la réussite du cas Ross Graham.

Une heure plus tard, alors que Parker réapparaît dans le couloir pour rentrer dans son bureau, je le suis de près et ferme derrière nous. Il me fait un petit sourire en posant sa veste de costume sur son porte-manteau alors que je crois les bras sous ma poitrine.

— C'est quoi cette histoire ? je lui demande.

— Bonjour bébé, m'accueille-t-il sans s'asseoir.

— Parker, pourquoi tu m'as retiré le cas ? j'insiste en fronçant les sourcils. Je suis devenue incompétente parce qu'on vit ensemble ?

Il soupire et lève les yeux au ciel, ce qui a le don de m'excéder.

— C'est pourtant ce dont ça a l'air.

— Tes compétences ne sont absolument pas remises en cause, je le regarde attraper son téléphone et venir jusqu'à moi en pianotant. D'une part, je n'ai aucune envie que ce type traîne dans ton bureau tous les jours, je lève les yeux au ciel, agacée qu'il puisse se montrer jaloux alors que c'est avec lui que je vis. D'autre part, je me suis dit que ça te plairait.

Je fronce les sourcils en attrapant le téléphone qu'il me tend sur un article de journal paru ce matin, à cinq heures trente-quatre. Putain mais qui fait paraître des articles à cette heure-là ? Une athlète française a tourné dans une publicité qui a fait un bad buzz auprès du public dans la nuit. Elle a été jugée comme propos raciste par les médias là-bas. Et cela remet en cause sa participation aux Jeux olympiques.

— Tu me confies ce cas ? je lui demande d'une petite voix en lui rendant son téléphone.

Il me regarde d'un air satisfait et tout à coup, je revois des petits cœurs virevolter autour de sa tête tant je suis contente.

— Tu n'avais pas le droit de ne pas m'en parler et de me faire passer pour une imbécile devant tout le monde, je réattaque, mais je le fais simplement pour la forme.

— Je dirais que tu vas plus passer pour la chouchoute du patron que pour une imbécile, observe-t-il en souriant, sa main se pose sur ma hanche pour m'attirer contre lui.

Je lui vole un baiser et noue mes bras derrière sa nuque en me collant contre lui.

— Vivement ce soir, je conclus en quittant son bureau, satisfaite.

Dans la journée, je croise à plusieurs reprises Ross dans les couloirs. Il tourne comme un lion en cage car il a l'interdiction de quitter les lieux jusqu'à ce que Smith trouve des issues à son problème. Il n'a pas non plus l'accès à son téléphone et j'entends Parker lui rappeler qu'il ne doit pas parler à un seul journaliste ou paparazzi quand il rentrera à son hôtel. J'entends même ce dernier lui ordonner de se déplacer avec un chauffeur que notre boîte aura choisi.

Mon portable se met à sonner alors que je fais plus de recherche sur mon futur cas. Ma cliente sera là dès demain matin. Elle a pris l'avion de Paris en fin de journée. Elle se rend directement à nos bureaux puis filera vers ceux de son avocat. Nous nous trouvons tous à New York car la publicité pour laquelle elle a tourné était une publicité d'une marque américaine de soda.

— Allô, j'apostrophe en cliquant sur un nouveau lien.

— Très sérieuse, ricane ma meilleure amie au bout du fil. Alors comme ça ton cabinet est en charge de la pub de l'année ?

Je ne peux m'empêcher d'émettre un sourire. J'avais bien remarqué que la publicité était celle d'un concurrent d'Élodie. Je ne pensais pas que les nouvelles iraient si vite.

— Très drôle.

— Comment ça va ma puce ? s'enquit-elle et je l'entends jouer avec sa boule anti-stress.

Tout cela n'était qu'un prétexte pour m'appeler finalement. Élodie et moi sommes toujours les meilleures amies du monde. Mais elle vit à l'autre bout du pays, en Californie. Elle a un super poste dans une énorme filiale de soda vendu dans le monde entier. Je suis ravie pour elle. Elle est restée une année de plus à New York pour terminer son diplôme, et rester auprès de Josh, mais elle ne l'avouera jamais. Mon amie a tenté désespérément de refaire sa place auprès de mon frère, mais celui-ci a finalement mis un terme à tout ça en clarifiant sa préférence pour Alex. Cela a décidé son départ pour Los Angeles et surtout, le fait qu'elle ne revienne pas après ses études. Depuis, elle a vu quelques garçons mais je sais qu'elle n'a pas refait sa vie. Parfois, ça me brise le cœur de savoir qu'elle est toujours meurtrie par leur séparation. Mais je ne peux pas m'empêcher d'être heureuse que Josh soit heureux dans sa vie avec Alex.

— Super, il faut que je t'annonce quelque chose au fait.

Je réalise que je n'ai pas parlé de Parker à Élodie. Je n'avais parlé de lui qu'à Kevin. J'étends mes jambes devant moi et lâche la bombe :

— Je vis avec quelqu'un.

J'entends son sifflement appréciateur et esquisse un sourire.

— Rassure-moi, tu ne voulais pas dire que tu avais adopté un chat ? se moque-t-elle.

— Si je devais le comparer à un félin, je dirais plutôt un lion, je plaisante.

Elle s'esclaffe au bout du fil et je me mets à rire à ses côtés. Elle me manque. Cela fait plus d'un an que l'on ne s'est pas vus.

— Et si je venais à Los Angeles te le présenter ? je propose sur un coup de tête.

— J'adorerais, Sophia ! Tu sais à quel point ça me ferait plaisir que tu viennes découvrir mon chez-moi !

Je ne suis jamais allée la voir à Los Angeles depuis son départ. Je suis certainement la pire meilleure amie qui soit. Élodie revient nous voir une fois par an, à peu près. On a dû se voir quatre fois tout au plus depuis son déménagement. Et ça ne change rien. Je dirais même que cela a apaisé les tensions liées à mon frère entre nous.

— Je prends mes billets et je te tiens au courant, je conclus.

— Et toi Elo, comment ça va ?

— Métro, boulot, dodo, se lamente-t-elle avec ironie.

— Je vais venir remuer tout ça ! je lance joyeuse.

— Je n'attends que ça.

On raccroche et je suis tout sourire. J'aurais dû aller voir Élodie plus tôt. Mon cœur est gonflé à bloc.

— On y va ? s'enquit Parker sur le pas de la porte alors que je commençais à faire des recherches sur Hélène Chevalier.

Je jette un œil à ma montre et fais les gros yeux. Je n'ai pas vu le temps passé. Je fourre mon téléphone dans mon sac à main et ferme mon ordinateur portable.

— Tu as passé une bonne journée ? s'enquiert-il en passant une main dans mon dos.

Je me fonds contre son torse car nous sommes presque seuls à cette heure-ci. Sarah est partie depuis bien deux heures. Les bureaux sont quasiment vides. J'imagine que Smith est toujours en réunion avec Ross car j'entends du bruit vers le fond du couloir.

— On doit aller à Los Angeles ce mois-ci. Élodie a hâte de te rencontrer.

Il hausse un sourcil. Je ne lui ai jamais parlé d'Élodie. Elle est loin d'ici, on n'a pas eu l'occasion de la voir depuis que je fréquente Parker. Je suis vraiment la pire meilleure amie qui soit.

— C'est ma meilleure amie, elle vit là-bas.

Il esquisse un sourire. Je sais qu'il ne le prend pas mal. Pas plus qu'Élodie ne l'a pris mal quand je lui ai appris que non seulement je voyais quelqu'un, mais qu'en plus, j'avais emménagé chez lui.

— Je dois y aller la semaine prochaine pour aller voir Collin. On peut partir sur le week-end d'avant ou d'après pour que tu aies le temps de la voir.

J'acquiesce, enthousiaste.

Chapitre 10

La semaine suivante, j'arrive à Los Angeles le vendredi soir. Nous sommes partis de New York en fin de journée pour que je puisse passer le plus de temps possible avec Élodie. Elle m'accueille sur le parking temporaire de l'aéroport en robe fluette jaune et en baskets roses, ses bras m'enserrent aussi fort que les miens et nos cris de joie se mêlent. Je ne pensais pas qu'elle m'avait tant manqué avant de la voir.

— Élodie, se présente-t-elle en réajustant sa robe avant de lancer un sourire à mon petit ami.

Il s'avance pour lui serrer la main mais elle marmonne un « Pas de ça avec moi » en l'enlaçant brièvement. Élodie était faite pour vivre à Los Angeles, elle n'est pas terne et éteinte comme les gens de New York. Elle est fraîche, resplendissante et joyeuse. Tout le temps.

— Montez là-dedans que je vous ramène à la maison.

Il fait bon et chaud au mois d'août en Californie. Le temps n'est pas lourd et humide comme à New York. L'atmosphère entre les buildings est étouffante à cette saison. Parfois, je l'envie. Elle n'est pas en sueur car l'air est sec et agréable. Le désert est à portée de main. Elle peut y faire une virée quand bon lui semble. Tout à coup, je l'envie et je me dis que l'on pourrait s'organiser un road-trip un de ces jours.

— Alors Parker, que fais-tu dans la vie ? s'interroge ma meilleure amie en lui jetant un coup d'œil.

Je les regarde de la banquette arrière.

— Je suis dans la publicité. J'ai ma boîte à Manhattan et une à Burbank également.

Elle hausse un sourcil, impressionnée puis tout à coup, son visage s'éclaire. Elle vient de faire le lien. Et je me rends compte que je ne lui ai pas dit que Parker était mon patron.

— Mais quelle cochonne ! s'exclame-t-elle la bouche grande ouverte en me regardant par le rétroviseur intérieur. Sophia Rial, mais enfin !

Je me mets à rire en m'empourprant.

— Coucher avec ton patron. Eh bien, eh bien… elle semble réfléchir. Tu files mauvais coton quand c'est Kevin qui s'occupe de toi.

Elle plaisante, bien sûr. Je me penche pour masser – pincer – les épaules de Parker.

Quand on arrive dans son appartement, elle est si contente qu'elle porte ma valise. Son immeuble ne fait que trois étages, il n'y a pas d'ascenseur et les escaliers se trouvent dehors. Tout comme le couloir qui mène à tous les appartements. On ne verrait jamais ça à New York.

— Et voilà votre chambre ! s'exclame-t-elle en nous ouvrant une porte et en me poussant à l'intérieur. Je suis dans celle juste à côté, précise-t-elle en pointant le mur d'un air entendu.

— Je t'avais dit qu'on aurait dû aller à l'hôtel, chuchote Parker en me prenant par les hanches alors qu'elle nous a quittés.

Son nez effleure le mien et je noue mes bras derrière sa nuque en l'embrassant tendrement.

— On vit ensemble ; ne peux-tu donc pas te retenir un week-end ? je souris.

— Pas dans cette tenue, susurre-t-il à mon oreille en faisant remonter sa main de ma cuisse à ma hanche sous ma robe.

Je m'extirpe de ses bras en lui faisant les gros yeux. La porte est toujours ouverte et ça le fait marrer.

Chapitre 11

Le lendemain midi, nous rejoignons Collin sur une terrasse à Malibu. Je ne connais pas cet endroit – je ne suis jamais venue en Californie – mais les garçons semblent y avoir leurs habitudes. Alors que nous sommes assis en bord de mer, Élodie arrive dans un combishort blanc qui recouvre ses bras mais dénude totalement son dos jusqu'au creux de ses reins. Je lui jette un coup d'œil appréciateur et lui tire la langue quand elle rougit. Elle s'assied aux côtés de Collin après avoir embrassé mes cheveux et lui tend la main comme si elle était en rendez-vous d'affaires.

— Enchantée, Élodie.

Collin est un grand mec blond, plutôt bien bâti et au style de surfeur. Ses cheveux sont constamment en fouillis car il passe la majorité de ses débuts et fins de journées dans l'eau.

— Collin, le collègue de Parker.

— Ses yeux sont plus hauts, lui fait remarquer ce dernier en se marrant.

Je lui donne un coup de coude et Élodie le regarde, les yeux plissés avant de laisser aller son hilarité.

— Je ne connaissais pas cet endroit, dit-elle pour changer de sujet en détaillant la décoration très bord de mer. C'est charmant.

Elle se penche négligemment en avant et croise ses mains de façon à poser son menton dessus. Et vas-y que je dégage la vue sur le dos nu. Collin y jette un regard puis me sourit innocemment quand je le prends sur le fait.

— J'adore venir ici, lui confie-t-il.

— Tu vis à Malibu ?

Je lève les yeux au ciel avant de faire un clin d'œil à Parker. Je savais à mille pour cent qu'Élodie serait attirée par Collin. Même à l'autre bout du pays, j'arrive à être une entremetteuse. C'est incroyable, je pense avoir un don. Mon petit ami pose sa main dans le creux de mon dos et je le regarde en battant des cils. Son regard posé sur moi est si tendre et avide qu'à cet instant, je sais que c'est celui que je veux sentir sur moi toute ma vie.

Le soir, notre virée à quatre se poursuit sur le Pier de Santa Monica. Finalement, nous avons passé la journée ensemble et Collin a oublié sa deuxième séance journalière de surf. Élodie était aux anges quand Parker lui a fait remarquer qu'il devait nous quitter pour la quatrième fois de l'après-midi et que ce dernier a rétorqué que ce n'était pas la fin du monde s'il la ratait pour une fois.

Nous marchons bras dessus, bras dessous avec Élodie un peu devant les garçons. J'apprécie que Parker comprenne mon besoin d'être un peu seule avec elle. Je pose ma tête contre son épaule en marchant. J'ai conscience qu'elle et moi sommes presque pareilles. Après ma dégringolade aux enfers, j'avais perdu énormément de poids. À présent, mon corps s'est remplumé et je m'apprécie davantage comme ça. Je n'ai pas l'air malade, ni à deux doigts de me briser en permanence. Je ne suis pas en surpoids, je suis simplement bien dans ma peau.

— Comment tu vas ? me demande-t-elle alors que l'on s'accoude à la rambarde pour regarder le soleil se coucher.

C'est un des lieux les plus prisés de Los Angeles pour sa vue sur le coucher de soleil incroyable. Elle replace une mèche de mes cheveux derrière mon oreille et a l'air vraiment sérieuse pour une fois.

— Je suis heureuse, je le lui concède.

— Ça se voit, elle me sourit. Je suis vraiment contente pour toi Sophia. Parker a l'air d'être un chic type. Il faudra que vous veniez me voir plus souvent, ronchonne-t-elle.

— Et toi ?

— Je suis heureuse ici. Comment ne pas l'être ? fait-elle guillerette mais je sais qu'elle esquive ma vraie question. J'ai plein d'amis ici, tente-t-elle de me rassurer. Ça comble vos absences.

— Je suis vraiment désolée de ne pas être venue plus tôt, j'insiste en prenant sa main libre dans les miennes. Je te jure que je viendrai plus souvent.

— Tu n'as plus le choix, ton chéri travaille une partie de l'année ici ! plaisante-t-elle en posant ses mains sur mes épaules. Ça te donnera une bonne excuse pour rendre visite à ta meilleure copine exilée.

Je la serre dans mes bras. Kevin et Élodie ont fait de moi la femme que je suis aujourd'hui. J'étais un concentré de haine, de froideur et d'indifférence en arrivant dans cet internat. Je les ai repoussés tant que j'ai pu, pour finalement m'ouvrir à eux. Et puis par la suite, aux autres également. Ils m'ont porté à bout de bras lors de mes déceptions, ont salué et encouragé mes succès. Ils ont su me démontrer quand j'avais tort et me soutenir quand j'avais raison. Kevin est plus présent dans ma vie car il est toujours près de moi, mais je n'oublie pas pour autant ma meilleure amie même si elle est loin.

— Je t'aime, Élodie, je t'aime tellement.

Je garde pour moi le fait que Josh devienne bientôt papa. Je ne veux pas gâcher ce séjour ni nos retrouvailles. Je trouverais un jour l'opportunité de lui dire, quand nous serons vraiment toutes les deux et que je saurais qu'elle sera prête à l'encaisser. Elle me marmonne qu'elle aussi en soupirant sur le fait que je sois devenue une guimauve et j'explose de rire en la repoussant avant de rejoindre les garçons.

— Mon Dieu, mais que fais-tu avec ça ? je m'exclame hilare en découvrant Parker derrière un énorme ours de peluche blanc.

Il me le tend à bout de bras et je caresse la matière douce du jouet en lui faisant un sourire.

— C'est tout ce que tu as pour moi ? j'entends railler Élodie certainement à l'encontre de Collin.

— C'est très pratique à ramener à la maison ça, je me moque de Parker.

Il porte l'ours en peluche sous son bras et m'attire contre lui de l'autre pour m'embrasser. Je ferme les yeux pour savourer et passe mes bras autour de sa taille pour me presser contre lui.

— Merci.

— Je n'ai pas pu faire autrement que de montrer à Collin que j'étais le meilleur, comme d'habitude.

J'adore quand il fait le fanfaron. J'esquisse un sourire et lui pince la taille doucement avant de le tirer à ma suite dans la fête foraine.

— C'est tellement différent de New York ! je m'exclame en regardant tout autour de moi.

Il n'y a pas de fête foraine à New York, enfin sauf si l'on compte le Luna Park. C'est vrai que c'est agréable, mais ça n'a rien à voir avec ce charmant petit ponton donnant sur le Pacifique.

— Tu te verrais vivre ici ? me questionne Parker en plissant un peu les yeux.

Je ne sais pas s'il hésite entre la stupéfaction, la surprise ou l'excitation.

— Non ! je fronce les sourcils car je ne sais pas trop ce qu'il attend.

Alors je continue prudemment : « Ma maison c'est New York. »

— Pour une fille de Miami, se met-il à rire.

— Et toi ? je lui demande sérieusement.

Est-ce qu'il aurait envie de vivre ici ? De s'éloigner des buildings pour choisir une petite maison bordée d'un gazon verdoyant ? D'oublier la neige pour un climat doux tout au long de l'année ? Et si c'est ça, serais-je capable de partir avec lui ?

— J'adore autant New York que Los Angeles, sourit-il en haussant les épaules. Peu m'importe. Mais sache qu'on pourrait vivre ici si tu le souhaitais.

J'ai l'impression qu'il pourrait aller au bout du monde pour moi…

Chapitre 12

Quand je reprends l'avion dimanche soir, j'ai les larmes aux yeux. J'ai contenu mes larmes en quittant Élodie et Parker, mais celles-ci commencent à couler quand j'attends l'embarquement toute seule. C'est stupide, je verrai Parker dès mercredi, il avait juste quelques dossiers à régler avec Collin. Et j'ai l'habitude d'être séparée d'Élodie. Mais je ne sais pas, mon cœur est serré de les avoir laissés.

— Les passagers à destination du vol E7J8KF en destination de New York La Guardia sont priés de se présenter en porte 13.

J'essuie mes larmes et monte dans ce foutu avion comme la femme forte et indépendante que je suis devenue.

J'arrive au bureau après seulement deux heures de sommeil. J'ai voulu quitter Los Angeles le plus tard possible et résultat, j'ai atterri à deux heures du matin à La Guardia. Plus le transport jusqu'à la maison, plus le déballage de la valise, plus le fait de ne pas trouver le sommeil. Je suis si fraîche que Sarah me dévisage en me tendant un café.

— Comment était votre week-end ? s'enquit-elle en me suivant jusqu'à mon bureau.

— Super ! Il fait un temps magnifique à L.A, je lui souris en m'asseyant.

L'énorme bouquet sur mon bureau me fait soupirer.

— Si ce sont encore les fleurs de Ross, peux-tu les emmener ?

Elle me sourit : « Penses-tu, c'est de ton cher et tendre. »

Je me penche en faisant la moue et fais un sourire en lisant sa carte.

Mon cœur, ne sois pas triste. Je rentre mercredi.
Je t'aime.

— Il te dit des trucs cochons ?

— Sarah ! je la morigène en prenant un faux air choqué.

Elle se met à rire et quitte mon bureau.

Je passe le reste de ma journée à discuter avec l'avocat d'Hélène. Nous envoyons de nouveaux démentis à la presse locale aujourd'hui et elle passe à la télévision ce jour sur une heure de grande écoute. J'ai décroché ce plateau. J'ai tapé les démentis. Et je suis épuisée de devoir démontrer à tout le monde que ma cliente n'avait aucune information sur les propos racistes tenus dans la publicité ni aucune des allusions tenues.

Je rentre à la maison me reposer en fin de journée, je suis exténuée. J'ai poliment refusé l'invitation de mon meilleur ami à manger mais je ne rêve que d'une chose, mon lit.

Chapitre 13

Je me réveille le lendemain avec six appels en absence de Parker et je grimace en me disant que j'aurais dû le prévenir avant de mettre mon téléphone en silencieux et de le laisser à l'autre bout de l'appartement. Maintenant, il est inutile d'essayer de l'appeler car il est trois heures du matin là-bas.

Je me prépare, enfile un tailleur-pantalon noir. Je ne mets pas de débardeur dessous, c'est ma tenue préférée. Je me souris dans le miroir en me lissant les cheveux. Je suis ravie de me voir aussi vivante. J'habite avec un homme que j'aime follement. Mes joues ne sont plus creusées comme trois ans en arrière et mes cernes sont à peine distincts grâce à mon anticerne. Autrefois, je pouvais vider le pot. Le résultat était le même. Je sais que je vais mieux. Je sais que j'ai tourné la page.

Sarah se précipite sur moi quand j'arrive au bureau et je fronce les sourcils, surprise de la voir si inquiète.

— Mais t'étais passée où ? J'ai essayé de t'appeler dix fois. Parker m'a littéralement réveillée hier soir parce que tu ne répondais pas.

Je lève les yeux au ciel et réprime un sourire.

— Je dormais Sarah, j'étais complètement morte, je lui explique en posant une main sur son épaule. Désolée qu'il soit si intrusif… je grimace.

Elle soupire exaspérée puis me tend un café. J'imagine qu'elle ne veut pas se plaindre de Parker en ma présence.

— Mais attends, tu es à l'heure ! réalise-t-elle soudain.

— Je t'ai dit que je m'étais couchée tôt hier, je lui lance en partant vers mon bureau.

Elle s'esclaffe et je vais rapidement saluer mes autres collègues. Je m'enquiers du dossier de Ross auprès de Smith en m'asseyant dans l'un des fauteuils de son bureau. Ross Graham n'est pas désagréable ; il est lourd, certes. Mais c'est un chic type et j'aurais aimé que sa cure en désintox ait fonctionné. Il y est allé sur ma demande après que je lui ai fait remarquer que ses parents préféreraient le voir en bonne santé plutôt que le nez plein de poudre en couverture de magazine.

— Tu as oublié, Parker m'a confié ce dossier, me fait remarquer désagréablement mon collègue. Donc, qu'est-ce que ça peut te foutre ?

Je fronce les sourcils, surprise de l'accueil. Nous avons toujours eu de plus ou moins bons rapports avec Smith.

— Une mouche t'a piqué ? je lui demande, stupéfaite.

— Tu couches déjà avec le patron pour avoir les dossiers les plus intéressants, tu pourrais peut-être éviter de venir me surveiller comme si tu étais la boss ici.

— Smith, je te posais la question parce que justement, je me demandais comment avançait mon ancien dossier mais si tu as décidé d'être un connard de première, tu as gagné ! je m'exclame en tapant mes mains sur son bureau pour me lever et prendre la sortie.

— Il y a un problème ? demande Ross sur le pas de la porte, surpris.

— Aucun, bonne chance pour récupérer ta place avec ce connard, je siffle en le poussant de l'épaule pour quitter son bureau.

Et là je sais : que j'ai tutoyé un client qui ne demandait que ça pour venir me parler, que Smith va contacter Parker pour se plaindre de mon insulte et de mon comportement face à un client, que Parker va être très mécontent.

Je ferme la porte de mon bureau en la claquant. J'étais heureuse, en forme, prête à attaquer une nouvelle journée et me voilà dans un état lamentable en moins de 20 minutes.

On y toque une dizaine de minutes plus tard, je fais signe à Ross d'entrer en me pinçant les lèvres. Et merde, on y est.

— Alors comme ça on se tutoie maintenant ? il sourit en fermant la porte derrière lui.

— Excusez-moi, j'étais très furieuse, je serre les poings puis les desserre en lui souriant.

— Ça me va, il s'assied en face de moi. Alors comme ça votre patron m'a affublé d'un abruti pour ce dossier ?

Je prends ma tête entre mes mains quelques secondes puis la secoue.

— Non Ross, Smith est un très bon élément chez nous. J'étais juste vraiment furieuse contre lui, je soupire. Je vous jure qu'il donnera le meilleur pour que vous récupériez votre place.

— Alors c'est avec lui que vous sortez ? il me demande en haussant un sourcil. Ce mec est un minus.

J'ignore s'il dit ça pour me redonner le moral mais j'esquisse un sourire. Smith est un très bel homme mais il est évidemment plus petit qu'un joueur de basketball.

— Il est très compétent. Je suis sûre qu'il va vous faire réintégrer les Celtics… à nouveau, je lui dis en lui faisant un clin d'œil.

— Je vais demander à Parker que vous repreniez en charge mon dossier.

— Ne faites pas ça, je grimace. Il va me tuer pour avoir osé critiquer Smith en public.

Je joins mes mains devant moi en imitant une prière et lui fais la moue. Ce n'est absolument pas professionnel, mais je joue sur le fait qu'il craque pour moi pour me sortir de cette galère. Ça a le mérite de le faire rire.

— Est-ce que vous dîneriez avec moi pour que je garde le silence ?

— Ross..., je fais traîner.

— Juste un déjeuner, insiste-t-il. Et puis ça aura le mérite de rendre votre petit copain jaloux, il ajoute et je me rends compte qu'il croit vraiment que je couche avec Smith.

— Je vous accorde un burger.

Après tout, il faut que je sauve mes fesses.

— Je vais le chercher, je le ramène ici et on le mange en salle de pause, j'impose mes conditions.

— J'aurais plutôt vu ça dans un restaurant avec vue sur la ville, me contre-t-il en me suivant du regard alors que je me lève.

Je n'ai aucun doute sur le fait qu'il me mate de la tête aux pieds.

— Il ne faut pas être trop gourmand, je le contredis en lui ouvrant la porte, le sourire aux lèvres. Je rapporte le déjeuner à midi.

Je lui fais signe de sortir d'un signe de tête et il s'arrête face à moi, un peu trop proche pour être strictement professionnel. Parker va me tuer deux fois, mais au moins Ross va continuer sa collaboration avec Smith.

Chapitre 14

J'arrive au bureau le lendemain matin et suis surprise de trouver Parker en train de discuter dans le couloir avec Ross. Je tire un peu sur ma jupe et le salue d'un signe de tête avant de tourner vers mon bureau. Parker ne m'a pas répondu de la journée hier après-midi et je n'ai pas eu de message dans la soirée non plus. Et il est là à neuf heures tapantes. Ça ne me dit rien qui vaille.

— Sophia ! il m'interpelle et je fais demi-tour en grimaçant intérieurement. Oh, pu-tain.

Il me fusille du regard, je le vois très rarement comme ça. J'avance jusqu'à eux en lui faisant un petit sourire forcé puis salue Ross d'un signe de tête.

— Sophia, tu peux m'expliquer ce merdier ?

D'accord, visiblement la casquette de chef d'entreprise calme et propre sur lui n'est pas de sortie.

— Tu as insulté Smith ? me demande-t-il en haussant ses sourcils, furieux. Et tu l'as traité d'incompétent devant Ross ?

Je manque de m'évanouir. Je n'ai quand même pas mangé avec cet imbécile qui court derrière un ballon pour rien ?

— Mes mots ont dépassé ma pensée, je grimace. Ross, je vous ai expliqué que je ne le pensais pas. Smith est vraiment un type incroyable, c'est un très bon élément chez…

Il me coupe : « Et tu coucherais avec Smith ? »

Je reste sans voix.

— Parker, je me pince les lèvres. Est-ce qu'on peut discuter en privé ?

Le fait que mon engueulade engage mon travail, je peux le comprendre. Mais je ne peux pas laisser ce problème endiguer sur ma relation avec Parker. Je le supplie du regard et il a l'air de plus en plus furieux. Il me fait signe d'aller vers son bureau et j'y fonce après avoir fait un bref signe de tête en direction de notre client. Quand il claque la porte derrière moi, je sursaute.

— Écoute-moi, je le supplie tout de suite en m'accrochant à ses avant-bras. C'est un malentendu, je ne couche pas du tout avec Smith ! je m'exclame en grimaçant d'un air dégoûté. Ce connard m'a limite traitée de pute, et ensuite Ross est arrivé et j'ai peut-être dit que Smith était incompétent mais bon sang, j'étais furieuse. Et après j'ai voulu rattraper le coup alors j'ai dit seulement des choses bien à son propos pour que Ross ne le vire pas et il a cru que je couvrais mon amant. J'ai même mangé un burger avec ce type pour qu'il ne vire pas Smith.

J'aurais dû me taire avant la dernière phrase. Son visage est passé de la colère, à l'incompréhension, puis au soulagement et maintenant, il semble de nouveau en colère.

— Parker, j'insiste en tirant sur ses poignets et en faisant la moue.

Il s'extirpe de mon étreinte et sort du bureau sans me jeter un regard. Quand j'entends « Smith ! » dans le couloir, j'ai froid dans le dos. Je pose une main sur mon front, désespérée en prenant sa suite et c'est là que je le vois lui foutre son poing dans la joue si fort que mon pauvre collègue a la tête qui valse vers la gauche. Je pose une main sur mes lèvres, stupéfaite, et c'est maintenant tous nos collaborateurs qui sortent de leurs bureaux un à un.

— Tu es viré. Tu prends tes affaires et tu te casses d'ici, lui lâche froidement Parker avant de faire demi-tour.

Dans ma tête, je calcule rapidement ce que son acte va engendrer. Smith ne va pas en rester là… Parker entre dans son bureau et me laisse dehors sous le regard médusé de tout le monde.

— T'es vraiment qu'une petite pute ! siffle Smith en se tenant la joue, les yeux rivés sur moi.

Bon, je vais prendre ma journée.

Chapitre 15

Je me rends compte que j'avais besoin de soutien quand mon meilleur ami lâche toutes les blagues qui lui passent par la tête pour me redonner le sourire.

— Dis-toi qu'il tient à toi, sinon c'est toi qu'il aurait jeté par la fenêtre.

C'est censé me réconforter ? Je fronce les sourcils en l'interrogeant, dubitative. Il claque mon épaule joyeusement et demande une deuxième tournée de bières. Je jette un coup d'œil à mon téléphone et rien, toujours pas de signe de vie. Alors je me laisse tenter par ma deuxième pinte.

— C'était évident que des connards viendraient te reprocher le fait de coucher avec Parker, lâche Kevin en attrapant ma main sur la table. Et des mégères doivent crever de jalousie que tu couches avec lui d'ailleurs. Tu dois bien avoir une comptable vieille et moche. Eh bien, c'est sûr qu'elle est jalouse !

Je lui fais la moue puis saute sur mon téléphone quand celui-ci s'éclaire enfin. Raté, c'est une vidéo de petit chat que m'envoie Élodie.

— Elle m'a envoyé la même ce matin ! s'indigne Kevin en regardant par-dessus mon épaule. Quelle garce !

***

J'arrive à la maison et retire mes escarpins dans l'entrée. Je sais qu'il est ici car Niel me l'a dit. Il m'a simplement indiqué qu'il n'avait pas dit un mot.

— Parker ? je l'appelle en avançant dans l'appartement prudemment.

Je le trouve sur le balcon, un verre à la main. Ce n'est pas de l'eau à première vue ni de la bière. Je soupire et le rejoins sans hésiter même si je me doute que cette soirée ne va pas être la plus heureuse que l'on ait connue.

— T'es là, je sors cette phrase intelligente sans réfléchir et me hais pour ça.

Il relève la tête vers moi et son visage est impassible.

— Bébé, je soupire. Je suis désolée, j'allais te le dire. Tu as changé d'avion, je lui fais remarquer pour changer de sujet.

Il était censé arriver ce soir. Et visiblement, ça ne lui fait ni chaud ni froid que j'ai remarqué. Il soupire et me tend sa main libre. Je suis surprise, mais j'obtempère avec soulagement et m'asseye sur ses genoux comme il m'y invite.

— Tu ne m'en veux pas ? je lui demande en caressant ses cheveux.

Je pose son verre sur la table d'appoint et prends son visage en coupe. Il m'embrasse du bout des lèvres.

— Parle-moi, je le supplie presque.

— Je ne sais pas quoi dire, Sophia, soupire-t-il. Je me suis fourré dans une merde sans nom.

Je vois à son visage contracté qu'il le pense vraiment. Smith va aller porter plainte. Et tout va retomber sur Parker et son entreprise. L'entreprise qu'il a créée lui-même et qu'il considère comme son bébé. Je le serre dans mes bras.

— Je suis désolée.

— Ce n'est pas toi, il rétorque agacé. Je n'aurais jamais dû frapper ce pauvre type, enfin si… mais je n'aurais pas dû être son patron.

Plusieurs légers creux se forment sur son front et je tente de les lisser avec mon pouce avant d'y déposer un baiser.

— Est-ce que je peux faire quoi que ce soit ?

Il me regarde un instant puis ses bras m'encerclent et je me retrouve dans les airs, à éclater de rire en me raccrochant à son cou.

— Oui effectivement, vous pouvez faire quelque chose pour moi, mademoiselle Rial, me susurre-t-il à l'oreille, taquin.

Mon cœur fond quand il pose son regard sur moi et je serai prête à tout lui donner. Il me dépose au milieu du lit et se glisse sur moi tout en embrassant le creux de ma poitrine, ma clavicule, mon cou. J'enroule mes jambes autour de lui et mes mains s'activent pour lui retirer sa chemise entre chacun des baisers qu'il dépose. Je gémis quand il effleure le renflement derrière mon oreille et ma peau se couvre de chair de poule alors que mon bassin vient à sa rencontre.

***

Le lendemain, je suis à mon bureau quand je vois passer Sarah dans le couloir, en train de se triturer les doigts. Je m'arrête un moment et jette un œil pour voir Parker sortir, dans son magnifique costume noir. Nous attendons ses avocats depuis ce matin.

— Je vous rejoins en salle de réunion, dit-il à Sarah avant de me rejoindre dans mon bureau.

— Sophia, n'oublie pas d'aller porter plainte.

Il reste sur le pas de la porte, une main contre le chambranle. Je lui fais un sourire rassurant et hoche la tête.

— Viens ici deux minutes, je lui demande en reculant mon fauteuil en cuir pour me lever.

Il s'approche, les mains dans les poches et je noue mes bras derrière sa nuque pour l'embrasser.

— Je t'aime, je chuchote en caressant son visage. Tout va bien aller.

J'essaie de le rassurer. Smith va certainement porter plainte contre lui à deux niveaux : sa personne propre ainsi que contre l'entreprise. Parker me chuchote qu'il a les meilleurs avocats de la ville et que tout va bien aller mais je suis inquiète pour lui. Il frôle mes lèvres à nouveau puis quitte le bureau en me sommant d'aller porter plainte comme il me l'a demandé.

À midi, je me décide à y aller.

— Comment ça va Sophia ? s'enquit-elle en sortant de sa borne d'accueil.

— Ça va, et toi ? je lui réponds par politesse.

— Je n'en reviens toujours pas de la raclée que Parker a mise à Smith, ricane-t-elle. Il l'avait bien mérité ce tordu.

Je suis agacée un instant qu'elle remette le sujet sur le tapis mais je fronce les sourcils en réalisant ce qu'elle vient de dire.

— Comment ça, tordu ?

— Ce mec est un pervers, je n'osais même plus mettre un pied dans son bureau, commence-t-elle. Il me disait que si j'étais gentille, il demanderait à Parker de faire de moi son assistante pour avoir une augmentation de salaire.

Elle imite quelqu'un au bord du vomissement et je la regarde, sous le choc.

— Pourquoi tu n'as jamais rien dit ?

— Je sais pas, il n'a jamais été jusqu'aux attouchements, elle balade sa main comme si ça n'avait pas d'importance. Sinon je lui aurais foutu un coup de genou dans les burnes.

Je pose mes mains sur mon visage puis la serre dans mes bras.

— Sarah, il faut absolument que tu en parles. Je t'en supplie.

— Hein ?

— Parker risque d'énormes soucis, d'accord, dis-je en posant mes mains sur ses épaules. Il faut que tu viennes avec moi et que tu portes plainte. Tu as des preuves ? Quelque chose ?

Je mise tout sur le fait qu'elle apprécie son patron. Parker est vraiment un chic type avec ses employés, hormis le fait de la réveiller quand je ne réponds pas au téléphone. Il nous paie très correctement, accorde un jour off sans problème en cas d'impératif familial, il est bienveillant.

— Sophia, je n'ai pas de preuve. Ce gros porc n'est pas débile, il me coinçait toujours quand j'étais seule dans un coin.

— Fais-moi penser de ne jamais dire ça à Parker, je grimace en pensant qu'il pourrait lui remettre un coup pour ça.

Sarah a au moins dix ans de moins que lui. Comment cette ordure a pu imaginer qu'elle serait intéressée par lui ? Non, justement, il savait qu'elle ne l'était pas. Et c'est pour ça qu'il la harcelait.

— S'il te plaît Sarah, viens au moins déposer une main courante.

Elle soupire et lève les yeux au ciel en allant attraper son sac.

— Tu sais que je le fais pour Parker, marmonne-t-elle en me jetant un coup d'œil l'air boudeur.

— Merci beaucoup.

Je lui suis reconnaissante de le faire. Je sais qu'elle apprécie son poste ici ainsi que notre patron commun. Elle aurait certainement payé pour les avances que j'ai reçues pendant des mois, mais elle arrive tout de même à être heureuse pour moi.

Chapitre 16

Quand nous revenons, Parker m'interroge du regard alors qu'il est en train de discuter dans le hall avec ses avocats visiblement. Ils ont l'air trop vieux pour être encore vifs d'esprit. J'imagine que leurs compétences dépassent l'entendement.

— C'est fait, j'articule silencieusement et il me fait un signe de tête reconnaissant avant que je me renferme dans mon bureau pour la fin de la journée.

***

Alors que nous rentrons à la maison en nous bécotant sur la banquette arrière de la Mercedes de son chauffeur :

— Tu ne devineras jamais, je lui lâche.

Il caresse mes genoux nus posés sur ses cuisses d'une main distraite alors que son autre main replace mes cheveux.

— Sarah est venue porter plainte avec moi ce matin.

Il hausse un sourcil pour m'inciter à continuer mais sa main n'effleure plus mes mèches cuivrées par le soleil.

— Figure-toi que Smith l'a littéralement incitée à coucher avec lui pour obtenir une promotion de ta part.

Ses narines se dilatent et sa main se serre imperceptiblement autour de mon genou.

— Et évidemment, il la coinçait toujours quand elle était seule.

Il a l'air d'osciller entre la fureur de ne jamais s'en être rendu compte et le ravissement d'avoir un nouvel argument contre son ancien employé.

— Et c'est grâce à toi qu'elle est allée porter plainte, dit-il en remontant sa main sur ma cuisse.

J'ai carrément l'impression d'être une déesse à ses yeux maintenant, alors je repousse sa main en pouffant et lui fais les gros yeux pour qu'il cesse. Nous sommes dans une voiture où le chauffeur est présent et surtout, où il nous jette dans coup d'œil dans le rétroviseur intérieur.

***

— Je t'emmène dîner, vient me dire Parker alors que je suis dans la salle de bain, entourée d'une serviette moelleuse.

— Pourquoi ? je lui demande, surprise.

— Parce que je le peux, il me fait un sourire et j'oublie que j'avais une seule envie : m'affaler dans le canapé.

Après une petite demi-heure, je le rejoins dans le salon. J'ai enfilé une robe fourreau aux épaules dénudées noire et une paire d'escarpins. Pour l'occasion, j'ai même brushé mes cheveux en larges boucles hollywoodiennes. Visiblement, mon homme a besoin d'être distrait et de se détendre donc j'ai mis tous les atouts de mon côté.

Le serveur débarrasse nos plats et nos mains s'entrelacent sur la table. Nous avons bu une bouteille de vin à deux, Parker avait un grand besoin de décompresser. Notre table est située dans un coin plutôt intime du restaurant, le long des vitres qui bordent le

102ème étage de la Freedom Tower. Nous sommes à 420 mètres du sol, la ville éclairée est à nos pieds. Je suis sous le charme. J'ai toujours été sous son charme, de toute façon.

— T'es magnifique ce soir, me dit-il en serrant ma main dans la sienne.

Maintenant, je fonds. Il me déshabille littéralement du regard.

— Veuillez m'excuser, s'excuse le serveur de manière à peine audible en déposant nos desserts devant nous et en débouchant soigneusement une bouteille de champagne.

— Merci, le congédie Parker en se levant et en prenant la bouteille.

Il fait le tour de la table, passe derrière moi et remplit ma coupe en déposant un baiser sur mon front. Je frissonne un instant et bats des cils en le voyant se remettre face à moi.

— Tu es magnifique tout le temps, ajoute-t-il en me détaillant.

Son regard posé sur moi me donne le vertige. Je ne l'ai pas ressenti jusqu'ici, bien que notre table borde les vitres donnant sur une descente vertigineuse pourtant maintenant, je ressens le vertige.

— Parker, je murmure en le voyant se redresser et mettre un genou à terre.

Maintenant, je suis carrément à bout de souffle. Ma main se pose sur mes lèvres de façon mécanique et mes oreilles se mettent à bourdonner.

— Je suis fou de toi. Et je sais que je serai toujours fou de toi dans dix ou vingt ans, commence-t-il en me faisant un sourire rassurant. Je te donne déjà tout, et je veux tout te donner, il sort un écrin de la poche intérieure de sa veste et mes yeux s'embuent de larmes. Je te veux pour le restant de ma vie à mes côtés.

J'ai l'impression que la tour entière va s'écrouler. Bon sang, j'ai l'impression que je vais m'écrouler. Il cherche mon regard, et bien que je le fixe, je ne sais pas s'il y trouve quoi que ce soit mais il continue, confiant. Il sait que je suis terrorisée. Il sait que je suis traumatisée. Et pourtant, il ne doute pas une seconde.

— Sophia, est-ce que tu veux devenir ma femme ? s'enquit-il et il me fixe si intensément que mes mains deviennent moites.

Je sens une larme couler sur ma joue et j'ai l'impression que mon visage est posé sur une plaque de cuisson tant il bouillonne.

— Oh mon dieu ! je lâche et il se met à rire.

Bon sang, je suis un déluge de tremblement, de stress et de panique et il me regarde calmement, sûr de lui. C'est mon roc. Et mon roc sait que je vais lui dire oui. C'est comme s'il n'en avait jamais douté.

J'acquiesce malgré toute l'incertitude que ça engendre chez moi et les démons qui bouillonnent dans ma tête. Je hoche à nouveau la tête et une nouvelle larme coule sur ma joue alors que je me penche vers lui en attrapant son visage entre mes mains pour l'embrasser. Ma gorge est sèche comme si j'avais marché pendant des kilomètres en plein désert. Il glisse la bague à mon annulaire mais je ne regarde que lui. Parce que bon sang, si je me déconcentre, je sens que je vais m'écrouler. Mon cœur tambourine dans ma poitrine, je suis folle de joie. Folle de joie et angoissée.

***

Quand il me porte pour entrer dans l'appartement, je me moque de lui en lui tirant l'oreille.

— Nous ne sommes pas encore mariés.

— J'étais sérieux, on peut prendre un avion pour Las Vegas ce soir, me sourit-il.

— Non Parker, on ne se mariera pas à Vegas, je rigole de plus belle alors qu'il me dépose prudemment.

Et soudain, j'arrête de rire. Nous allons nous marier. Il se retourne vers moi et fronce les sourcils en me voyant si lugubre tout à coup.

— Hé ! fait-il en me rejoignant. Tout va bien aller, me promet-il en me serrant dans ses bras.

Il ne sait pas que je panique parce que j'ai peur. Parce que je repense à ma vie, à ma mère qui nous a abandonnés, à Lucas qui m'a toujours promis qu'il allait m'épouser et qui ne l'a jamais fait… Alors j'inspire un grand coup contre son épaule et pousse ces pensées obscures au fond de moi. Mon passé ne peut pas définir mon avenir. Il ne peut pas non plus ternir ce moment magique. Je vais me marier, avec l'homme que j'aime. Mon cœur bat à tout rompre dans ma poitrine.

Chapitre 17

J'arrive au bureau le lendemain matin main dans la main avec Parker. Il est sur son téléphone en train de faire défiler ses mails et j'esquisse un sourire en trouvant Sarah, à son poste.

« Comment allez-vous vous deux ? » s'enquit-elle en nous tendant des cafés.

Sa petite machine à expresso planquée sous son bureau est vraiment une merveille.

— Quoooooi ?

Elle a des yeux ronds comme des billes et c'est à ce moment-là que je réalise que c'est ma main gauche qui saisit le gobelet. Et merde, elle fait le tour si rapidement de son bureau pour saisir ma main que je n'ai même pas eu le temps de dire ouf. Parker se met à rire alors que je cherchais du réconfort dans son regard. Tu parles, il est fier comme un coq.

— Putain, boss ! s'exclame-t-elle en haussant les sourcils à son attention, impressionnée. Tu vas avoir une entorse au doigt Sophia.

Je ne peux m'empêcher de pouffer de gêne en détournant les yeux.

— Tu ne penses pas que tu devrais le crier encore un peu plus fort ? je la questionne, amusée.

Plusieurs têtes sortent des bureaux ; les plus matinaux.

— Bonne journée à vous deux, je conclus en partant vers mon bureau avec hâte.

Je déteste avoir toute l'attention sur moi et en ce moment, ce n'est que ça ici. Je soupire d'aise en ouvrant mon ordinateur et en dégustant une première gorgée de café. Il faut que je me concentre à fond pour Hélène même si désormais, le plan d'action a été mis en place et l'affaire s'est tassée. En réalité, c'est mon seul cas en ce moment. Mais je ne peux pas non plus la faire tellement passer en interview que le public se mettra à la détester. Nous avons fait des démentis, une interview sur une heure de grande écoute et elle a gracieusement offert 20 000 dollars à une œuvre de charité pour les pays du tiers monde. Il est inutile de dire qu'à présent, il faut laisser le temps aux gens d'oublier cette histoire avant de la faire revenir sur le devant de la scène.

— Sophia.

Je lève la tête et interroge Ross du regard. Je l'invite à entrer puisqu'il insiste sur le fait de rester sur le pas de la porte et lève les yeux au ciel en détournant la tête pour qu'il ne me voie pas faire.

— Comment allez-vous ? je m'enquiers.

— Et vous ?

— Très bien, merci.

On peut continuer des heures comme ça, je pense. Alors que je tape un dossier sur mon bureau pour aligner toutes les feuilles, je vois Ross fixer ma main et je songe à retirer cette bague si cela doit être le centre d'intérêt de tout le monde au travail.

— Du coup, ce n'était pas Smith, observe-t-il et je vois ses narines se dilater.

— En effet, je lui rétorque en soutenant son regard. Ça n'a absolument rien contre vous Ross, c'est simplement que nous souhaitions garder notre relation telle quelle devait être : personnelle.

Un coin de ses lèvres se retrousse et je remarque seulement qu'il a l'air amer de la situation mais il ne dit rien.

— Je vais quitter votre agence, dit-il en se levant. Je voulais que vous soyez la première au courant.

— Ross, je soupire en l'imitant. Écoutez, je comprends, mais je peux reprendre votre cas si vous le souhaitez.

Il me reluque des pieds à la tête et je fronce les sourcils.

— Allô, ma tête est ici, j'insiste en pointant mon visage avec mes deux index.

— Pourquoi je resterais ici ?

— Une chose est sûre, pas pour coucher avec moi du coup, je plaisante pour détendre l'atmosphère. Mais je peux tout reprendre de zéro et tout faire pour vous faire récupérer un contrat en NBA.

— Chez les Celtics ?

— N'abusons rien, je dis en levant les yeux au ciel.

Il émet un petit rire et je le regarde d'un air complice.

— Mon futur mari sera absolument ravi de vous voir dans mon bureau une fois par semaine en plus. Ne nous quittez pas, j'insiste quand il se contente de me dévisager.

Il se met à rire et passe une main derrière sa nuque.

— C'est bon, c'est bon, il me pointe du doigt. C'est sacrément dur de vous résister.

Je lui fais un clin d'œil et lui indique que je l'appellerai le lendemain, une fois avoir trouvé un nouveau plan d'action. Quelque chose me dit qu'il ne va pas du tout l'apprécier. Il sort et je prends sa suite pour aller annoncer la bonne nouvelle à Parker. Celui-ci est au téléphone, alors je m'assieds face à son bureau et patiente en lui faisant un sourire. Allez, on va espérer que Ross avait raison et que c'est dur de me résister car je vais en avoir besoin.

— Mademoiselle Rial, me dit-il amusé en raccrochant.

— Tu aurais pu dire bonjour à Collin de ma part, je lui fais dans un semi-reproche taquin.

— Qu'est-ce qui vous amène dans mon bureau et à une distance si éloignée de moi ? s'enquit-il en croisant ses bras devant lui.

— Arrête, je souffle en regardant d'un air gêné autour de nous.

La porte n'est pas fermée. Et il s'en fout.

— Je reprends le cas de Ross Graham, je lui indique.

Bien sûr que je n'allais pas fermer cette porte : je n'ai pas envie de me faire engueuler et il ne le fera jamais en public. Un point pour l'équipe Sophia.

— Pardon ?

— Il allait partir Parker ! j'insiste. J'ai plus de temps libre, je peux gérer cette surcharge de travail.

Il a l'air abasourdi et furieux. Je ne pensais d'ailleurs pas qu'on pouvait représenter ces deux humeurs en même temps mais au vu de sa tête, je dirais que c'est possible.

— Réfléchis, tu veux qu'il aille dans une autre agence et qu'il raconte notre linge sale interne à tout le monde ?

Il m'agace.

— Putain, je veux même qu'il brûle en enfer, ça te va ? siffle-t-il à voix basse, mécontent.

Dieu merci, j'ai attendu bien cinq minutes qu'il raccroche le téléphone, plus ces cinq minutes de conversation donc il n'y a aucune chance que Ross soit toujours dans le hall.

— Parker, je l'incite au calme. Ce n'est pas raisonnable. Tu as d'autres combats à mener en ce moment.

Je me penche pour attraper une de ses mains dans la mienne, où trône sa bague. Et rien qu'à son regard, je vois qu'il s'adoucit. Ce petit truc est carrément magique !

— Je m'occupe de faire rester les clients. Et toi, tu fais tout pour qu'il ne t'arrive rien, je lui caresse la main tendrement.

Chapitre 18

La semaine qui suit, je me ronge les sangs. Parker est en réunion avec ses avocats, celui de Smith et mon enfoiré d'ancien collègue. Il ne reviendra pas de l'après-midi, alors je me concentre sur les dossiers en cours et parfois, je me prends à regarder la bague de fiançailles qui trône à ma main gauche. Un sourire parcourt mes lèvres puis je lève les yeux au ciel et me remet au travail. Je ne me serais pas une seule seconde imaginée dans une telle situation quand je suis entrée dans ces locaux pour la première fois. J'avais revêtu ce jour-là une robe fourreau et j'avais enfilé une paire d'escarpins de douze centimètres pour mettre toutes les chances de mon côté. Je voulais bien présenter. Je voulais que mon esthétique séduise autant que ma personnalité et mes compétences.

L'hôtesse d'accueil m'avait accueilli plutôt froidement et avait décroché son téléphone en m'invitant à patienter un moment. J'avais détaillé le hall en tenant ma mallette devant moi. Nous étions fin septembre et la température était encore très agréable alors mes bras étaient aussi dénudés que mes jambes. Je me remémorais le laïus encourageant de Kevin pour décrocher ce job. Et cet endroit est vraiment classe.

— Mlle Rial, veuillez me suivre, m'interrompt dans mes pensées la porte de prison de l'accueil.

J'obtempère en la suivant et observe le couloir presque entièrement vitré. Je peux me sentir bien ici. C'est propre, clair, tout à fait sophistiqué. Elle m'ouvre la porte après avoir toqué délicatement. La blondasse s'écarte pour me laisser passer et me lance un regard dédaigneux quand nous nous faisons face un court instant. Je lève les yeux au ciel puis entre et la porte se ferme dans mon dos presque immédiatement.

— Sophia Rial.

Je détaille l'homme qui se lève derrière son bureau. Il a une chemise bleu ciel remontée sur ses avant-bras et rentrée dans un pantalon ajusté noir. Ses cheveux châtains sont plus longs sur le sommet de sa tête.

— Vous me dévisagez, sourit-il en faisant le tour pour me serrer la main.

— Excusez-moi, je piaille de gêne en m'efforçant d'avoir une poigne ferme mais délicate.

Sophia, par pitié reprends-toi. Le rouge doit me monter aux joues et je me félicite d'avoir couvert mon visage de fond de teint pour garder ma dignité.

— Parker Bailey, se présente-t-il en gardant ma main dans la sienne plus longtemps que nécessaire.

— Je suis enchantée.

Il m'invite à m'asseoir en me tirant la chaise qui fait face à son bureau. Bon sang, je ne peux pas m'empêcher de le mater alors je décide de jeter un coup d'œil vers mes mains, histoire de me ressaisir.

— Vous voulez un verre pour vous détendre ? je l'entends me proposer alors je le regarde stupéfaite. C'était une blague pour détendre l'atmosphère.

Il lève ses mains à hauteur d'épaules et je lui rends son sourire, complices. Le reste de l'entretien continue sur le même ton mais tourne toujours autour du poste que j'occuperais et il me pose à plusieurs reprises des questions pièges. Mes réponses semblent lui convenir car il esquisse un sourire. Son téléphone sonne et il a l'air agacé en répondant.

— Parker, ton rendez-vous de 11 heures est arrivé.

Il lève son poignet pour consulter sa montre et a l'air surpris. Je le suis tout autant. Ça fait déjà une heure que nous sommes ici ? Je regarde vers la fenêtre et je l'entends raccrocher alors je reporte mon attention sur lui.

— Je pense que je vais annuler mon prochain rendez-vous, me confie-t-il et je l'interroge du regard. Sophia, si vous êtes toujours intéressée par le poste, il est à vous.

Ma mâchoire s'apprête à tomber.

— Bien sûr, je lâche, sur le cul. C'est sérieux ?

— Oui, je suis sérieux.

La semaine qui suivait, j'arrivais chez Bailey Corp. vers midi dans un tailleur-pantalon rouge et j'étais surexcitée. La réceptionniste me fait un sourire pincé et je lui rends la pareille. J'ai bien compris qu'elle n'apprécie pas ma présence. Quand Parker Bailey m'a raccompagné dans le hall et s'est excusé auprès de la jeune femme qui se présentait également au poste, j'ai surpris son regard amer posé sur moi. Je n'ai foutrement aucune idée de la raison de son comportement. J'imagine qu'elle couche avec le patron et vois mon arrivée d'un sal œil. Il est absolument canon, et mes réunions avec lui ne seront pas les plus désagréables de ma vie mais ma vieille, je suis ici pour le job, pas pour ses beaux yeux.

— Bonjour, Shelly, je lui dis après avoir regardé son badge.

— Bonjour, Mlle Rial, me répond-elle sans lever les yeux de son ordinateur.

Je me pince les lèvres pour réprimer un sourire. Une porte s'ouvre dans le couloir et une blonde plantureuse sort du bureau où j'ai passé mon entretien. C'est marrant, mais elle ne semble pas avoir une tenue professionnelle et elle part directement vers l'ascenseur.

— Commencez à vous habituer maintenant, grommelle Shelly en jetant un coup d'œil vers moi. C'est un défilé permanent.

Je le regarde, interloquée. Qu'est-ce qu'elle veut dire par là ?

— Sophia ! s'exclame mon patron en nous rejoignant dans le hall.

Il me tend sa main et je la regarde en grimaçant. Oh mon dieu, mon cerveau vient de faire le lien.

— Vous pouvez rêver pour que je vous serre la main alors qu'elle a traîné je ne sais où, je ne peux réprimer mon dégoût et il me regarde d'un air abasourdi.

— Pardon ?

— Vous m'avez bien comprise. Je ne vais pas vous serrer la main alors qu'elle est sûrement encore humide ou poisseuse. Hors de question.

J'entends la réceptionniste s'étouffer un instant et je soutiens le regard de mon patron. Bon sang, il va me virer. Son visage est blême et sa main est toujours tendue vers moi.

— Ne me virez pas, je dis les yeux grands ouverts en me rendant compte que j'ai été impulsive, comme d'habitude.

Il éclate de rire et passe une main derrière sa nuque en se pinçant les lèvres pour calmer son hilarité.

— D'accord, je vois, il hoche la tête à plusieurs reprises en regardant autour de nous.

Chapitre 19

Quand j'arrive au bureau un mois plus tard, c'est avec dix minutes de retard. Parker est dans le hall quand je débarque et je fais la moue quand il me détaille de la tête aux pieds.

— Tu es en retard.

Mon Dieu, il me fait fondre quand il me regarde comme ça. Bosser avec Parker, c'est comme bosser avec Lucifer. Ma température interne doit dépasser les quarante degrés à chaque fois que je suis en sa présence. Mon corps bouillonne littéralement et pourtant, il fait tout pour que ça ne soit pas le cas. Enfin, il fait tout pour que ça soit le cas. Sauf quand il fait défiler les conquêtes dans son bureau. Nous en sommes à trois différentes ce mois-ci. J'avance jusqu'à lui sur mes sandales à talons et il m'enlace rapidement en soupirant. Parker ne me serre plus la main et ne me vouvoie plus non plus.

— Vous me suivez jusqu'à mon bureau Mr Bailey ? je l'interpelle amusée quand il ferme la porte derrière nous.

— Est-ce que tu arriverais à programmer ce foutu réveil vingt minutes avant ?

— Mais alors, vous ne viendriez plus me sermonner tous les jours.

Je le vouvoie toujours. Et ça l'agace. C'est absolument fabuleux. Je sais qu'il râle sur mon retard plus par principe et pour venir me parler que parce que ça lui fait quelque chose. Je ne vais pas mentir, je suis parfois trop à l'aise avec Parker. En réalité, j'ai été à l'aise dès la première semaine en montrant mes mauvais côtés tout de suite. Mais une fois dans mes tâches, j'assure à cent pour cent.

— Est-ce que tu as le…

Je lui tends le dossier posé sur le bout de mon bureau que j'ai peaufiné hier soir jusqu'à tard, tout sourire. Il a un sourire en coin, l'attrape, le parcours et j'attends avec impatience sa réaction.

— À tout à l'heure, me lâche-t-il en partant.

Un soir, nous sommes encore au bureau. Je nous ai fait livrer des plats chinois que nous grignotons à la lumière de la lampe de bureau. Parker a une grosse présentation demain matin avec de futurs clients. Nous devons leur présenter un plan de communication pour leur nouveau produit phare. Je n'y trouve aucun intérêt, et Parker non plus. Mais nous ne voyons que les dollars qui en découleraient. Je me mets à rire quand il se moque pour la énième fois des gens qui pourraient acheter ce gadget.

— Tu n'es pas trop fatiguée ? s'enquiert-il en posant un bras sur le dossier de mon fauteuil.

Nous sommes assis depuis des heures l'un à côté de l'autre. Ça fait bientôt trois mois qu'on se voit chaque jour et qu'on travaille en étroite collaboration. Je n'ai pas pu m'empêcher de remarquer que les visites féminines à son bureau ont diminué ces dernières semaines. Mon corps est si tendu en sa présence, je ne le comprends pas car je suis tellement à l'aise quand je suis avec lui.

— Ça va, je hausse des épaules en me tenant droite comme un piquet pour ne pas effleurer sa main ouverte dans mon dos.

— J'aimerais t'inviter à dîner, réitère-t-il pour la seconde fois.

Je croise son regard et il irradie l'assurance. C'est ce qui me déstabilise tant.

— Tu viens de le faire, je lui rétorque en désignant les emballages de nourriture chinoise éparpillés sur son bureau d'un signe de la main.

Il lève les yeux au ciel en se marrant et je ne peux pas m'empêcher de le trouver craquant. Putain, je le trouve craquant tous les jours. Absolument tous. Même quand il couche avec une fille à seulement vingt mètres de moi. Même quand il est de mauvaise humeur ou qu'il me flique. Mais surtout quand il vient me voir à l'improviste sans raison particulière. Ou qu'il m'invite à dîner, comme maintenant.

— Sérieusement, quand est-ce que tu voudras bien dîner avec moi ?

Il soutient mon regard et j'ai l'impression d'avoir à nouveau seize ans et d'être invitée pour la première fois au bal du lycée. Je suffoque presque.

— Parker, tu es mon patron.

— Si tu veux, je te licencie, plaisante-t-il et sa main glisse sur le haut de mon dos. C'est vraiment la seule chose qui te retient ?

Je ne sais même pas ce qui me retient en fait... D'accord c'est mon patron, mais ça arrive non ? Plein de gens bien tombent sous le charme de leurs supérieurs. Ça n'est pas un crime, n'est-ce pas ? L'alchimie est là depuis le début, c'est indéniable. Depuis le tout premier instant où j'ai pénétré dans son bureau.

— C'est d'accord, je lâche et il me regarde, incrédule. Allons dîner.

Je souris quand l'interphone se met à résonner dans mon appartement. J'attache la seconde créole à mon oreille et je secoue légèrement mes cheveux pour leur redonner du volume.

Je me suis mise sur mon trente et un, comme me l'a suggéré Parker. Il était de toute façon évident que je serais sur mon trente et un comme tous les jours depuis que je bosse avec lui. Parce que j'accorde bien trop d'importance au regard de mon supérieur sur moi. Est-ce que c'est trop simple ? Trop élégant ? Trop sexy ? Je mens, je fais presque tout le temps exprès d'avoir au moins une pièce qui découvre une partie infime de mon corps. Et chaque jour, je détaille sa réaction. Ça ne manque jamais, il le remarque toujours. Ça doit être pour ça qu'une part importante de mon salaire passe dans le shopping.

Soudain, ça sonne une seconde fois et je me mets à rire en trottinant jusqu'au petit boîtier accroché au mur.

— Oui c'est pour quoi ? je demande taquine en enfilant ma seconde sandale à talons noire.

Je l'entends rire et j'ouvre en attendant qu'il monte les trois étages sans ascenseur. Je me sens tellement à l'aise avec Parker, je ne m'explique pas cette situation. Cela fait presque trois ans que je n'adresse plus la parole aux hommes, hormis à ceux de mon entourage proche, qui ont travaillé durement afin d'obtenir ma confiance. Et pourtant, à peine ai-je franchi le seuil de son bureau que je me suis sentie bien.

— Bonsoir, je l'accueille en voyant enfin sa tête entre les barreaux du garde-corps en métal.

— Entre, j'ajoute quand il arrive enfin en face de moi.

Mon appartement est petit et cosy. Je l'ai pris dès que j'ai remonté la pente. J'avais besoin d'un chez moi, d'être seule et de me retrouver. Josh m'a sauvée la vie. Il m'a littéralement porté à bout de bras pendant plusieurs mois après ma rupture. Je repousse cette pensée et enlace Parker comme je le ferais le matin au travail. Mais nous ne sommes pas au bureau, nous sommes chez moi, et je suis engoncée dans une robe carrément scandaleuse pour un repas d'affaires. Je ne vais pas mentir, je brûlais de jalousie ce dernier mois quand une jeune fille est venue à deux reprises dans le bureau de Parker. À dire vrai, je ne peux pas comprendre la situation ; il porte tellement d'intérêt sur moi, du moins, assez pour que je le remarque. Et pourtant, il a continué à voir une fille ces dernières semaines. Certes, c'était déjà mieux que la dizaine que j'ai pu compter depuis mon arrivée chez Bailey Corp mais enfin, c'est quand même curieux et déstabilisant. Et son attention portée sur d'autres femmes commence à me ronger.

— Eh bien, ne peut-il s'empêcher de dire en me détaillant et je rougis en tenant ma pochette devant moi, les bras ballants.

— On y va ? je m'enquiers en tentant de ne pas perdre la face.

Il acquiesce et m'ouvre galamment la porte. Je passe devant lui et je sais exactement où se posent ses yeux. J'ai mis une robe noire moulante avec un col rond qui ne dévoile pas ma poitrine et couvre mes bras. Elle s'arrête juste au-dessus des genoux et me donne un look très sage. Mais ça, c'est seulement de face. Car le dos est si échancré que je me sens presque nue sous son regard. On dirait une adolescente. Bon sang, j'ai l'impression d'être vierge. Et soudain, sa main se pose sur le bas de mes reins et ne les quitte pas jusqu'à sa voiture. C'est agréable. Il le fait souvent au bureau mais le contact ne dure jamais aussi longtemps et ma peau est normalement bien plus couverte. La chair de poule couvre tout mon corps et je me félicite d'avoir des manches longues pour le dissimuler.

— Où est-ce que tu m'emmènes ? je l'interroge quand il quitte mes reins pour ouvrir la portière de son SUV en m'invitant à m'y installer.

— C'est une surprise, lance-t-il avant de la fermer délicatement.

Quand la voiture se gare devant le Pier 61 en pleine rue, je suis interloquée par un homme qui se penche vers Parker et surtout parce qu'il lui laisse les clés en contournant la voiture pour venir m'ouvrir. Un voiturier, au Pier 61 ? Je sors en m'appliquant à ne pas trop écarter les jambes et accepte sa main pour m'en extirper élégamment.

— Bonne soirée, monsieur, madame, lance le voiturier à notre attention en nous désignant le chemin à suivre.

Parker me jette un coup d'œil et m'entraîne vers les bateaux en reposant sa main dans mon dos, un peu plus haut cette fois.

— Un dîner-croisière ? je lui demande en nous approchant des quais.

— Pas avec la populace, me répond-il, irradiant d'un soupçon d'arrogance.

Je ne peux pas m'empêcher de rire parce qu'il est vrai que les dîners-croisières sont reconnus pour être de vrais pièges à touristes. Et très franchement, cela m'aurait étonné de lui.

Il s'avance sur un ponton où il n'y a plus qu'un voilier un peu excentré et je fais tout mon possible pour ne pas coincer mon talon entre les lames de bois qui le compose.

— Madame, il m'invite galamment à y passer la première et j'avoue que sur le moment, je panique parce que je ne suis jamais passée sur une passerelle aussi étroite.

Le maître d'hôtel – skipper ? –, j'ai un doute au vu de sa tenue, me tend sa main et je l'accepte en grimaçant à cause d'un léger vertige qui me prend. Il me gratifie d'un sourire rassurant et réitère son geste vers Parker qui, évidemment, se débrouille seul.

— Monsieur Bailey, Mademoiselle Rial, commence-t-il et je suis touchée par l'attention de nous discerner. Si vous voulez bien me suivre…

On s'avance sur le voilier mais je remarque tout de suite la table pour deux postée sur le pont, où une chandelle trône fièrement. Le cadre est magnifique. Un moment, je me dis que je vais certainement avoir froid vers la fin de la soirée. Mais être sur ce bateau, au crépuscule, c'est juste…

— Tu es bien silencieuse.

— Je suis sans voix, je lui souris en me redressant sur ma chaise.

— Est-ce que ma surprise est réussie ?

J'acquiesce, toujours abasourdie. Je n'ai jamais assisté à une telle soirée. Le serveur nous sert deux coupes de champagne et bien vite, le bateau quitte le quai.

— À notre premier rendez-vous, trinque Parker contre ma coupe.

Je porte le verre à mes lèvres sans le quitter du regard et sans que mon sourire ne quitte mes lèvres. À vrai dire, je ne peux même pas m'en empêcher. Je suis totalement sous le charme. Une musique douce commence sur le bateau et bien vite, c'est la skyline éclairée qui nous entoure.

— Tu me stresses à ne pas parler, se met à rire Parker.

— C'est toi qui me gênes ! je ris en me mordant les lèvres et en détournant le regard.

On est tellement à l'aise l'un avec l'autre que la situation me déstabilise. Dans l'enceinte du bureau, on dirait que l'on se connaît depuis des années. Ici, j'ai l'impression d'être une vierge effarouchée qui n'a jamais passé de temps seule avec un homme.

Quand il se gare devant mon immeuble, je triture mes doigts et regarde autour de nous. Je cherche toutes les excuses du monde pour ne pas avoir à le quitter, là maintenant. J'ai refusé d'aller chez lui pour un dernier verre quand nous avons rejoint le quai. Cet homme se lasserait de moi comme un enfant se lasse d'un jouet offert à Noël en quelques jours, c'est ce que je me suis dit. Et tout à coup, l'idée me semble stupide. J'aurais dû y aller. Après tout, quoi qu'il arrive, on se serait revus le lendemain au boulot. Ça n'est pas comme s'il pouvait bloquer mon numéro et disparaître dans la nature, je ne serai pas une de ces nanas qui téléphonent au standard et que la standardiste rejette froidement mais avec compassion. Pas vrai ? Bon sang, je brûle d'envie de rester à ses côtés car ses manières de gentleman m'ont tout émoustillée.

— Bon, je laisse traîner quand il se tourne vers moi.

— Tu ne m'invites pas à boire un café ?

Il me fait un petit sourire en coin et je détourne le visage pour me pincer les lèvres et contenir toute ma volonté avant qu'elle ne s'envole.

— Parker ! je l'engueule en lui donnant un petit coup dans l'épaule.

Mon patron se met à rire et attrape mon poignet avant que je le repose sur mes cuisses. Je l'observe porter mes mains contre ses lèvres et y déposer un baiser sur le dos. Je me tortille presque dans le siège en cuir alors qu'il la garde tout contre sa bouche sans me quitter des yeux. Il ne rigole plus à présent et son regard me transperce littéralement. Je me sens nue et j'adore ça.

— S'il te plaît, ajoute-t-il d'une voix rauque.

Bon Dieu ! J'attrape la pochette posée à mes pieds et ouvre la portière en échappant à son étreinte.

— Bonne nuit, Parker, je lui souhaite dans un sourire avant de fermer la portière.

Je trottine jusqu'à la porte de mon immeuble et lui jette un dernier coup d'œil. Il me fixe avec une ombre de sourire sur les lèvres, la vitre de sa voiture est ouverte et je me délecte de la vue un instant, la main sur la poignée.

— Bonne nuit, articule-t-il silencieusement.

Je lui réponds par un signe de main et lève les yeux au ciel en me traitant d'idiote quand je rentre dans le hall. Mon cœur bat à cent à l'heure. Toute ma volonté m'a permis de sortir de cette voiture avant que les choses ne dérapent. À quel point aurais-je envie d'y retourner ? À un million de pour cent.

J'arrive au bureau le lendemain tout en blanc. J'espère qu'il appréciera ma tenue et l'allusion au fait d'être chaste et sage. Un petit clin d'œil qui devrait l'amuser.

— Bonjour, Shelly, je salue la réceptionniste et je me sens mal à l'aise à cause de la façon dont elle me dévisage.

Chaque jour a son nouveau lot de dénigrement pour Shelly. Je le prends avec philosophie et rejoins mon bureau après avoir jeté un coup d'œil dans celui de Parker. Mais il n'est pas là et je me surprends à en éprouver de l'amertume. Je suis à l'heure pour une fois, et il n'est même pas là pour le remarquer. Après avoir posé mes affaires sur mon bureau, je pars dans la salle de pause et y retrouve mes collègues en pleine discussion autour d'un café. Je peux bien m'accorder quelques minutes avant de m'y mettre.

— Bonjour tout le monde, lance Parker dans mon dos.

Je vois les autres lui adresser des sourires et se mettre à discuter joyeusement avec lui. Parker est un patron très apprécié. Je n'ai jamais entendu quelqu'un dire du mal de lui en trois mois. Il ne hausse jamais le ton. Par contre, il peut devenir froid et autoritaire quand quelque chose ne lui plaît pas. La majeure partie du temps, c'est justifié.

— Sophia, on s'y met ? demande-t-il en posant une main sur mon épaule.

Je n'ai même pas osé me retourner pour le saluer parce que mes jambes se sont carrément mises à trembler en repensant à mon élan de détermination. Je me tourne lentement vers lui en acquiesçant et embarque mon éco-cup avec moi pour prendre sa suite. Il s'engouffre dans son bureau et me demande de fermer la porte. Cette pièce est la seule qui est totalement opaque dans tout l'étage. C'est un large mur de briques rouges qui contraste avec toutes les parois en verre. Amère, je remarque que c'était bien pratique pour faire ses petites affaires. Mais finalement je me hais, car mon corps est presque pantelant à l'idée d'être seule avec lui ici. Enfin, ici, la porte fermée, après la soirée d'hier.

— Tu es bien rentré ? je m'enquiers en m'asseyant face à lui.

— Pourquoi tu n'as pas donné signe de vie ?

Il m'a bien envoyé un message hier soir pour me dire qu'il regrettait le fait qu'on n'ait pu passer plus de temps ensemble mais j'étais plongée dans un bain bouillant pour me détendre, alors quand j'en suis sortie quarante-sept minutes après son message, je n'y ai pas répondu. Il devait certainement dormir. Et puis, qu'allais-je dire ? Viens s'il te plaît ? J'ai simplement fini par m'endormir, frustrée.

Et ce matin, comme j'avais l'envie d'être à l'heure pour lui, j'ai fait au plus rapide.

J'esquisse un sourire alors qu'il me détaille en appuyant son menton sur ses mains jointes, la tête haute.

— Je me suis endormie, je lui confie espiègle.

— Et moi, je n'ai pas trouvé le sommeil.

Je lève les yeux au ciel en me mettant à rire, quel dragueur. Je ne doute pas qu'il charme toutes les femmes facilement. C'est simple, il n'a qu'à me fixer et je suis troublée.

— Tu n'es pas censé me draguer au travail, je le lui rappelle en me levant, les cuisses appuyées sur son bureau.

Il se lève en portant ses mains à hauteur d'épaules tel un innocent et je ne peux pas m'empêcher de lui sourire en penchant la tête légèrement sur le côté quand il contourne son bureau pour me rejoindre. C'est comme si cet homme ne savait pas rester à une distance correcte de moi. Et ça, depuis ma première semaine ici. Dès le début, il se penchait sur mon épaule, rapprochait imperceptiblement sa chaise – ou la mienne –, se tenait proche de moi quand nous discutions debout. Il est là, et ça ne me dérange pas le moins du monde.

— Regarde ça, je n'ai même pas besoin de te draguer, dit-il en portant ma main à ses lèvres.

— Parker Bailey ! je m'esclaffe faussement indignée en reprenant ma main.

Il passe un bras autour de ma taille, puis un second dans mon dos et mon estomac se tord presque d'impatience. Il a fait exactement la même chose hier soir, en sortant du restaurant, alors que nous attendions que le voiturier rapporte la voiture. Il prétextait que j'allais avoir froid. Mais ses lèvres s'étaient alors déposées délicatement sur ma joue alors qu'une de ses mains s'était fermement déployée dans le creux de mes reins et l'autre entre mes omoplates pour me maintenant contre lui. Ma peau nue ressentait et avait conscience d'absolument chaque millimètre de sa peau sur la mienne et j'étais électrique. À nouveau, et malgré le tissu qui sépare nos deux peaux, je frissonne entre ses bras et dépose mes mains sur ses biceps avec envie en le détaillant. Parker est grand et athlétique. Ses bras sont tendus en permanence par les efforts qu'il déploie chaque matin à la salle de sport. Je plante volontairement le bout de mes ongles dans sa chemise avant de remarquer qu'il porte la même attention sur moi. Il attend mon signe. Mais nous sommes au bureau. En à peine un rendez-vous, je faillis déjà à toutes mes règles, je pense avec agacement. Dont une : pas de démonstration d'affection au travail. Et me voilà là, pantelante entre ses bras.

— Parker, je murmure quand il dépose un baiser sur ma joue.

Ses lèvres effleurent ma peau alors qu'il descend tranquillement sur l'arête de ma mâchoire, puis à la lisière de mon oreille. Je m'entends presque gémir quand il me presse plus contre lui.

— Je déteste qu'on me dise non, murmure-t-il dans le creux de mon oreille.

— Embrasse-moi, je halète en serrant ses bras un peu plus fort.

J'ai l'impression d'avoir déclenché une tempête indomptable chez lui. Il y a une seconde où tout s'arrête. Puis ses lèvres attaquent les miennes et je me retrouve assise sur son bureau, mes jambes autour de sa taille et ses mains posées sous mes fesses. Je l'embrasse à pleine bouche pour toutes les journées que j'ai passé à l'observer, à fantasmer ce moment. Mes mains remontent sur ses épaules en appréciant toutes leurs courbes et se crochètent à sa nuque alors qu'il me rapproche encore un peu plus de lui.

Ça toque à la porte et je suis cramoisie alors qu'on se sépare immédiatement. Dieu merci, je n'ai pas mis de rouge à lèvres ce matin.

— Votre rendez-vous de dix heures est arrivé, lui indique Shelly en portant un regard sur nous qui en dit long.

La porte fermée, je fulmine : « Oh mon Dieu ! »

Je la claque presque dans mon dos, furieuse d'être si faible face à mes pulsions. Je me hais d'avoir été aussi loin avec lui et dans son foutu bureau qui plus est. Dieu sait combien de filles sont passées sur son bureau. J'ai un haut-le-cœur en m'asseyant dans mon fauteuil, ouvrant d'un geste rageur mon ordinateur portable. Bon sang, j'aurais été prête à retirer mes vêtements moi-même si personne ne nous avait arrêtés.

J'arrive dans ma rue en soupirant, mes talons dans mon sac à main. Comme chaque jour, je rentre en métro jusqu'à Long Island City alors il est impensable de réaliser ce trajet en talons de douze centimètres tous les jours. Même la musique dans mes écouteurs n'a rien fait pour m'empêcher de ruminer cette journée. Shelly me regarde encore plus dédaigneusement. Parker est venu au moins cinq fois dans mon bureau avant de déclarer forfait parce que je ne lui répondais que froidement.

Je déverrouille la porte d'entrée de l'immeuble et grimpe les escaliers grommelant. Sur mon palier, j'y découvre une silhouette et mes yeux sortent de leurs orbites en trouvant Parker là, adossé au mur qui jouxte ma porte.

— Mais qu'est-ce que tu fais là ? je m'exclame abasourdie. Et puis qui t'a laissé entrer ?

Il se redresse et fait mine de réfléchir en posant sa main sous son menton. Le cliché, typiquement.

J'ai passé trois jours à éviter soigneusement mon patron au travail alors que je suis son assistante. J'ai consciencieusement fait attention à ne jamais me retrouver seule en sa présence dans une pièce dont la porte était fermée et j'en suis même arrivée à lui envoyer des mails plutôt que l'appeler ou aller dans son bureau.

Après ça, Parker est parti à Los Angeles une semaine – enfin, d'après Shelly – et j'ai enfin pu reprendre mon souffle au travail. Mais la boule dans mon ventre était toujours présente. Et quand je le vois là, elle semble disparaître en un quart de seconde.

— Tu me laisses entrer ?

Je soupire et déverrouille la porte en l'invitant à entrer le premier dans mon appartement. Je dépose mon sac à main à l'entrée et retire mes baskets blanches ainsi que mes chaussettes. Je l'observe un instant se mouvoir dans mon petit chez moi. Il y semble trop grand et envahit l'espace. Mais à mes yeux, il a toute sa place ici. Les seuls hommes à avoir visité mon appartement sont mon frère et Kevin ces derniers mois. Alors j'ai le trac de l'avoir ici.

— Tu veux boire quelque chose ?

Il me suit dans la kitchenette et est si proche de moi que la tension est palpable. Je manque de m'enfoncer le décapsuleur dans la main mais je finis par m'en sortir et lui offre une bière en m'appuyant contre le comptoir, mes deux mains fermement ancrées sur l'angle pour éviter de lui sauter au cou en avouant qu'il m'a manqué.

— Alors, peux-tu m'expliquer pourquoi tu es en colère contre moi ? demande-t-il après une gorgée en haussant un sourcil.

— Je ne suis pas énervée contre toi.

— Je t'écoute, m'encourage-t-il à continuer.

— Bon sang, tu imagines que Shelly aurait pu nous trouver là ! je gronde en voyant son air décontracté. Pour qui est-ce que je passe moi ?

Je vois le muscle de sa mâchoire tressauter signe qu'il perd patience.

— Pour rien du tout puisque tu ne fais pas une promotion canapé ! il a l'air très irrité.

— Aux yeux des gens Parker ! je gronde. Tout ne tourne pas autour de toi.

Alors là, j'ai l'impression qu'il me fusillerait du regard – s'il en était capable – au sens propre.

— Je suis là depuis trois mois et hop, dans le lit du patron, je continue en agitant mes bras comme une cinglée.

— Et tu sais ce qui va faire parler les gens ? Absolument pas cette foutue histoire, il pose sa bière et s'approche de moi si près que je lève la tête pour croiser son regard. Ils parlent de toi sans cesse depuis ton entretien. Les mecs me remercient d'avoir engagé une bombe et Shelly pisse le sang depuis que tu es là, elle n'a pas besoin de me le dire.

Je fais la moue.

— À chaque fois que je suis avec les garçons, ils parlent de toi. Il n'y en a pas un qui ne rêve pas de te coincer contre son bureau. Et moi le premier, ma mâchoire en tombe presque. Alors excuse-moi, mais je serai ravi qu'ils sachent tous que toi et moi, on sort ensemble et comme ça j'aurais peut-être enfin fini d'entendre leurs fantasmes de mômes au café de dix heures.

Je suis sans voix. J'ai tout entendu, suivi son discours et pourtant, une seule chose a maintenu mon attention : Sortir ensemble. Je tressaille. C'est débile, mais ce formalisme m'inquiète. Est-ce que je suis prête à sortir avec quelqu'un ?

— Je veux que tu partes.

Il me regarde comme si je lui avais collé une baffe. Parker est seulement à quelques centimètres, debout devant moi et je ressens la chaleur qui émane de lui. C'est agréable. C'est la sensation que je ressens tout le temps quand il est près de moi. Je rêve même que ses mains parcourent mon corps et malgré moi, mon cerveau a activé la sonnette d'alarme.

— Pardon ? demande-t-il, stupéfait.

— Tu m'as bien entendue.

— Tu te fous de moi.

— Parker, je veux que tu rentres chez toi, j'insiste en détournant la tête pour ne plus croiser son regard.

Il est trop perçant et bon sang, j'ai l'impression qu'il peut même voir mon âme. Il a les yeux rivés sur moi et je le sens dans toutes mes foutues extrémités. Je sens qu'il me parcourt et mon corps se met à trembler de toutes parts. Je rêve de lui sauter au cou pour le retenir quand il part furieux mais mes yeux et mes lèvres se pincent quand la porte claque. C'est trop tard, je m'effondre alors que j'ai voulu qu'il parte. Enfin, mon cerveau voulait qu'il parte.

Quand j'arrive au bureau lundi, j'ignore Shelly et pars directement dans mon espace. Je n'ai pas donné de signe de vie à Parker et il ne l'a pas fait non plus. Comment lui en vouloir ? Je suis passée pour une hystérique parce que le simple fait d'évoquer de sortir avec quelqu'un me tétanise. La dernière fois que j'ai confié ma vie à quelqu'un, il m'a détruite. Littéralement. Alors c'est mieux comme ça.

Chapitre 20

Le jeudi, alors que je ne communique avec Parker que par mails, les journées me semblent moroses et il me manque. Il ne vient pas dans mon bureau, ne décroche pas son téléphone, il ne vient même pas vérifier les dossiers sur lesquels on travaille ensemble. C'est stupide, mais j'adorais passer du temps avec lui. J'adore travailler et apprendre à ses côtés. J'adore qu'il me drague l'air de rien et porte toute son attention sur moi. Bon sang, j'adore encore plus quand ses mains prennent possession de mon corps et qu'il m'embrasse. J'adore tout chez cet homme. Et c'est sûrement pour ça que je me lève comme une furie quand je vois une grande blonde élancée passer dans le couloir. Quel enfoiré, il refait venir à domicile ses prétendantes.

— Désolée, c'est un lieu de travail ici, j'objecte à la jeune fille en la prenant de court, une main sur la poignée du bureau de Parker.

Je lui lance un regard éloquent et elle se pince les lèvres en prononçant un juron avant de faire demi-tour. Et je jure l'entendre m'insulter de pute quand elle tourne dans le hall pour rejoindre l'ascenseur. Mais je m'en fous et je laisse couler, au lieu de ça, je rentre dans l'antre de Parker et ferme derrière moi en contenant ma colère. Quand je me tourne vers lui, il est assis dans son fauteuil et ses avant-bras sont dénudés car il y a remonté ses manches : il me jauge, apparemment surpris de me trouver là.

— J'ai annulé ton rendez-vous, je lui dis sur un ton sarcastique en avançant, les mains sur les hanches.

— Il fallait au moins ça pour te faire venir dans mon bureau j'imagine.

Il se lève et me fait un sourire franc qui me déstabilise alors je fronce les sourcils. Il a l'air heureux comme un pape de me trouver là, dans son bureau, la porte fermée. Mon patron n'est pas dupe, il sait que mon apparition est purement et simplement due à son rendez-vous. Et il ne doute pas une seconde de mon état d'énervement et de jalousie au vu de son air satisfait quand il s'arrête face à moi, dans une limite raisonnable et professionnelle.

— Tu comptais vraiment te taper encore une fille ici ? je lui demande irritée.

— Je viens de te le dire ; il fallait bien trouver un moyen de te faire revenir.

Il croise les bras sur sa poitrine et m'observe en haussant un sourcil. Et je me sens prise au piège. Prise au piège et sur un petit nuage. Mes mains se mettent à trembler quand je réalise qu'il n'attend que ma réaction. Voit-il que je pèse le pour et le contre ?

Et d'un coup, je décide d'arrêter de réfléchir et de perdre du temps alors je parcours les trois pas qui nous séparent en un claquement de doigts et attrape son visage entre mes deux mains fermement pour l'embrasser. Ses bras m'accueillent sans opposition et il me serre contre lui sans avoir les mains baladeuses, ce que je regrette d'ailleurs.

— On ne sort pas ensemble, je souffle entre deux baisers.

— Et bientôt tu vas me dire que tu as le droit d'aller voir ailleurs, rit-il contre mes lèvres en descendant ses mains sur mes fesses.

Je suis au paradis.

Chapitre 21

À vingt heures, je me résigne à rentrer à l'appartement. Visiblement, la réunion est interminable alors je hèle un taxi. Comme je ne paie plus de loyer, mon salaire est évidemment moins sollicité et je me permets de prendre un taxi de temps à autre comme les gens de Manhattan. Je m'arrête au traiteur indien du coin de la rue et commande trois plats avant de rentrer à l'appartement à pied. Niel m'accueille joyeusement dans son uniforme de gardien d'immeuble classe. Je lui tends la poche que j'ai demandée à part au restaurant.

— Poulet biryani et naan au fromage, j'annonce en lui souriant.

— Il ne fallait pas.

Il est affreusement gêné mais accepte tout de même mon geste. Niel s'est fait quitter par sa femme il y a deux ans. Il m'encourage toujours à voir le positif lors d'une dispute avec Parker car il a le goût amer d'avoir laissé couler son mariage. Cela m'attriste énormément car c'est un homme de la soixantaine, qui vit seul et qui fait assez peu de sorties. Bien sûr, il a son travail mais ses fils ne viennent que très peu le voir et il n'a plus que ses amis ; dont d'autres gardiens de la rue. Niel est très apprécié et je sais que d'autres personnes de l'immeuble sont comme moi et lui tiennent compagnie de temps à autre.

— Match ce soir ? je lui demande en prenant quelques minutes avant de monter.

— Les Knicks jouent, alors bien sûr ! s'exclame-t-il et je me demande tout à coup si Parker ne m'avait pas dit qu'il devait y aller. Ça va, petite ? s'enquit-il en posant le sac sur le petit canapé qui orne le hall.

— Ça va, je dis en croisant mes bras sous ma poitrine mais il prend un air insistant. Parker a des problèmes avec la justice alors je suis soucieuse.

— Il va payer très cher ses avocats du barreau et tout va bien aller ! tente-t-il de me réconforter en blaguant.

— C'est ce qu'il m'a dit aussi, je souris laconiquement.

— L'argent ne règle pas tout, et il ne fait pas le bonheur, m'enfin il aide quand même, analyse-t-il en gonflant sa lèvre inférieure.

Je lève les yeux au ciel en tentant de penser à autre chose et finalement je grimpe à l'appartement en lui souhaitant une bonne fin de soirée. Je retire mes escarpins avec soulagement et file dans la salle de bain pour me plonger dans un bain chaud. Tandis que l'eau coule, je me démaquille tranquillement et pars attraper un ensemble de pyjamas en satin noir.

Je barbote depuis un moment quand mon téléphone se met à sonner et m'arrache une grimace. On a trouvé plus relaxant comme musique d'ambiance. Il sonne une fois, puis une deuxième alors je me résigne à me rincer et sortir. J'attrape mon téléphone d'une main, une serviette molletonnée de l'autre et je l'entoure tant bien que mal autour de ma poitrine en appuyant sur le rappel automatique sans regarder qui était l'inquisiteur.

— Enfin tu décroches ! râle Kevin à l'autre bout du fil.

— Moi aussi ça me fait plaisir de t'entendre, je raille en partant vers la chambre.

— On va manger un bout ?

Je regarde rapidement ma montre. Parker n'est toujours pas là, il est bientôt neuf heures.

— Ça te dérange de venir manger ici ?

Je ne vois pas par quel miracle je trouverais la motivation de redécoller de l'appartement.

— J'ai de l'indien, j'avance comme argument.

— Je suis là dans vingt minutes !

Je n'ai toujours pas de message de Parker et ça commence à m'inquiéter alors je lui en envoie tout de même un.

J'accueille sur le pas de la porte Kevin. Il me reluque des pieds à la tête puis entre sans ménagement. J'aurais pu au moins faire l'effort d'enfiler un jean, mais j'ai préféré me glisser dans mon pyjama.

— On mange dehors ? propose-t-il alors qu'il y court presque. C'est un palais ici, siffle-t-il.

J'esquisse un sourire et rapporte le sac du traiteur sur la terrasse avant de lui tendre une des deux boîtes en carton.

— Sophia, dit-il et ses yeux sont rivés sur ma main gauche.

Bizarrement, le sang de ses joues a disparu. Il devient pâle. Le mien monte en flèche dans mes pommettes.

— Désolée, j'ai oublié de vous le dire, je grimace en prenant ma main gauche dans la droite pour la camoufler, mal à l'aise.

— Mais putain, on n'oublie pas de dire qu'on est fiancés ! s'exclame Kevin en l'arrachant.

Puis il lâche ma main et se jette à corps perdu dans la nourriture. Une fois au bout, il me regarde. Et c'est ce qui me tracasse, il ne parle pas. Il y a un silence pesant qu'il n'y a jamais quand Kevin est dans une pièce. Il ne dit rien.

— Tu ne crois pas que ça va un peu vite ? il finit par lâcher alors que je hausse un sourcil en l'interrogeant du regard parce qu'il me fixait depuis bien deux minutes.

— Tu ne vas pas commencer, je gronde en tapant du poing sur la table d'agacement.

Je suis excédée. Voilà pourquoi je n'en ai parlé à personne au fond. Pour que personne ne vienne me faire remarquer que ça ne fait pas un an que je connais Parker, que je vis avec lui depuis moins de deux mois et que c'est mon patron à la base.

— Sophia, je m'inquiète pour toi, il grimace. OK, ton Parker est cool et tout, mais bon sang ! Tu as repoussé les mecs pendant trois ans et voilà que tu vis avec lui et que tu vas te marier en l'espace de quoi ? 9 mois ?

— Et tu devrais être heureux pour moi, je lui reproche en posant mon plat à moitié vide.

Je ne peux plus rien avaler maintenant que je suis contrariée.

— Je suis heureux pour toi. Mais putain, tu peux comprendre que je suis inquiet ?

— Tu connais Parker, tu sais que c'est un mec bien.

— Ce n'est pas de Parker que je m'inquiète, confesse-t-il à voix basse.

— Quoi ? Tu vas dire que je suis la méchante de l'histoire maintenant ? à nouveau, ma main claque sur la table et je le fusille du regard.

— Tu n'as pas besoin de te fiancer pour prouver à qui que ce soit que tu vas mieux.

Kevin garde un calme olympien, ce qui m'agace prodigieusement. Il parle doucement et sa voix dégouline littéralement d'amour.

— Je ne le fais pas pour ça, je réponds sur un ton cassant. Je le fais parce que je suis dingue de Parker.

— D'accord, mais pourquoi vous ne vous laissez pas plus de temps ?

— Putain et en quoi est-ce que ça te regarde ? je gronde.

— Salut, Kevin, je ne savais pas que tu passais, remarque Parker en sortant sur la terrasse.

Ils se serrent la main et je fusille mon meilleur ami du regard : « Il partait. »

Kevin me regarde comme si j'exagérais et que j'en faisais trop et mon fiancé me jette un coup d'œil surpris de mon attitude.

— Alors les gars, vous n'avez pas fait de fête de fiançailles ? plaisante-t-il à l'intention de Parker en lui donnant un coup gentiment dans le bras. Félicitations, mec !

Et mon imbécile de fiancé est fier comme un pape à l'évocation de nos fiançailles. Alors, il se met à blaguer avec Kevin comme s'ils ne remarquaient pas tous les deux que je suis d'une humeur massacrante.

— Tu as gagné le gros lot, ajoute Kevin en me jetant un coup d'œil.

Je boue.

— Je sais, lui rétorque Parker en posant une main sur mon épaule. Du coup, tu comptais vraiment y aller ?

— Oui, je vais vous laisser vous reposer tous les deux.

— Et est-ce que pour l'amour de Dieu Kevin tu peux fermer ta gueule cette fois-ci et ne pas appeler Josh ?

Ils me regardent tous les deux stupéfaits. Parker hausse un sourcil en me regardant comme si je m'étais transformée en Chucky, la poupée flippante des films d'horreur, tandis que Kevin lève les yeux au ciel, me fait un sourire forcé très appuyé et effleure mon épaule pour me dire au revoir. Avant de filer, ils se donnent une accolade joyeuse et je l'entends dire à Parker de faire attention à moi. Je le suis du regard jusqu'à ce qu'il soit parti et Parker s'assied en face de moi en posant sa main sur mon genou, l'air inquiet.

— Qu'est-ce qu'il y a ?

— Rien, c'est un abruti, je grince des dents en me levant pour débarrasser.

— Sophia, insiste-t-il en me suivant dans la cuisine.

— Et déjà, pourquoi est-ce que tu rentres à une heure pareille ? je riposte plutôt que de m'adoucir.

Bien joué Sophia, c'est connu, cette technique marche toujours. Imbécile.

— On a négocié un accord à l'amiable avec Smith. Je lui verse vingt mille dollars et il n'est pas viré pour faute grave.

— Quoi ?

— Ça lui permettra de retrouver un travail. Enfin si les futurs employeurs ne tombent pas sur vos plaintes, il hausse des épaules comme si ça ne lui apportait rien. À ton tour.

— Tu as versé vingt mille dollars à cette ordure ?

Je fulmine.

— Oui entre lui verser une indemnité ou aller au procès, j'ai fait mon choix. Un choix intelligent qui ne va pas me mener tout droit en taule pour quelques mois.

Je croise mes bras sous ma poitrine.

— Sophia, j'ai énormément de chance qu'il ait accepté ce deal. Putain, je lui ai pété le nez !

Et soudain, je réalise que je me comporte comme une vraie connasse alors qu'il n'a rien à voir là-dedans. Je suis énervée contre Kevin, pas contre lui. Et il a enfin trouvé une solution pour se mettre à l'abri d'une situation compromettante où je l'avais plongé. Je lui saute littéralement dans les bras.

— Tu es complètement malade, soupire-t-il alors que j'embrasse son visage centimètre par centimètre.

Je sens ses lèvres s'étirer dans un sourire sous les miennes alors que je me serre fort contre lui.

— Tu as vraiment les meilleurs avocats du pays, je constate en appuyant mon front contre son torse. Merci seigneur !

— Tu sais qui est la meilleure personne dans ma vie ? murmure-t-il dans le creux de mon oreille avant de me soulever dans ses bras.

Je relève les yeux pour croiser son regard tout en caressant ses cheveux rasés de près.

— Toi, chuchote-t-il en déposant un baiser sur le bout de mon nez. Tu es la meilleure chose qui me soit arrivée.

Je l'invite à m'amener à la chambre le plus rapidement possible en l'embrassant avec ardeur. Parker est la meilleure partie de moi. Il obtient tous mes bons côtés. Il ne s'attache que sur les qualités qu'il apprécie et s'approprie mon mauvais caractère. Il semble tout aimer chez moi et je suppose que c'est grâce à ça que j'ai l'impression de mériter tout ça et de m'y abandonner. J'ai enfin l'impression de mériter une vie pleine d'amour. Et c'est grâce à cet homme.

Chapitre 22

Quand j'avance dans le hall de l'aéroport de Miami, je distingue au loin mon père et Laurenn. Je suis tentée d'aller courir jusqu'à eux mais je me tourne à moitié pour lancer un sourire à Parker qui tire notre valise. Cela fait un long moment que je ne suis pas rentrée à Miami. Je ne voulais pas que mon père me découvre détruite. De l'autre, je ne me sentais pas prête à rentrer dans une ville qui porte tous mes meilleurs souvenirs avec Lucas. Finalement, quand nous ne sommes plus qu'à quelques mètres, je me félicite d'avoir enfilé des tennis et je cours jusqu'à mon père. Ce n'est qu'en voyant son visage que je réalise à chaque fois à quel point il peut me manquer quand je suis à New York.

— Je suppose que tu es Parker, j'entends Laurenn.

Je me détache un peu de mon père et fais les présentations en bonne et due forme. Celui-ci fait mine d'être un père sévère en serrant la main de Parker mais Laurenn l'enlace tendrement et je la prends dans mes bras.

— Je suis tellement contente que vous ayez pu venir en même temps que Josh et Alex !

Nous n'avons pas pris le même avion car Josh et Alex ont pu partir dès le vendredi mais nous nous sommes effectivement mis d'accord pour faire plaisir à papa et Laurenn. Cela fait plus d'un an que Josh et moi ne sommes pas venus en même temps à Miami alors que nous habitons quand même la même ville.

— Il était temps de vous rencontrer, marmonne mon père à l'encontre de Parker quand nous entrons sur l'autoroute.

— C'est de ma faute, je le cachais. J'avais envie de le garder pour moi, je confesse en prenant sa main à l'arrière de la voiture.

— L'important c'est que vous soyez là, me rassure Laurenn en se tournant pour nous sourire du siège passager.

Nous passons la porte d'entrée et Alex me saute dans les bras. Dans l'étau, je remarque que son ventre s'est un peu plus arrondi depuis la dernière fois que je l'ai vu. En fait, elle commence à devenir de plus en plus grosse. Mon neveu prend de la place dans son petit corps.

— Tu as vu, je suis énorme ! s'exclame-t-elle en posant ma main sur son ventre.

Josh grogne en lui jetant un coup d'œil désapprobateur, appuyé contre l'encadrement de la porte.

— Parker, tu as pu venir, le salue ma belle-sœur alors que je vais enlacer mon frère.

— Tu te décides finalement à revenir ici, me sermonne-t-il.

Je lui fais mon plus beau sourire et retourne entourer la taille de Parker.

— Vos chambres sont là-haut, lance mon père.

— Papa ! je l'engueule un peu. Tu ne vas pas recommencer.

— Je ne connais pas ce garçon, observe-t-il et je soupire d'exaspération.

— C'est justement pour ça qu'on est ici.

J'entends Parker qui se marre dans mon dos et son hilarité est soutenue par celle d'Alex.

— Nous, on a sorti la carte, bébé !

— Eh bien, Parker et moi sommes fiancés.

Le silence qui s'en suit dure approximativement une minute avant que les femmes présentes se jettent sur ma main gauche. Mon père reste bouche bée face à moi et je ne sais pas si c'est Josh ou Parker qui est pris d'une quinte de toux due à l'annonce.

— Mais quelle bague ! Josh, où est la mienne ?

— Ça pour une surprise, oscille Laurenn.

— On ne t'a jamais dit mon garçon qu'on était censés demander l'approbation au père ? grommelle mon père à l'attention de Parker.

— Je suis enceinte sans être mariée, c'est fini cette époque, lui lance joyeusement Alex en le prenant par l'épaule.

Mon père lance un regard réprobateur à Alex et moi. Je n'ose même pas croiser celui de mon frère alors je me contente de me serrer contre la taille de Parker et de faire un sourire à tout le monde.

— Pour quand est fixée la date ? s'enquit Laurenn apparemment ravie.

— On n'a pas encore fixé de date, lui répond Parker en me jetant un coup d'œil.

Non, effectivement. Je n'arrive pas à m'imaginer en robe blanche lors d'une cérémonie. Bon sang, je ne m'imagine même pas m'appeler madame Bailey. J'accepte déjà difficilement le fait que cet homme veuille lier sa vie à la mienne pour l'éternité.

Plus tard, dans la cuisine, je suis seulement avec Laurenn et Alex. Les garçons sont dans le jardin, autour du barbecue. Je m'applique à découper des tomates pour en faire une salade et à répondre aux questions d'Alex concernant la demande en mariage de Parker. Soudain, un reniflement attire mon attention et je suis troublée de trouver Laurenn avec les yeux rouges.

— Qu'est-ce qu'il y a, Laurenn ? je m'inquiète en essuyant mes mains sur le torchon.

— Ça ne va pas ? renchérit Alex en descendant de l'îlot central pour lui poser une main sur l'épaule.

— C'est rien les filles, sourit-elle malgré son visage humide. Bon sang ! s'agace-t-elle en essuyant son nez avec un mouchoir.

— Quelque chose ne va pas avec papa ? j'insiste.

— Tout va bien, elle sourit et renifle. Je suis juste émue de vous avoir ici et que vos vies évoluent.

— Il ne faut pas me faire ça, commence à pleurer et rire en même temps ma belle-sœur en la serrant dans ses bras. On ne fait pas pleurer les femmes enceintes.

Je les observe et inspire un grand coup. Il est hors de question que je me mette à chialer. Bon sang, il est hors de question de pleurer alors qu'il n'y a que des bonnes choses qui nous arrivent enfin.

— Câlin ! s'exclame Alex en me tirant brusquement par le bras pour m'ajouter à leur étreinte.

Je regarde le plafond et leur frotte le dos en me contenant. Si je commence à me repasser le fil de nos vies depuis l'arrivée de Laurenn, je jure que je vais m'asseoir par terre, ramener mes genoux contre ma poitrine et fondre en larmes. La vie de Josh est une bénédiction alors qu'il est passé à deux doigts de la mort puis de la paralysie. Il va devenir papa et me voilà ça y est, les larmes coulant sur mon visage.

— Quelque chose cloche ?

Je me détache en essuyant mes yeux et en reniflant un bon coup alors que mon frère nous observe médusé, depuis le seuil de la cuisine.

— Je suis enceinte, j'ai le droit de pleurer ! se défend Alex en essuyant ses joues.

Elle ne prend pas la peine de faire attention à son maquillage contrairement à moi.

— Et elles sont enceintes aussi ? se marre-t-il en nous désignant avec ses index.

— C'est un truc de femme, tu ne peux pas comprendre, argumente Laurenn. Prends donc ce saladier et ramène-le dehors.

Je me mets à rire et jette un coup d'œil à mon père et Parker qui discutent. J'espère tellement que mon père va l'apprécier.

Chapitre 23

Le soir, alors que nous sommes enfin un peu seuls, je suis allongée dans le lit double que mon père a mis pour remplacer le lit de mon adolescence.

— Tu ne m'avais pas dit que tes parents étaient séparés, remarque Parker en s'asseyant à côté de moi.

Je rive le regard sur le plafond et une boule se forme dans ma gorge. Je n'ai jamais évoqué ce sujet avec lui, car j'évite d'amener des ondes négatives dans notre relation. Ma vie était assez chamboulée pour ne pas vouloir bousiller mon avenir avec de vieux fantômes.

— Ce n'est pas important, j'élude.

— Un peu. Ça m'aurait évité de me demander pourquoi tu appelais ta mère Laurenn.

Comme il insiste, je me redresse les jambes en tailleur en soupirant.

— Laurenn est comme une mère, donc ça n'est pas si grave, je relativise en croisant son regard avant de détailler la décoration.

— Oui mais ça n'est pas ta mère.

— Parker, au cas où tu ne l'aurais pas remarqué, je n'ai pas envie de parler de ma mère, je lui réponds sèchement.

Voilà précisément pourquoi j'évite le sujet. Parce que je n'en parle pas ; jamais. Et je ne veux pas le faire. Même pas avec un homme avec lequel j'entreprends de passer ma vie. Je triture mes doigts en soutenant tant bien que mal le regard de Parker mais je préférerais passer sous un bus plutôt que de supporter le silence pesant qui tombe sur nous.

— Laisse-moi deviner, c'est un sujet que tu n'évoquais qu'avec Lucas.

Et là, le silence devient écrasant. La boule dans ma gorge manque de m'étouffer alors je détourne le regard. Ce week-end va virer en enfer, voilà précisément pourquoi j'évite de venir ici et pourquoi je repoussais le moment d'emmener Parker ici. Nos familles ont toujours été très proches depuis que Josh et Lucas se sont rencontrés au lycée. Ils étaient là quand ma mère est partie. Lucas a été le roc auquel je me suis raccrochée à cette époque. Puis nous nous sommes séparés, et ça a été le chaos aussi bien à Miami qu'à New York. J'ai sauvé sa sœur de ses démons. Nous nous sommes remis ensemble, puis séparés à nouveau. Sa mère est revenue et j'ai été là pour le soutenir. J'ai passé des heures chez eux, et lui chez nous. Des centaines d'après-midi barbecue tous ensemble. Bien sûr que nos vies sont entremêlées, bordel.

— Qu'est-ce qui te prend ? j'arrive à articuler tant bien que mal.

— Je ne sais pas, peut-être le fait que tu ne veuilles pas me dire que ta mère est partie en vous abandonnant ; toi, ton frère et ton père alors qu'on est censés se marier. Visiblement, je ne suis pas assez important pour que tu veuilles partager des détails de ta vie aussi importants, tout en lui irradie le ressentiment.

Comme ça en devient accablant, je me lève, attrape une veste légère en lin qui traîne sur le fauteuil de la chambre et pars en claquant la porte. Je fuis, tout simplement. Et il ne me retient pas.

J'imagine que tout le monde a entendu le brouhaha. Je grimpe derrière le volant du 4x4 de mon père et j'inspire un grand coup en démarrant le contact. J'ai besoin de m'éloigner, j'ai besoin de souffler et j'ai besoin de décolérer contre moi-même. Parker n'est pas en tort. Il a le droit de savoir à qui il veut unir sa vie. Il a le droit de vouloir connaître chaque détail de moi comme il a partagé chaque étape de sa vie avec moi. J'ignore comment il sait que ma mère est partie lâchement. Peut-être que le sujet a été évoqué lors d'une conversation et qu'il a assemblé les pièces du puzzle. Et Lucas a été nommé à plusieurs reprises lors du repas car papa parlait de leur famille sans vraiment parler de lui.

Quand je m'arrête sur le parking de Peacock Park, je ne pleure presque plus. Je n'ai même pas senti que les larmes quand elles ont commencé à dévaler mes joues et j'ai respiré calmement pour que les sanglots ne rendent pas la conduite dangereuse. Je me suis appliquée à inspirer profondément et à expirer l'air lourdement.

Je range les clés dans la poche de ma veste et pars vers le sable. Nous sommes samedi soir, les fêtards sont tous à South Beach alors je suis tranquille ici. Les lampadaires éclairent à peine la plage mais juste assez pour que je puisse m'y asseoir sans devenir paranoïaque au moindre bruit.

Je ne sais même pas pourquoi j'ai réagi ainsi. La dernière fois que j'ai vu ma mère, nous étions assises dans la même pièce autour de Josh et je priais pour qu'elle disparaisse à jamais de nos vies. J'ai mené de front la possibilité de perdre mon frère et sa réapparition. Un jour, elle n'est juste plus venue à l'hôpital et son absence a laissé à nouveau un trou béant dans ma poitrine. Un trou que je m'étais efforcée de faire cicatriser.

En partant comme ça, je sais que j'ai pris le risque que Parker parte. Il a trente ans et mes enfantillages peuvent le lasser. Mais l'atmosphère dans la pièce devenait si irrespirable que je ressentais le besoin de m'échapper. Personne n'a jamais compris si bien que Lucas le mal que je ressens quand on évoque ma mère. La douleur lancinante dans la poitrine, les fourmillements dans les mains, les larmes qui montent, la tétanie qui pointe le bout de son nez et l'amour profondément ancré malgré tout au fond des entrailles. Les gens ne peuvent pas comprendre, ils ne peuvent même pas imaginer. Et c'est pour cela que je n'en parle pas, que je n'en ai jamais parlé, même à l'homme à qui j'ai dit oui.

Chapitre 24

Quand je rentre à la maison, je ferme la voiture à distance et approche du perron dans la pénombre.

— Tu rentres seulement maintenant.

Je porte la main sur mon cœur en sursautant et en retenant un hurlement en jurant. Après une recherche à vive allure, la silhouette de Josh se distingue dans l'obscurité et ma main descend fébrilement le long de mon corps alors que mon rythme cardiaque retrouve un battement convenable.

— Bon sang, tu veux me tuer ou quoi ?

J'inspire profondément et il se rapproche, les mains dans les poches.

— Pourquoi tu ne dors pas ?

— Parce que j'ai entendu que tu étais parti, marmonne-t-il en regardant ses pieds.

Trouvez un homme plus inexpressif que Josh sur cette terre. C'est attentionné mais il arrive à en faire une action aussi typique qu'aller faire les courses le dimanche matin.

— Et je suis rentrée, je conclus en partant vers la porte.

— On est loin de la lune de miel, se croit-il obligé de commenter.

Je fais demi-tour, agacée.

— Je me passerai de tes sarcasmes, Josh. Je crois que j'ai compris que tu n'appréciais pas particulièrement Parker.

— C'est pas un mauvais garçon, hausse-t-il des épaules. Mais pour l'homme de ta vie, avoir oublié de mentionner que maman était partie…, il laisse traîner sa phrase et me regarde d'un air éloquent.

— Tu as écouté notre conversation !

— Vous gueuliez comme des charretiers là-dedans, se défend-il.

Je me pince l'arête du nez.

— Mêle-toi de tes affaires, je grommelle en filant dans la maison.

J'ouvre la porte et un poids s'enlève de mes épaules quand je trouve Parker étendu sur le lit, torse nu et une main posée sur le ventre. Il n'est pas parti, Dieu merci. J'avais besoin de temps pour moi, besoin de temps pour souffler et décolérer. Je me glisse contre lui sans me changer ou prendre la peine de retirer mes chaussures. Je suis soulagée.

— Je suis désolée, je murmure contre ses côtes alors qu'il dort profondément.

***

Je me réveille le lendemain sans trace de Parker. En regardant par la fenêtre, je le trouve dehors sur la terrasse. Il a ses lunettes de soleil, un t-shirt blanc et un short en jean. Son café est posé devant lui et Alex est assise à ses côtés, dans une robe babydoll noire. Ils ont l'air en grande discussion alors j'entrouvre la fenêtre délicatement pour ne pas attirer leur attention.

— Ils sont comme ça, lui dit ma belle-sœur en sirotant son jus d'orange.

Ces deux-là se sont apparemment bien trouvés pour faire face à la fratrie de cinglés que nous sommes. Il faut au moins deux âmes solaires et joyeuses comme eux pour nous supporter.

— Ça n'a rien contre toi, insiste-t-elle en serrant son coude. Sophia n'aime pas en parler.

— Personne n'aime parler de quelque chose qui lui fait mal, constate-t-il.

Il ne peut pas avoir l'air plus fermé que ça. Il a en général cette position quand quelque chose le met en colère au bureau. Aujourd'hui, ça n'est pas un fournisseur ; c'est moi. Et ça me donne des frissons de la tête aux pieds.

— Bonjour les jeunes, les salue mon père, suivi de près par Max qui secoue la queue joyeusement.

D'un geste affectueux, Parker se penche pour lui frictionner la tête.

— Il va être temps que tu te lèves, dit Josh du seuil de la porte.

Je sursaute, prise sur le fait.

— Bon sang mais tu ne peux pas toquer ! je l'engueule en me redressant.

— Qu'est-ce que tu fais ? articule-t-il à voix basse en fronçant les sourcils.

— Rien, je souffle en fermant la fenêtre. Toi et moi, on est des connards, je marmonne en passant devant lui pour sortir.

— Vous êtes là ! lance gaiement Laurenn en sortant de la salle de bain.

— Bonjour.

J'arrive sur la terrasse et je cherche le regard de Parker mais il a le visage rivé sur le chien. À défaut, j'enlace Alex et m'y attarde parce que putain, je ne sais même pas comment approcher mon fiancé ce matin. Je ne sais pas comment m'y prendre car je n'ai jamais été celui qui merde dans le couple.

— Ça va les lève-tard ?

Mon père arrive de la cuisine avec un mug fumant, en short en jean et torse nu. Je vais l'enlacer et il embrasse ma tempe. Ça a le don de me réconforter un court instant car j'arrive à détourner mon regard de Parker.

— Parker, comme c'est ta première fois en Floride, que dirais-tu d'un tour dans les Everglades ?

J'apprécie le fait qu'il ait des attentions pour mon fiancé alors qu'il a l'air de vouloir me rattraper sur le pied de l'autel. Mon amoureux relève les yeux vers nous et acquiesce avec un vague sourire.

— Super, allons te jeter aux alligators ! lance mon père en finissant son mug.

Je fronce les sourcils et le regarde partir vers la cuisine, stupéfaite. Tout le monde rigole et moi, j'ai l'impression que mon père s'est transformé en parrain de la mafia.

— Vous ne m'en voulez pas, mais je vais plutôt traîner ici.

Alex a les deux mains posées sur son ventre et caresse mon neveu. J'ai tellement hâte de le voir, de voir à qui il ressemblera, s'il aura les beaux yeux verts d'Alex, ou les yeux noirs de Josh. J'ai hâte de voir s'il va irradier de bonheur comme sa mère ou être aussi réservé que son père. Mon frère lui masse les épaules et elle relève la tête en arrière pour le regarder.

— Vas-y, je vais bronzer.

— Je vais rester avec toi, en profite Laurenn. J'ai plein de rangement à faire.

— Vous me laissez seule ? je m'exclame alors que Parker se lève de table.

— Tu as toujours adoré traîner avec des garçons, argumente Alex en me faisant un clin d'œil.

Après avoir roulé deux heures, nous arrivons à une ferme. Parker s'est assis devant à la suite de l'insistance de mon père et je me retrouve à l'arrière avec Josh, alors que mon fiancé n'a toujours pas voulu m'adresser la parole. Je suis d'une humeur massacrante.

— Carrément, marmonne Parker en détaillant la décharge que la caissière nous demande de signer.

Celle qui signifie que nos proches ne pourront pas les attaquer en justice si on meurt, bouffés par un alligator. Je n'ai jamais vraiment réfléchi aux risques en montant sur ces bateaux à moteur. Maintenant que je le vois peu rassuré, je m'inquiète pour nous tous et je commence à angoisser. Il signe, mon père également, Josh gribouille salement sa signature et moi, je fais la moue.

— Imaginez qu'on crève ici.

— T'as vraiment le chic pour détendre l'atmosphère, se moque mon frère en me frappant gentiment dans le bras.

Je cherche le regard de Parker, mais il a les yeux dans le vague et fait simplement la conversation avec mon père.

— Vous êtes prêts ? demande le maître des lieux alors que nous sommes déjà tous assis dans ce foutu hydroglisseur.

Je suis à côté de Parker et au lieu de passer son bras autour de mes épaules, il les a fermement croisés sur son torse. Le message est passé.

Chapitre 25

— Il va peut-être falloir se décider à me reparler, je lance quand nous passons les portes de son appartement de New York.

Le silence est assourdissant quand Parker ne daigne plus m'adresser la parole. Et cela va bientôt faire deux jours, ce qui me fait perdre patience. Il a porté mon sac, m'a ouvert la portière, a salué joyeusement ma famille quand nous sommes partis. Mais quand il me lâche quelques mots, il ne lève qu'à peine les yeux sur moi.

— Parker ! je gronde quand il file vers la chambre.

Je pose mon sac à main sur le meuble de l'entrée et prends sa suite, bien décidée à réinstaller le dialogue avec mon fiancé.

— Tu comptes ne plus me parler jusqu'au mariage ? j'insiste en le rejoignant, fermant la porte derrière moi.

Cette fois-ci, il ne m'échappera pas. Il défait sa chemise en jean bouton par bouton, dos à moi. Je la regarde glisser le long de son dos et je me perds dans la contemplation quelques secondes. Parker est grand et son corps est tonique. Il n'a pas la carrure d'un bodybuilder mais plutôt celle d'un footballeur. Tout son corps est musclé, il n'oublie pas une seule partie au profit d'une autre quand il va s'entraîner. J'apprécie que ses bras n'aient pas une circonférence démesurée et que ses épaules soient bien carrées. J'apprécie tout chez lui.

— Parker ! je souffle exaspérée quand il me contourne pour entrer dans la salle de bain attenante.

Il se regarde à travers le miroir et je suis adossée contre le chambranle en me mordant les lèvres. Parce que je réalise qu'il n'est pas en colère ; il est blessé. Et c'est là toute la différence. Je le traite comme un homme faisant un caprice mais il n'en est rien. Il a toute conscience que Lucas était mon premier amour, que j'ai eu des projets avec lui, que ma vie s'est brisée à son départ. Mais visiblement, il n'a pas conscience du fait que ma vie est dorénavant liée à la sienne.

— J'ai hâte de devenir Mme Bailey, je dis en l'observant fixement à travers le miroir.

Il relève à peine.

— J'ai hâte de porter ton nom, j'ajoute en avançant vers lui. J'ai hâte de dire oui devant le prêtre et devant tout le monde.

Encore une fois, il m'ignore. Je me glisse entre le meuble de salle de bain et lui en me contorsionnant, de cette manière, il ne pourra plus faire mine de m'ignorer.

— Je ne t'ai pas dit que ma mère était partie parce que personne ne peut me comprendre, je soupire. C'est comme une plaie béante dans ma poitrine que je n'ai plus envie de remuer. Et je suis désolée que ça te fasse de la peine, mais je n'arrive pas à parler d'elle, je n'arrive pas à parler de son départ, je n'aime pas y repenser.

Après une intense réflexion que je peux voir dans son regard déterminé sur le miroir, il finit par baisser la tête vers moi et appuie ses mains de part et d'autre autour de mes hanches sur le meuble en se penchant légèrement vers moi. Mais il garde le silence en plongeant son regard dans le mien.

— Bébé, je suis désolée que ça t'ait fait de la peine, je chuchote à voix basse. Ça n'était pas mon but et ça ne le sera jamais.

— Et pourquoi est-ce que Lucas a le droit de connaître cette partie de toi mais pas moi ? demande-t-il et j'arrive à lire la tristesse dans ses beaux yeux verts.

— C'est quoi cette obsession sur Lucas ? je demande attristée. Depuis quand est-ce que tu mènes une compétition avec mon ex ?

— Parce que j'ai besoin de savoir.

— Il était là quand ma mère est partie, je lui avoue après avoir difficilement avalé ma salive. Et sa mère les a également abandonnés.

Je soutiens son regard et c'est douloureux. Ça me brise le cœur de me rappeler cette période de ma vie et ça me brise le cœur de voir cet homme qui m'aime tellement avoir l'air désemparé.

— Parker ça n'a jamais été une compétition entre lui et toi, je murmure en prenant ses mains dans les miennes. Je t'aime, toi, j'insiste en portant ses mains contre mes lèvres. Crois-moi.

J'embrasse ses phalanges tandis qu'il a l'air de peser le pour et le contre en relevant les yeux au-dessus de moi.

— Parker, s'il te plaît, ne me fais pas ça, je le supplie en me serrant contre lui, mes mains posées dans son dos. Ne me quitte pas.

— Quoi ?

— Ne me quitte pas, je répète en appuyant mon oreille contre son torse.

— Mais je ne vais pas te quitter, t'es malade ! s'exclame-t-il en reculant pour me tenir par les épaules. Mais tu pleures, merde, dit-il en me serrant à nouveau contre lui brusquement. Sophia, je ne vais pas te quitter pour ça.

Il me frotte le dos et moi, j'essuie mes yeux pour éviter que les larmes ne se mettent à dévaler mes joues.

— J'ai juste besoin que tu te confies à moi, comme je le fais avec toi, il dit en posant son menton sur le sommet de mon crâne.

Plus tard, quand nous sommes au lit, je lui parle de tout ; du départ de ma mère, de la sensation d'abandon, de la rencontre de mon père avec Laurenn, de l'accident de Josh et de sa réapparition soudaine dans nos vies. Malheureusement, je lui raconte aussi comme elle a disparu de nouveau sans donner signe de vie. Et il me fixe si intensément alors que je suis assise à califourchon sur lui que je n'hésite pas à pleurer quand les souvenirs sont trop douloureux. Je crois que c'est cette nuit-là que j'ai compris qu'épouser cet homme était la meilleure décision de ma vie.

Chapitre 26

Au bureau, le mardi, j'arrive dans un tailleur-pantalon noir sous lequel je n'ai enfilé qu'un body. Parker s'arrête à l'accueil pour terminer la discussion commencée avec un collègue dans l'ascenseur.

— Sophia ! m'appelle Sarah et sa voix n'est pas comme d'habitude.

La poignée dans la main, la porte ouverte, je tourne la tête vers elle et elle a l'air embarrassée. La silhouette dans mon bureau me frappe presque.

— Que fais-tu ici ?

— Tu ne me dis pas bonjour.

J'ai l'impression que je vais tomber dans les pommes. Oh mon dieu, je suffoque, c'est ça de faire une syncope ?

— Sophia, m'appelle Parker dans le couloir et je reste sur le pas de la porte, pétrifiée.

Dans son costume noir, il est splendide. Il me questionne du regard et pourtant, rien ne sort. Je n'ai pas vu Lucas depuis presque quatre ans. Mes mains tremblent et j'ai l'impression que le ciel me tombe sur la tête.

— Bébé, qu'est-ce que… Oh, enchanté ! dit Parker en entrant dans mon bureau.

Ils s'approchent l'un de l'autre et se serrent la main. Je vois que Lucas le dévisage, et je ne distingue pas l'expression de mon fiancé.

— Parker Bailey, se présente-t-il avant de poser une main sur son ventre. Et vous êtes ?

— Lucas Williams.

— Je comprends mieux pourquoi ma fiancée a l'air d'avoir vu un fantôme, plaisante-t-il en me jetant un coup d'œil.

— Il partait, je lâche sur le pas de la porte en tentant de reprendre une contenance.

— J'ai besoin de te parler.

Tirez-moi une balle dans la tête, ce sera toujours moins douloureux que de les regarder me fixer au même moment. Lucas irradie la confiance en lui et Parker prend un air protecteur en m'observant.

— On n'a plus rien à se dire et ça fait déjà un moment.

— Je dois vraiment te parler, insiste-t-il.

— Sophia, pourquoi tu n'irais pas boire un café ? propose mon fiancé, et je suis estomaquée. Visiblement, il a besoin de discuter. Mieux vaut que ce soit fait maintenant, plutôt qu'après le mariage.

Seigneur…

— C'est très gentil… Mr Bailey, lui dit mon ex petit ami en le toisant du regard.

— Vous me la ramenez dans trente minutes ? lance Parker en jetant un coup d'œil à sa montre. Elle a beaucoup de travail ici, après un sourire de convenance il ajoute sur un ton menaçant. Et ma patience a des limites.

— On file alors, dit Lucas en venant me rejoindre.

Ciel, j'ai un haut-le-cœur. Je le toise durement du regard puis supplie silencieusement Parker qui vient me prendre par la taille en déposant un baiser sur ma tempe.

— Je t'attends ici bébé, dit-il en caressant ma joue du bout du pouce.

Je suis à contrecœur Lucas dans l'ascenseur et serre si fort ma pochette entre mes doigts que j'ai l'impression que je pourrais en percer le cuir.

— Il est plutôt pas mal ce Parker, lance-t-il en me jetant un coup d'œil.

— J'imagine que Josh n'a pas eu le temps de te vanter ses qualités, j'ironise alors que les portes s'ouvrent sur nous.

— Ma voiture est là.

— Je ne vais nulle part avec toi Lucas.

Je m'arrête sur le pas de l'ascenseur et les gens qui veulent y monter grommellent en me contournant. Il est hors de question que je franchisse les portes de ce building alors je le regarde sévèrement tandis que le portier nous tient la porte d'un air gêné. Il ne se sent pas à sa place et moi non plus. Je ne devrais pas être ici et lui non plus d'ailleurs.

— Sophia, s'il te plaît, dit-il en me montrant la berline noire juste devant.

— Qu'est-ce que tu ne comprends pas ? je lui demande en haussant un sourcil. Je t'accorde trente minutes, dans ce putain de Starbucks, je lui indique en tendant un doigt vers le café bondé.

— Ce n'est pas un kidnapping, je l'entends mentionner au portier avant de foncer sur moi.

— Putain Lucas ! je hurle en frappant son dos alors qu'il m'a soulevée sur son épaule comme une putain de poupée de chiffon. Mais faites quelque chose ! je gueule à l'intention du portier qui nous regarde les yeux exorbités.

Je vois vaguement les regards interloqués mais je me concentre finalement pour frapper son dos en me débattant.

Rapidement, la chaleur de la ville se met à m'étouffer et enfin, le froid de la climatisation quand il me fait tomber sur la banquette arrière.

— Verrouillez les portes, lance-t-il à l'intention du chauffeur en se faufilant à côté de moi.

J'entends le cliquetis familier.

— Tu te fous de moi ? je vocifère en essayant d'ouvrir la portière comme une forcenée.

Il regarde droit devant lui et m'ignore même quand je le frappe brusquement avec ma pochette. Le chauffeur me jette un coup d'œil dans le rétroviseur intérieur et finalement, une vitre remonte lentement jusqu'à totalement séparer l'arrière et l'avant de la voiture. Mon cœur bat à cent à l'heure et je continue d'essayer d'ouvrir la portière encore quelques minutes avant de retenir un sanglot en portant mes doigts contre mes lèvres.

— Alors c'était vrai, marmonne-t-il, les yeux rivés sur ma main gauche.

Je lève les yeux au ciel et décide de ne pas répondre. Je sais précisément pourquoi Lucas est ici et je n'aurais pas cru un seul instant que Josh puisse me faire un coup pareil. Parker s'est comporté parfaitement durant le week-end, ils ont même rigolé ensemble. Et voilà qu'il prévient Lucas de mon futur mariage pour foutre ma vie en l'air.

— Qu'est-ce que tu fous avec ce type ?

— Et toi qu'est-ce que tu fous là ? je fulmine en le fusillant du regard.

— Sophia, tu ne vas quand même pas te marier avec un blaireau que tu connais depuis un an.

— Non t'as raison, j'aurais dû me marier avec le blaireau qui m'a trompée et qui m'a lâchée pour aller jouer au papa et à la maman, je lui crache, haineuse avant de regarder droit devant moi.

— Tu sais très bien que ça n'est pas ce qui s'est passé, soupire-t-il. Mais tu l'aimes au moins ? Bordel on ne se marie pas avec n'importe qui !

— Mais de quoi je me mêle !

Je me pince l'arête du nez et inspire profondément en fermant les yeux. Tout ça ne peut être qu'un cauchemar, mon frère ne m'aurait jamais fait ça… Pas après m'avoir vu en dépression pendant des mois sur son canapé ; c'est impossible.

— Josh s'inquiète pour toi, et moi aussi.

Je le noircis du regard.

— Toi, il y a bien longtemps que tu aurais dû t'inquiéter.

Il pose sa main sur la mienne et je l'observe faire comme s'il s'était transformé en un ovni.

— Lâche-moi, je le somme en détournant le regard vers la vitre avant de dégager ma main précipitamment comme s'il me brûlait parce qu'il n'obtempère pas.

— Soph', je suis désolé, OK ? soupire-t-il en se penchant pour capter mon attention. Je sais que je t'ai fait du mal et je regrette chaque jour que Dieu fait.

— Putain, j'espère que ta vie va être très longue alors, je siffle en continuant à fixer l'extérieur.

— Épouse-moi, dit-il en me prenant par les épaules.

Je croise son regard à contrecœur et cligne des yeux plusieurs fois. Le monde s'écroule sous mes pieds.

— Pardon ?

— Deviens ma femme, il insiste en prenant ma main gauche dans les siennes.

— T'es en plein délire mon pauvre garçon, je ricane mais il serre ma main. Arrêtez cette voiture, je crie en tapant contre la vitre qui nous sépare du chauffeur.

Oh mon dieu, je vais mourir dans cette voiture d'une crise cardiaque. Je le sens. J'ai dû mal à respirer, je sens la sueur se former dans le creux de mon dos et la moiteur s'installer sur mes mains qui tremblent. Et voilà, la boule dans ma gorge vient de se transformer en sanglots sous mes yeux ; brûlez-moi vive.

— Je suis fou de toi. Et j'ai toujours été fou de toi, Sophia, dit-il en prenant mon menton en étau et en essuyant mes joues.

— Laisse-moi sortir d'ici, je le supplie en reniflant.

Mon monde s'effondre et le chauffeur a l'air de s'en foutre complètement derrière sa vitre. Je pourrais me faire violer à l'arrière de cette voiture qu'il continuerait à parcourir Manhattan avec un sang-froid exemplaire.

— J'aime Parker, laisse-moi partir, je me pince les lèvres et continue à pleurer sous ses yeux.

— Je suis désolé de t'avoir laissée, Sophia, je t'en supplie ne fais pas une connerie pour te venger.

Il serre ma main dans la sienne et continue de tenir mon menton dans sa main gauche pour que je ne lui tourne pas le dos à nouveau.

— Tu ne peux pas venir bousiller ma vie encore une fois, je lui dis en secouant la tête, à regret. Ramène-moi au bureau.

— J'ai quelque chose à te montrer.

— Mais moi je ne veux rien voir.

Mais je tourne quand même la tête vers la vitre qu'il me montre du doigt et la voiture se met à ralentir au milieu d'un quartier résidentiel typique de Brooklyn jusqu'à s'arrêter sur une petite maison de trois étages, charmante, en briquettes rouges. Les portières se déverrouillent et il sort de la voiture sans me forcer à le suivre. Tout de même, il ouvre la portière de mon côté et m'encourage à sortir du véhicule. Mais j'ai les jambes flageolantes et j'ai peur de ce qu'il prépare. Je veux juste rentrer auprès de Parker. Il rive ses yeux sur moi quand j'en sors et guette mes gestes en attendant ma réaction. S'attend-il à ce que je parte en courant ? J'ai des talons de douze centimètres, je ne suis ni idiote ni masochiste. Alors je l'interroge du regard.

— Suis-moi, dit-il en grimpant les cinq marches qui mènent à la porte d'entrée rouge.

— C'est chez toi ? je lui demande sur le perron, les sourcils froncés quand il m'invite à entrer la première.

— C'est chez nous, me contre-t-il distinctement une fois qu'il a fermé la porte.

L'entrée est éclairée par un vaste salon baigné de lumière grâce aux baies vitrées donnant sur le jardin. Il n'y a pas de meuble, la pièce est vide. Un mur en briquettes couvre une bonne partie du salon et une cheminée en pierre orne l'un des angles près de la baie vitrée.

— Pardon ? je répète quand je réalise ce qu'il vient de dire après ma petite analyse.

— J'ai acheté cette maison. Pour nous, clarifie-t-il les mains dans les poches de son costume noir en me jaugeant.

— Alors là, tu touches le fond, je lui dis en le dévisageant. Lucas je n'habiterai pas avec toi. J'habite avec Parker et, nom de dieu, je vais me marier avec Parker et je compte même avoir des enfants avec cet homme, tu m'entends ?

Il me fait un petit sourire mais dans la prunelle de ses yeux, je lis qu'il est blessé même à quelques mètres de lui.

— Tu as une très jolie maison. Il ne reste plus qu'à installer vos meubles et la chambre de ta fille, je lui dis en le contournant pour sortir de là.

Sa main attrape mon poignet et m'arrête sur ma lancée. Je pince les lèvres et reste dos à lui en tentant de garder la face aussi longtemps que possible. Mais je suis bouleversée.

— Je n'ai pas eu la garde de Milla, me confie-t-il en me gardant empoignée. Vanessa avait un meilleur avocat que le mien.

— Alors tout ça n'aura même pas servi à ça, je dis sèchement en le fixant.

Il soupire et détourne le regard, alors j'en fais de même et détaille la maison. Sa main lâche mon poignet et je le regrette un quart de seconde avant de me rappeler la raison pour laquelle nous en sommes là aujourd'hui. Je renifle et serre mes bras sous ma poitrine, je ressens comme un vide alors que mes yeux sont rivés sur le dos de Lucas qui marche calmement dans le salon, les mains dans les poches. Ma vie a été entièrement liée à la sienne pendant des années et mon cœur le sait. Malgré la douleur de la rupture, les sentiments resteront toujours intacts dans une part minuscule de mon cœur.

— Je n'abandonnerai pas cette fois, annonce-t-il en se tournant vers moi.

Il me prend sur le fait, dans la contemplation de l'homme que j'ai passionnément aimé autrefois et j'ai les larmes aux yeux.

— Tu l'as trop dit, je murmure toujours les bras croisés sous ma poitrine. Et c'est trop tard maintenant.

— Ça ne l'est jamais, me contredit-il en restant à quelques mètres.

J'avale difficilement, hoche la tête pour lui signifier que je pars et sors sur le trottoir. Le poids du passé m'écrase et cette esquisse d'avenir avec lui me coupe le souffle.

Une fois dehors j'inspire profondément en posant mes mains sur mon visage et retourne à la voiture en claquant la portière derrière moi sans jamais me retourner. Je pose mon crâne contre l'appuie-tête et fixe le plafond en triturant mes doigts… Oh putain d'enfoiré de…

— Rends-moi ma bague, Lucas ! je dis furieuse quand il entre dans l'habitacle.

— Pas tant que tu n'y auras pas réfléchi.

— Lucas, arrête ça tout de suite, je le préviens.

Je suis furieuse et la voiture redémarre sans ménagement.

— Tu veux foutre ma vie en l'air encore une fois ou quoi ? je vocifère en le fusillant du regard, la paume tendue vers lui. Rends-moi cette bague, Parker va me tuer.

Il hausse un sourcil comme s'il butait sur les mots que je viens de dire. Comme si je pouvais être sérieuse. Je lève les yeux au ciel d'agacement.

— Je veux que tu y réfléchisses, maintient-il, buté.

— Mais putain, depuis quand es-tu mon père ?

Il regarde devant lui et je l'observe fixement.

— Épouse-moi, dit-il en tournant de nouveau la tête vers moi calmement.

— Jamais de la vie.

Il se met à rire et passe une main dans ses cheveux puis il se met à me regarder. Je soutiens son regard. Il ne va quand même pas garder ma bague, n'est-ce pas ? La voiture s'arrête et je découvre avec effroi le bâtiment où je travaille et mon annulaire n'est toujours pas orné.

— Lucas, je le supplie. Si tu m'aimes assez, rends-moi cette bague, j'appuie sur la corde sensible en me pinçant les lèvres.

Il tend sa main vers moi et j'y crois une seconde jusqu'à ce qu'il la passe derrière ma nuque et m'attire contre lui pour déposer un baiser sur mon front en un quart de seconde.

— Viens manger avec moi demain midi et je te la rendrais si tu es sûre de ton choix.

— Lucas, je soupire.

J'inspire profondément, me mords la lèvre puis décide de sortir de la voiture, l'estomac noué. Je ne peux pas rester en sa présence plus longtemps. Il faut que je me dégage de lui, de son emprise, de son aura. Trop de fois, je me suis fait avoir. Parker sera furieux, mais d'autant plus si je reste là. Il me regarde sortir et son regard est si intense que mes mains deviennent moites. Je ferme la portière à regret et rejoins l'intérieur de l'immeuble en tremblant.

Sarah m'accueille en grimaçant quand je sors de l'ascenseur et je baisse les yeux un quart de seconde.

— Boss est dans son bureau ! me lance-t-elle avec un petit sourire d'encouragement.

Youpi… J'y vais presque à reculons. J'entre dans son bureau sans frapper et ferme la porte derrière moi. Mon cœur est prêt à lâcher, mon corps est en sueur et j'ai la gorge sèche.

— Tu es partie il y a deux heures, remarque Parker en se levant de son fauteuil.

Il vient jusqu'à moi et me serre dans ses bras. Il ignore ma tête d'enterrement et je passe mes mains derrière sa nuque en appuyant mon front contre son torse.

— Qu'est-ce qu'il voulait ? sa main caresse ma joue et il a l'air inquiet.

— À ton avis…, je soupire en me reculant.

Il fronce les sourcils et m'encourage à continuer.

— Parker je t'en supplie, ne t'énerve pas, je prends ses mains et les serre aussi fort que je peux.

— Qu'est-ce qu'il y a ?

La tension est palpable. Je me mords les lèvres et lui montre ma main gauche tremblante.

— Il a pris la bague et je ne sais pas où elle est.

Il hausse un sourcil et bon sang, j'arrive à voir sa colère monter dans tout son corps.

— Comment ça, putain, il a pris la bague ? Et comment il a pris la bague sans que tu t'en rendes compte ?

Il pose ses mains sur sa tête pour la contenir et sa chemise serre tous ses muscles.

— Parker, je grimace et attrape ses poignets. Il ne s'est rien passé, je lui jure en insistant pour attirer son attention.

— Mais encore heureux ! Tu veux quoi, une médaille ?

J'accuse le coup et lâche ses poignets, abattue.

— Il m'a dit de manger avec lui, il m'a promis de me rendre la bague.

Il éclate d'un rire sinistre puis redevient sérieux et ses yeux semblent me fusiller alors j'avale difficilement ma salive et je me tais.

— Moi vivant, tu ne revois pas ce type.

Il claque la porte en sortant et je me triture les doigts en me pinçant les lèvres. Comment j'aurais pu réagir si l'une de ses conquêtes s'était pointée ? Certainement pas mieux. Alors je relativise en soufflant un bon coup et sors pour aller dans mon bureau.

— Il est parti ? j'interpelle Sarah en passant.

Elle acquiesce en grimaçant et je fais la moue avant d'aller m'enfermer dans mon bureau.

Chapitre 27

Le soir, quand Parker n'est toujours pas rentré à la maison et qu'il ne répond pas non plus au téléphone, je toque à la porte d'un appartement familier et j'attends, mon pied tapote le sol frénétiquement.

— Soph, qu'est-ce que tu fais ?

J'enlace rapidement ma belle-sœur en la serrant dans mes bras puis la contourne et rejoins le salon furieusement. Nous sommes mardi, Josh et Kevin regardent tous les mardis un évènement de sport ensemble donc je les trouve sans surprise sur le canapé, une bière à la main et une pizza posée sur la table basse.

— Alex, peux-tu sortir s'il te plaît ? je demande en me pinçant l'arête du nez.

Elle fronce les sourcils et m'interroge en portant ses mains sur son ventre, préoccupée.

— S'il te plaît. Je vais piquer une vraie crise et je ne veux pas que ça vous perturbe toi et le bébé, je la supplie en appuyant mes mains l'une contre l'autre.

— Qu'est-ce que tu as fait ? lance-t-elle suspicieuse à l'attention de mon frère.

— S'il te plaît Alex, j'insiste.

— Sophia, qu'est-ce qu'il y a ? demande Kevin en me rejoignant.

Je lève mon index pour le prévenir de ne pas poser sa main sur moi. Je suis furieuse contre Josh et Dieu seul sait si Kevin n'était pas au courant. Après un regard noir vers mon frère, Alex part en se dandinant vers leur chambre.

— Est-ce que tu as perdu la tête ? je hurle à l'attention de mon frère une fois que j'entends la porte se fermer.

Josh pose sa bière sur la table basse et se penche, les coudes posés sur ses cuisses. Il est impénétrable, comme d'habitude.

— Que tu n'aimes pas Parker, c'est une chose Josh. Mais appeler Lucas ? Sérieusement ? je demande en haussant le ton. Qu'est-ce qui ne va pas chez toi ?

Vu la tête de Kevin, il n'était pas au courant car il se tourne vers mon frère en croisant les bras sur son torse, mécontent. Mon meilleur ami n'a jamais porté Lucas dans son cœur. Il a fait des efforts pour le supporter, être aimable en sa présence, lui faire la discussion et ne l'a pas critiqué quand nous nous retrouvions tous les deux. Mais à chaque rupture, il me signifiait qu'il était soulagé car je méritais mieux.

— C'est quoi cette histoire ? grommelle-t-il.

— Tu veux quoi ? Que je sois sur ton canapé à nouveau, en pleine dépression quand ton fils viendra de naître ? C'est ça que tu veux ? je demande et contre ma volonté, je fais valser sa bière contre le mur le plus proche.

— Kevin, laisse nous deux minutes, marmonne Josh en se levant.

— Mec, tu vas trop loin.

— Laisse-nous deux minutes, lui ordonne-t-il après avoir inspiré profondément.

Il s'efface et Josh se tient debout devant moi en me fixant.

— Tu touches le fond, je lui crache.

— C'est toi qui touches le fond Sophia putain. Tu vas te marier avec un inconnu.

— Mais en quoi ça te regarde ? je vocifère en agitant les bras entre nous. T'es mon frère, t'es censé être heureux pour moi mais non, c'est trop te demander.

— Ce mec ne te connaît pas !

— Et donc Lucas me connaissait mieux quand on s'est mis ensemble ? je lui lance, furieuse. Il ne connaissait pas une seule chose à propos de moi, une seule chose, j'insiste. Et pour toi, ça remet en cause ma relation et mon mariage ?

— Lucas te connaît.

— Bien sûr qu'il me connaît, je le coupe furieuse. J'ai passé presque cinq ans avec lui alors encore heureux !

— Il a fait ce qu'il fallait pour sa fille et que tu le veuilles ou non, Sophia, il ne t'a pas quittée, c'est toi qui l'as fait ! me rétorque-t-il, sanglant. Tu as été malheureuse pendant des mois par ta faute.

— T'es un grand malade, je ricane. T'es vraiment, vraiment un grand malade, je dis en levant mes mains à hauteur d'épaules. Et pourquoi tu n'as pas pris sa défense quand je chialais tous les jours sur ton canapé hein ?

— Parce que t'étais un vrai légume qui ne voulait rien entendre, me rétorque-t-il sèchement. Y'avait pas moyen de te parler, t'étais si persuadée qu'il t'avait trompée et quittée que t'étais une tarée à qui on ne pouvait pas faire entendre raison.

Je renifle et reprends mon souffle en réalisant ce qu'il vient de me dire, statufiée.

— Je pense qu'il vaut mieux qu'on arrête la discussion là, nous interrompt Kevin en rentrant dans le salon, mal à l'aise.

— Non non, vas-y Josh. Je t'en prie continue, je dis à mon frère en le fusillant du regard.

— J'ai dit tout ce que j'avais à dire.

— Donc pour toi, je suis la tarée qui a quitté Lucas et qui après est tombée en dépression à cause de sa débilité ? C'est ça que t'es en train de me dire ? j'insiste en haussant le ton.

Il garde le silence et soutient mon regard.

— Et au lieu de me dire le fond de ta pensée pendant ces trois dernières années, tu préfères le faire maintenant, pour mon mariage ?

Ils gardent tous les deux le silence.

— Qu'on soit bien clairs. Tu n'es plus invité à mon mariage. Tu dis à Lucas de me lâcher et de me rendre ma putain de bague. Et vous me lâchez tous les deux, je lui dis en le fusillant du regard. Pendant qu'on y est, tu penses toujours que je me marie pour démontrer quelque chose à Lucas ? je dis en me tournant vers Kevin. Parce que si c'est ça, c'est pareil, ne te pointe pas à mon mariage.

J'attrape mon sac à main à la volée après les avoir détaillés l'un après l'autre.

— Mieux encore, tu sais quoi, tu n'es plus invité, je gueule en rejoignant la porte.

La main sur la poignée, j'inspire profondément et me retourne vers eux.

— S'il y a bien deux personnes de qui je n'aurais jamais cru ça, c'était bien vous.

Je secoue doucement la tête puis pars en claquant la porte. Je dévale l'escalier et m'arrête sur le trottoir en me pinçant les lèvres pour contenir mes larmes et rejoins la bouche de métro la plus proche.

Chapitre 28

Quand j'arrive à l'appartement, j'ai l'estomac noué. J'y trouve Parker assis dans le canapé et l'espace d'un instant, j'ai l'impression que le poids posé sur mes épaules vient de s'envoler.

— Tu es là, je lâche soulagée.

Je ne prends pas la peine de retirer mes escarpins et cours presque jusqu'au canapé. Il n'a pas l'air visiblement heureux de me voir, alors je ralentis et le jauge en restant debout. Mon fiancé se lève et me fait face, sa veste de costume tendue par ses épaules.

— Où étais-tu ? demande-t-il en haussant un sourcil.

— Chez Josh et Alex.

Il hoche légèrement du menton et se penche sur moi. Tout mon corps est tendu et dans l'attente, je sens presque le bout de mes doigts trembler. Mais sa main se pose dans mon dos et j'avance d'un pas pour me fondre contre son torse et me lover entre ses bras.

— J'avais tellement peur que tu partes, je murmure en serrant sa chemise dans mes doigts.

— J'y ai pensé une seconde, acquiesce-t-il en croisant mon regard. Mais je t'aime tellement que j'en suis incapable.

Des papillons se mettent à voleter dans le fond de mon estomac et j'oublie presque l'ensemble de mes problèmes quand il m'embrasse tendrement. Ça a au moins le don de me faire oublier cette journée merdique.

— Je suis désolée qu'il soit venu aujourd'hui. Et je suis désolée de ne plus avoir ma bague, j'énumère en posant ma tête contre son torse.

Je fonds en larmes. Car maintenant que je suis rassurée de ne pas l'avoir perdue, je suis assaillie par la trahison de mon frère et l'énorme dispute qui vient de se passer et qui m'a poussé à rejeter deux des personnes les plus importantes de ma vie.

— Bébé, qu'est-ce qu'il y a ? il s'inquiète en redressant mon menton avant de m'inciter à m'asseoir dans le canapé.

Il se met à côté de moi et j'essuie mon visage tant bien que mal mais les larmes ne semblent pas se calmer. Il a l'air soucieux et caresse mes cheveux tendrement.

— Hé, lance-t-il en m'attirant contre lui. Qu'est-ce qui t'arrive ?

— Je viens de me disputer avec Josh et Kevin, je renifle après avoir inspiré profondément.

Je me redresse et fais la moue en essuyant encore les larmes qui coulent sur mes joues. Sous moi, je croise les jambes en tailleur et lui fais face. Après tout, c'est mon futur mari. Il est censé être mon roc dorénavant, non ?

Il étend son bras sur le dossier du canapé en m'encourageant à continuer et tout à coup, j'hésite à lui dire. Et s'il était furieux ? Et s'il ne pardonnait jamais à mon frère et que leur relation n'est jamais correcte ?

— Dis-moi, il insiste et je ne lis que de la tendresse dans ses yeux.

— Josh a appelé Lucas.

Il encaisse le coup, ça se voit.

— Il m'a dit que si je ne t'avais pas dit pour ma mère, c'est parce que je ne devais pas être si prête que ça à me marier.

— Ce que j'ai pensé aussi, temporise Parker pour prendre sa défense.

— Et après, il m'a balancé tout un tas de trucs horribles sur notre séparation, comme quoi tout était de ma faute et (je renifle et je suis incapable de finir) – et Kevin a aussi dit qu'on pressait les choses et qu'on pouvait attendre pour nous marier et… Mon Dieu, je suis tellement furieuse contre eux.

Il a l'air de compatir et s'il est furieux, il le cache très bien.

— Je ne comprends pas pourquoi ils me font ça, je renifle en essuyant ma joue humide.

— Ils sont inquiets, il se redresse et prend ma main. C'est normal. Ils sont inquiets que ce soit un acte irréfléchi.

— Les gens normaux sont censés être heureux quand leurs proches se fiancent ! je regrette sur un ton de reproche.

— Tu sais…, il sourit et ça me réchauffe le cœur. Ma sœur ne va pas non plus être super à l'aise à l'idée que je me marie avec mon assistante. Et tout ça, en moins d'un an.

Je fais la moue et il continue d'essayer de me faire rire.

— On a affronté ta famille. Maintenant, on va aller manger chez mes parents. Et comme ça, tu verras qu'ils ne sont pas fous seulement chez toi.

J'esquisse un sourire et il caresse ma joue tendrement avant de pincer ma pommette.

— Ça va mieux ? il s'enquiert.

Je fais la moue et acquiesce en lui faisant un petit sourire en coin. Le poids sur mes épaules ne s'est pas totalement envolé mais il s'est dissipé grâce à Parker. J'apprécie son soutien sans jugement, sa bonne humeur à toute épreuve et ses bras réconfortants. Je l'aime d'autant plus qu'il n'a pas explosé en apprenant que mon frère avait appelé mon ex car même si ça lui aurait été légitime, mon instinct de protection m'aurait poussé à le rejeter en défendant Josh. J'aime cet homme pour tout ce qu'il est.

— Et maintenant, mademoiselle Rial, j'ai des choses à voir avec vous dans mon bureau, dit-il joueur, en se levant et en remontant les pans de sa chemise sur ses avant-bras.

— Vraiment ? je demande en haussant un sourcil.

J'éclate de rire quand il me soulève, un bras dans mon dos et l'autre sous mes genoux. Il fait le pitre pour m'attendrir et c'est peine perdue, je suis déjà conquise.

— Oui vraiment, on doit parler de notre contrat, argumente-t-il en avançant dans le salon alors que je caresse sa nuque.

Je fronce le nez en souriant et il me dépose un baiser dans le cou qui me fait frissonner.

— On doit voir toutes les clauses, une par une.

— Une par une, hein ? je l'interroge, amusée, quand il rentre dans la chambre.

— Surtout le point trois, paragraphe sept.

À nouveau, je me mets à rire franchement à cause de son air sérieux. J'ai presque l'impression qu'il parle d'un vrai contrat client mais vu son regard posé sur moi, je dirais que le paragraphe sept parle de mon corps tout entier.

Il me pose sur la vasque et me délaisse quelques secondes pour allumer l'eau. Dans un geste fluide, il allume l'énorme bougie qui trône près du miroir avec son briquet puis revient sur moi en posant ses mains de chaque côté de mes cuisses, sans me toucher.

— J'ai eu peur de te perdre, me confesse-t-il et je décèle son regard grâce à la faible lumière de la bougie derrière moi.

Moi aussi, j'ai eu peur de me perdre, je pense un instant.

Je me mords la lèvre inférieure puis entoure sa taille de mes jambes pour le rapprocher un peu plus encore de moi.

— Tu vas devoir me faire confiance, je lui dis en passant mes bras derrière sa nuque. Parce que j'ai bien l'intention de me marier avec vous Mr Bailey, un sourire traverse mes lèvres. Qu'importe les embûches qu'on mettra sur mon chemin.

— Ça ne te fait rien de le revoir ?

Je soupire en me reculant, gardant mes chevilles nouées sur ses fesses. En inspirant, je dégage mes cheveux derrière mes épaules. Cette conversation est un terrain dangereux car Parker n'a jamais été amoureux. Pas même une fois à la fac. Il s'est toujours amusé avec les filles sans jamais s'y attacher. Alors il ne peut pas comprendre ce que ça me fait de revoir Lucas, de repenser aux bons comme aux mauvais moments.

— Ça me fera toujours quelque chose de le revoir, je lui confesse en caressant ses épaules. Comme ça fera toujours quelque chose à mon père de voir ma mère…

J'espère que la comparaison sera assez nette pour qu'il ne s'y méprenne pas.

À la lumière de la bougie, il est difficile de déchiffrer ses traits ou ses expressions. Celles-ci sont floues. Mais je ne le lâche pas du regard.

— Parker, je soupire quand il garde le silence. Je sais que tu ne peux pas me comprendre, mes doigts viennent caresser sa clavicule. Mais c'est normal que ça me fasse quelque chose, ça n'a rien à voir avec notre relation et ça ne veut pas dire que je suis toujours amoureuse de lui.

Il inspire profondément et je l'attire contre moi en serrant les pans de sa chemise.

— Mon amour, je murmure en cherchant son regard.

Et le premier mouvement que je perçus depuis le début de cette conversation fut la caresse sur mes cuisses. Ses mains remontent toujours plus haut et je retiens ma respiration quand il descend le zip de mon pantalon flare le long de mes fesses tel un expert. Je souris en me raccrochant à ses épaules et il me soulève pour le faire glisser le long de mes jambes.

— Parker, je soupire d'aise quand il retire ma veste.

La dentelle rend mon corps hypersensible et je ferme les yeux en me cambrant pour appuyer ma poitrine contre ses mains baladeuses. Il garde le silence et je comprends de moi-même que la discussion est close à ce sujet. Mon fiancé me soulève à nouveau dans ses bras et je crochète mes jambes autour de sa taille alors qu'il nous fait pénétrer dans la douche où l'eau a formé un nuage épais de vapeur.

— Parker, je ris un peu en réalisant qu'il est toujours tout habillé.

L'eau coule sur mon visage en premier et bientôt, mon corps entier est humide et brûlant. Je m'affaire à déboutonner sa chemise alors que mon dos cogne contre le mur en carreau de ciment.

— Enlève-moi ça, murmure-t-il en tirant sur la dentelle qui couvre mon téton.

Il me dépose délicatement sur le sol mais son corps s'appuie contre moi pour ne pas relâcher la pression. Je fais glisser les bretelles l'une après l'autre sans le lâcher du regard puis m'arrête. Finalement, je retire sa chemise et la jette plus loin dans la douche à l'italienne. Il attrape mes poignets quand je tente de m'attaquer à son pantalon et à nouveau, il désigne mon sous-vêtement qui lui bloque le libre accès à mon corps d'un air entendu.

— Dépêche-toi, soupire-t-il, autoritaire.

Je force sa descente sur mes jambes et suis satisfaite de voir qu'il s'occupe de ses propres derniers morceaux de tissus. D'un geste habile, je suis à nouveau hissée dans ses bras, les jambes autour de lui et plaquer contre le mur. Il embrasse mon cou, parsème ma poitrine et ses doigts palpent mes fesses brutalement.

— Parker.

Je me dandine contre lui et rapidement, j'arrive enfin à placer son sexe à l'endroit exact que je convoite. Je ne tiens plus.

— S'il te plaît, je susurre dans son oreille.

— Tu ne le vois plus, dit-il en relevant les yeux vers moi, sans appel.

Je lève les yeux au ciel en le sentant me pénétrer de quelques centimètres. Juste à peine. Pour me pousser à le supplier à nouveau et à me ranger de son côté. Alors que bon sang, comment pourrais-je être plus avec lui que ça ?

— Parker ! je gronde en essayant de le faire rentrer un peu plus.

— Sophia.

Ça sonne presque comme de la mise en garde alors je fronce les sourcils et le noircis du regard.

— Jure-le-moi.

Et après la mise en garde, je ressens seulement qu'il me supplie. C'est à son tour de me supplier en réalité et ça me prend à l'estomac.

— Je te le jure, je soupire en prenant son visage entre mes doigts.

Je dépose un baiser chaste pour le rassurer. Et il me répond en s'enfonçant au plus profond de moi brutalement. Je lâche un petit cri et me raccroche à ses épaules en sentant mes yeux grimper vers le plafond. Bon sang, c'est comme s'il avait visé à l'endroit parfait du premier coup.

— Tourne-toi, souffle-t-il en me déposant sur le sol alors que mes jambes tremblent presque.

Je ne dois pas réagir assez vite car il me retourne et à nouveau, je suis plaquée contre le mur, sur la pointe des pieds.

— Putain, je gronde en tapant du poing sur le mur quand il me prend à nouveau au plus profondément qui soit.

— Continue, murmure-t-il dans mon oreille alors qu'il passe sa main entre le mur et moi pour caresser mon clitoris et me cambrer un peu plus.

— Parker ! je hurle avant de me mordre les lèvres parce que le nouvel angle est sublime.

— Quelqu'un d'autre te fait prendre ce pied-là ?

Je serre les poings contre le mur et gémis de plus belle quand il tire mes hanches pour que mon dos soit perpendiculairement parfait devant lui. Ses assauts sont profonds et rythmés tandis que son pouce s'active sur ma boule de nerfs sans relâche. Un nouveau cri échappe à mes lèvres alors qu'il réagit au quart de tour et passe ses bras autour de ma poitrine pour que je ne m'effondre pas. Mon corps tout entier est pris de spasmes et il grogne en se figeant profondément en moi. Ses lèvres se posent dans mon cou et il reste immobile tandis que nous respirons frénétiquement, collés l'un contre l'autre.

Chapitre 29

Le lendemain matin, je le trouve accoudé sur l'îlot central de la cuisine en train de consulter ses mails, un café posé devant lui. Il a les sourcils froncés. Je le rejoins dans ma jupe crayon noire et il m'accueille entre ses cuisses en fourrant son téléphone dans sa poche.

— Comment va ma fiancée ? s'enquit-il en plantant un baiser sur ma tempe, ses mains sur mes hanches.

— Elle irait mieux si tu étais resté avec elle au lit, je grommelle en réajustant sa cravate.

— Tu allais nous mettre en retard, remarque-t-il dans un sourire.

— Parfois, tu n'y trouves rien à redire, je hausse un sourcil inquisiteur.

— Quand je le décide, murmure-t-il dans mon oreille en me rapprochant de lui.

Il me lance un regard entendu et je me mets à rire en le frappant sur le torse.

— Je ne suis plus très sûre de vouloir me marier avec toi si je suis simplement un objet sexuel à tes yeux, je le taquine en me reculant.

— C'est trop tard, tu as dit oui, me le rappelle-t-il en posant sa main dans mon dos pour me rapprocher de la porte.

J'enfile mes escarpins sur le pas de la porte et il me tend mon sac à main quand je le rejoins dans le couloir.

— Je vais organiser un repas chez mes parents, me dit-il dans l'ascenseur.

— Tu as l'air tendu.

— Je te l'ai dit, Abby peut être une vraie purge.

Après notre escapade coquine tous les deux, Parker m'avait parlé pour la première fois de sa famille. Jusqu'ici, il m'avait simplement confié les évènements heureux, les souvenirs qu'il avait avec eux. Mais il n'avait jamais mentionné le caractère de ses membres.

Son père et sa mère ont une maison dans le Delaware où il a grandi entourer de sa grande sœur et de son petit frère. Sa famille n'a jamais été riche, mais ils ont toujours vécu confortablement. Ils le voient tous comme une sorte de dieu vivant grâce à la fortune qu'il a réussi à bâtir avec sa société. Son petit frère Mason a mon âge, il vit à Philadelphie où il finit ses études de médecine. Du point de vue de Parker, c'est un petit connard arrogant. Mais comme Parker est lui-même mon petit connard arrogant par moment, je ne lui en tiens pas rigueur. Abbygail, sa grande sœur, a presque quarante ans. Elle a trois enfants, a son cabinet dentaire et est mariée avec un comptable. « C'est une femme de tête », a relativisé Parker sans rien ajouter de plus. Jusque-là, rien que je ne puisse endurer.

Sarah me tendit un gobelet de café à mon arrivée et Parker la remercia en lui offrant son plus beau sourire.

— Personne dans son bureau ce matin ? s'enquiert-il alors que je pars vers mon bureau sans attendre.

— Les consignes de sécurité sont respectées à la lettre dorénavant, le rassure Sarah.

— Quelles consignes ? je fronce les sourcils pour les interroger sur le pas de ma porte.

— Plus d'appels extérieurs sur ta ligne, plus de bouquets dans ton bureau sauf si elles viennent du patron, plus de visiteurs hormis dans le hall.

Je levai un regard abasourdi sur eux et alors qu'ils se lançaient un sourire complice, je fermai la porte de mon bureau en levant les yeux au ciel, amusée. Que pouvais-je dire ? Rien. En réalité, j'étais soulagée que Parker prenne les choses en main. Je n'avais plus envie de me protéger toute seule. J'avais évité les appels de Kevin et d'Alex hier soir en me contentant de mettre mon téléphone en silencieux. Mais je ne pourrais pas ignorer ma belle-sœur définitivement au risque qu'elle se fasse du souci. Et laisser une femme enceinte se faire du souci, c'est carrément nul.

— Pas de représailles ? s'étonne mon fiancé sur le pas de la porte.

— Pourquoi en ferais-je ?

Ça sonne chez lui comme une invitation, car il entre et ferme derrière lui.

— Parker, je souris. Tu as le droit d'appliquer les consignes que tu souhaites dans ta société.

— Même si ça touche à ta vie privée ?

— Tu es ma vie privée, je rigole de l'absurdité de sa question Bébé, tu les as mises en place sans m'en parler et maintenant, tu as l'air déconcerté que je ne sois pas en colère.

— Je pensais que tu trouverais ça extrême, explique-t-il en jetant un coup d'œil sur son portable.

— Je trouve ça justifié.

Quand le mercredi suivant, j'entends crier dans le hall, je fronce les sourcils et sors de mon bureau sans fermer derrière moi.

— Puisque je vous dis que je suis son meilleur ami, putain ! grommelle Kevin dans le hall.

— Sarah, je l'appelle en grimaçant, lui faisant signe que c'est bon.

— T'es enfin là toi, siffle Kevin en fonçant sur moi.

Je lève les yeux au ciel et lui fais signe de rentrer dans mon bureau. Quand je jette un regard circulaire, l'ensemble de mes collègues ont rejoint le couloir, interloqués par les bruits.

— Il va peut-être falloir que tu te décides à me parler ! gronde-t-il en tournant comme un lion en cage dans mon bureau.

— Tu ne pouvais pas venir chez moi plutôt qu'au bureau ? je soupire.

— Non je ne pouvais pas ! me rembarre-t-il, renfrogné. Je t'ai laissée une semaine, comme me l'a demandé Parker, mais maintenant ça suffit tu arrêtes tes conneries !

Je fronce les sourcils en croisant les bras sous ma poitrine. Donc mon fiancé parle à mon meilleur ami dans mon dos ?

Putain mais je peux pas me taire ! soupire-t-il en se frappant sur le front.

J'émets un petit rire et il me toise comme s'il avait vu un mort vivant.

— Donc je me fais un sang d'encre et toi, tu te fous de ma gueule ?

J'avance de quelques pas et vais l'enlacer en lui sommant de la fermer. Kevin est mon meilleur ami depuis mes dix-sept ans. Il connaît tout de moi, m'a soutenu dans les moments difficiles et a été un ami en qui j'ai placé ma confiance absolue. Il est mon frère, quoi qu'en disent les liens du sang. Et je suis tellement en colère contre Josh que j'ai besoin d'avoir au moins son soutien pour arriver à m'en sortir.

— T'es complètement ravagée, grogne-t-il en frottant mon dos.

— J'ai besoin de toi Kevin, je lui avoue, le menton posé sur son épaule.

— Je suis désolé de ne pas t'avoir soutenue à 100 %.

— Je veux que tu viennes à mon mariage.

— Toute façon je n'ai pas songé un seul instant à ne pas me pointer.

— T'es comme mon frère.

— Je te jure que je n'étais pas au courant pour Lucas.

Je me recule et on se met à rire tous les deux de n'avoir pas su tenir une conversation limpide.

— Je veux seulement que tu sois heureuse, continue-t-il. Et je sais que tu l'es avec lui.

J'acquiesce et à nouveau, il m'étreint dans ses gros bras.

— Je t'aime, je soupire en serrant les miens autour de sa nuque.

— N'abusons rien, marmonne-t-il et j'éclate de rire en lui pinçant le triceps. Aïe, putain !

— Tais-toi.

— Où est ton bien aimé ?

— À Brooklyn, pour un nouveau client.

— Je t'emmène déjeuner ?

J'acquiesce contre son épaule.

— Tu peux me lâcher ? demande-t-il après un instant alors que je suis toujours pendu à son cou. T'es gênante quand tu te comportes comme une fille.

Je soupire et le noircis du regard en me reculant. Mais la réalité est que je suis soulagée. Je suis soulagée de retrouver mon meilleur ami et la seule personne avec qui je pourrais garder un lien avec mon frère le temps d'arriver à lui pardonner. J'annonce à Sarah que je pars déjeuner et on quitte ensemble le building.

Chapitre 30

Samedi, Parker se gare sur le parking de chez ses parents. J'ai les mains moites et je suis mal à l'aise. Il a simplement annoncé à sa famille qu'il souhaitait leur présenter quelqu'un. Je sens que ça va être un remake du week-end chez mon père. Dieu merci, ça ne dure qu'un après-midi.

— Ça va bien se passer, me rassure-t-il en caressant ma joue.

Je lui fais la moue et sors de la voiture en l'imitant.

— Parker ! s'exclame sa mère en faisant traîner son prénom.

Elle nous attend sur le pas de la porte en tenue d'église. Je remercie Parker d'avoir mentionné sur le fait que sa mère n'appréciait que très modérément les femmes qui portaient des pantalons et qu'elle était de la vieille école. Car en la voyant dans son tailleur rose pâle, et coiffée d'un serre-tête, j'ai une vague impression d'être en repas dans la famille royale. J'esquisse un sourire et prends la main que Parker me tend galamment.

— Je suis tellement contente que tu sois là ! fait-elle enthousiaste et il doit lâcher ma main pour l'enlacer.

— Comment vas-tu maman ?

— Il est temps de t'en soucier, râle-t-elle. Et qui est donc ton amie ?

Elle pose un regard appréciateur sur moi et se penche pour m'étreindre. Je ne suis pas une fan inconditionnelle des gestes affectueux mais je fais l'effort et obtempère.

— Il était temps que vous arriviez, observe-t-on d'une voix sèche.

Je relève les yeux et devine qu'il s'agit d'Abbygail sur le pas de la porte, une petite fille entre ses jambes. Elle a aussi revêtu une tenue digne d'un baptême.

— Abby, rayonnante comme d'habitude ! raille Parker en partant à sa rencontre.

— Venez, très chère, on vous attendait à l'intérieur, m'entraîne sa mère et je n'ai pas le temps de saluer la sœur de mon fiancé qui me toise.

Dans la maison, tout est plutôt vieillot mais a presque l'aspect d'un vieux château français comme ceux que l'on voit dans les reportages. Un homme d'un certain âge m'accueille chaleureusement et j'imagine qu'il s'agit de son père. Je distingue des cris d'enfants et trouve deux garçons en train de se courir après dans le jardinet arrière de la maison. La main rassurante de Parker se pose dans mon dos quand ses parents se mettent à me questionner sur ma vie et notre rencontre. Je lui fais un signe reconnaissant de la tête.

— Les garçons sont autour du barbecue, nous apprend sa maman en nous invitant à la suivre et c'est ce que Parker fait.

— On n'a pas été présentées, s'interpose Abbygail en me tendant sa main.

Serrer les mains, ça je peux gérer.

— Abbygail je présume ? je lui souris sans exercer trop de force dans notre poignée de main. Parker m'a beaucoup parlé de vous.

J'en rajoute, ça ne peut pas faire de mal.

— Et moi, il ne m'a pas du tout parlé de vous, me rétorque-t-elle sèchement. Marrant, non ?

Je fronce les sourcils et l'observe partir fière d'elle vers le jardin où tout le monde s'est dirigé. Était-ce surréaliste ? Je rêve où elle vient vraiment d'être grossière ? Je les rejoins en prenant sur moi.

— Sophia, vous serez assise à côté de moi, m'appelle sa mère, charmante.

— Eh ben dis donc, Parker, t'en ramènes pas souvent, mais quand tu le fais ça rigole pas ! lance son petit frère après un sifflement appréciateur.

— Mason, le met en garde sa mère.

— Bienvenue chez les fous, me souffle Parker en posant une main dans mon dos, penché sur moi.

***

Plus tard, quand nous sommes tous attablés, je suis assise entre la mère, Charlotte, et la sœur de Parker. Mon cher et tendre est installé face à moi et il n'hésite pas à me faire du pied de temps à autre.

— Et du coup, comment vous êtes-vous rencontrés ? demande son père en portant son verre de vin à ses lèvres.

— Sophia travaille avec moi.

Abbygail se distingue en pouffant de rire et je détourne le regard vers mon fiancé en tentant de masquer mon hilarité. Il est clair qu'elle ne m'apprécie pas. En réalité, je la suspecte même d'ouvrir la bouche seulement pour se plaindre ou critiquer et j'ai de la chance, ses pics ne me sont pas uniquement destinés. Ses frères s'en prennent presque une toutes les dix minutes depuis quand nous sommes arrivés. J'imagine que c'est ce que Parker voulait dire par « Une femme de tête ». Il me lance un regard amusé et je suis rassurée de retrouver notre complicité même ici, dans cette situation.

— Comme c'est original Parker, coucher avec ses employés, lui lance-t-elle avec ironie.

— Abby, rouspète sa mère. C'est romantique.

— C'est surtout un manque d'éthique mais chacun voit ça comme il veut, hausse-t-elle des épaules.

— J'appelle ça un coup de foudre, en réalité, observe son frère en attrapant ma main.

Sa mère est fleur bleue. Ça se voit tout de suite, car ses yeux papillonnent entre nous tandis qu'elle pose ses mains sur sa poitrine, presque béate. Je suis sûre de rougir malgré mon fond de teint à ce moment précis.

— Tonton est amoureux, tonton est amoureux, scande la petite fille à l'autre bout de la table.

— Et ça fait combien de temps que ça dure ? demande Mason en me lançant un sourire en coin.

— Un an, je réponds pour éviter à Parker de garder l'attention sur lui.

— Et c'est seulement maintenant que tu nous la présentes, le critique Abbygail sur ma droite.

— Pourquoi avoir attendu si longtemps pour nous la présenter ? pleurniche sa maman.

— Et as-tu rencontré ses parents ?

— On y est allés il y a trois semaines.

— Où habitent vos parents ma chère ?

— Ils vivent à Miami, je réponds dans un sourire.

J'entends toute la panoplie de clichés sur les gens du Sud et de la Floride, alors je me contente d'acquiescer quand on me demande si le climat ne me manque pas trop et je me mets à rire quand l'un des jumeaux s'inquiète de savoir s'il y a vraiment des alligators dans nos jardins.

Je débarrasse avec sa maman à la fin du repas. À travers la fenêtre, je vois Parker qui soulève les enfants dans les airs un par un en les faisant rire aux éclats alors je reste plus de temps que nécessaire à le regarder en me séchant les mains.

— J'espère que vous allez convaincre Parker de venir nous voir plus souvent, lance sa mère dans mon dos. Il n'était pas venu ici depuis au moins six mois, se lamente-t-elle. Enfin, j'imagine que c'est parce que vous roucouliez tous les deux, lâche-t-elle dans un sourire.

— Mon père aussi se plaint que je ne vienne pas plus souvent.

— C'est comme ça, quand les enfants quittent le nid, relativise-t-elle.

— Vous savez, Parker a un emploi du temps très chargé, j'avance à sa décharge.

Elle grommelle quelque chose dans sa barbe et j'esquisse un sourire en la suivant de nouveau sur la terrasse. Mon fiancé devait attendre mon retour car il arrête de jouer avec les enfants en s'excusant et me rejoint rapidement en posant ses mains sur moi. C'est presque indécent.

— Vous êtes tellement mignons ! s'enthousiasme sa mère.

— Y'a des hôtels pour ça, marmonne Mason en lançant sur son frère une serviette en tissu.

— Laisse-moi profiter de ma future femme.

Un silence de mort pèse alors sur la terrasse. Je le sens. Parker le sent. Je suis même sûre que les enfants le sentent parce que plus personne ne parle. Je me pince les lèvres et porte une main dans mon cou plutôt gênée en reculant de l'étau des bras de mon fiancé. Autant tout le monde m'appréciait – enfin tout le monde – en tant que petite amie, autant là, je voudrais me terrer dans un trou. Même sa mère me dévisage quand Parker se met à rire pour tenter de détendre l'atmosphère.

— Eh bien, ça fait plaisir.

— C'est… inattendu, lance son père. Tu ne nous as jamais présenté une fille et…

— J'attendais de vous présenter la bonne.

Je crois que je me sens même encore plus mal à l'aise que chez mon père. Pire encore, je me sens plus mal à l'aise que quand mon frère a fait la rencontre de Parker et je pensais déjà être au summum.

— On va rentrer, on a beaucoup de route.

— Pas à moi Parker, je te rappelle que j'habite dans le New Jersey.

Je me pince les lèvres en apprenant que mon affreuse future belle-sœur vit à seulement quelques kilomètres de nous.

— Si près ? J'avais oublié, lui lance-t-il, amusé.

***

Quand nous fermons tous les deux les portes de la voiture, je n'arrive pas à cacher mon hilarité. En réalité, je pense que la pression retombe.

— Qu'est-ce qui te fait rire ? s'enquiert-il en démarrant le moteur.

— Tu as vu la tête de tout le monde ? C'était vraiment, la pire rencontre de l'histoire.

— Laisse-les digérer, sourit-il. Ma mère t'a adorée pendant tout le repas, elle est juste sous le choc.

— Et ta sœur ? je me risque alors qu'il sort de la propriété.

Il se met à rire franchement et à nouveau, nos regards sont complices quand on se regarde. Je ne peux empêcher de sourire et il tente de masquer son amusement.

— Tu aurais pu me prévenir ! je lui dis.

— Je ne voulais pas t'effrayer.

— Ta sœur m'a haïe au moment même où je suis sortie de la voiture.

— C'est faux.

— Parker.

Il me jette un coup d'œil et prend ma main dans la sienne pour la porter à ses lèvres.

— Avec tout ça, ils n'ont même pas remarqué que tu n'avais pas de bague, dit-il et je remarque qu'il n'est plus si enjoué tout à coup.

— Chéri, je soupire en me contorsionnant pour me rapprocher de lui.

Je pose ma tête sur son épaule et agrippe son bras dans mes mains : « Tu sais que je peux le recontacter pour récupérer la bague. »

— Je t'ai déjà dit que je ne voulais plus que tu aies de contacts, me rappelle-t-il sèchement. C'est de ma faute, j'aurais dû faire le nécessaire pour aller en acheter une autre.

Je me mords l'intérieur de la joue mais garde le silence sans insister. Tout le monde, en voyant ma bague, a fait allusion au prix qu'elle avait dû coûter à Parker. J'avais préféré ne pas y songer pour ne pas lui faire de reproches sur son côté excessif et j'avais simplement apprécié sa beauté et le fait qu'elle venait de lui et que c'était son choix. Maintenant qu'il m'annonçait vouloir en acheter une seconde, j'étais attristée. Cela ne serait jamais la bague qu'il m'a passée au doigt dans la Freedom Tower, le jour de sa demande. Ça ne serait pas non plus son premier choix. Et il allait encore vouloir dépenser une fortune pour en acheter une autre. Peut-être que Kevin pourrait parler à Josh, qui en parlerait à Lucas non ? Je l'appellerai dès que possible à ce sujet.

Chapitre 31

J'arrivai au lundi la semaine suivante reposée. Parker et moi avions quitté Manhattan ce week-end pour prendre du recul et juste profiter à deux. Au bureau, il était toujours en discussion pour décrocher tout le plan de communication du nouveau restaurant qui s'apprêtait à ouvrir à Brooklyn. Il avait un panorama magnifique et offrait une vue scandaleuse sur la skyline de Manhattan selon les dires de Parker et vu comme ses yeux brillaient, je n'avais aucun doute sur le fait que l'on irait un de ces jours. De mon côté, je m'occupe toujours du cas de Ross. Plus aucune équipe de NBA ne veut être associée à lui à cause de sa dernière couverture de magazine. Une fois, c'était déjà trop. Autant dire que la deuxième sonnait le glas de sa carrière car je ne trouvais plus aucune issue. Ses sponsors ont tous annulé leurs contrats les uns après les autres et même son manager cesse de me téléphoner cinq fois par jour.

— Livraison à domicile, annonce Sarah en rentrant dans mon bureau sans frapper.

Je fronce les sourcils en repoussant mon ordinateur.

Le colis en carton qu'elle pose devant moi est minuscule. Il ne peut contenir ni flyer, ni poster, ni magazine… Je soupire et l'ouvre délicatement avec mon ciseau. Après avoir retiré les particules de calage en polystyrène, j'esquissai un sourire triomphant en soulevant un écrin entre mes doigts. Kevin avait réussi ! Sarah restait près de mon bureau, certainement trop curieuse de savoir ce que j'avais reçu. Après avoir profondément inspiré par soulagement, j'ouvrais l'écrin et fixais le bijou posé en son centre sur un coussin bleu nuit. C'était bien ma bague. Bon sang, Lucas respectait ma décision et une boule se formait dans mon ventre. La situation était presque trop simple. C'était surprenant de sa part qu'il abandonne si facilement après avoir acheté une maison dans l'espoir de m'y voir emménager à ses côtés. Je pose l'écrin sur mon bureau, soulève la bague entre mes doigts et attrape la petite carte qui accompagnait le colis, tout à coup suspicieuse.

— Sarah, merci tu peux retourner dans le hall maintenant, je la congédie en lui lançant un regard peu amène.

Elle opine, visiblement agacée de ne pas connaître le fin mot de l'histoire mais je n'ai pas envie qu'elle assiste à une possible crise de nerfs. Je sais que ce foutu colis n'est pas de Kevin, il m'aurait rapporté la bague en main propre, trop content d'entendre mes louanges.

Tu sais que je n'abandonnerai pas.
Je t'aime,

L.

L'irritation me fait pincer les lèvres. Lucas a toujours abandonné facilement. Il m'a toujours promis de s'accrocher et de ne jamais me lâcher, pourtant, il a toujours fini par le faire. Cette fois-ci ne serait pas différente. Il finirait par lâcher l'affaire et se jeter dans les bras d'une fille, comme d'habitude. Je froisse la carte et la jette dans la corbeille sous mon bureau avant de me concentrer sur la bague. Elle est éblouissante et ce n'est qu'en la récupérant aujourd'hui que je fais attention à tous ses petits détails. Le rubis minuscule près de l'énorme diamant. La date inscrite délicatement à l'intérieur pour que je sois la seule à la voir.

— Putain de merde ! je fulmine après avoir détaillé la gravure faite dans l'anneau.

De rage, la bague virevolte contre l'armoire qui fait face à mon bureau et j'enfonce ma tête entre mes mains. Ce cauchemar ne finira donc jamais. Ma respiration est suffocante quand on ouvre la porte.

— Qu'est-ce qu'il y a ? m'interroge Parker inquiet.

Les larmes commencent à couler sur mes joues tant la déception est grande. Mon cœur vient de subir les montagnes russes. J'étais tellement heureuse d'avoir réussi à récupérer cette bague. J'avais hâte de courir dans le bureau de Parker pour lui montrer que j'avais réussi à la récupérer sans avoir à adresser un mot à Lucas. Et me voilà maintenant avec une bague de fiançailles marquée par ma date de rencontre avec ce dernier.

Parker vient jusqu'à mon fauteuil et il s'accroupit face à moi en posant ses mains sur mes cuisses.

— Bébé, m'appelle-t-il en caressant mon visage.

— Je suis désolée Parker, je hoquette quand il le relève pour pouvoir m'observer.

Il me questionne silencieusement en fronçant les sourcils et je désigne d'un geste de la main l'endroit où j'ai balancé sa bague de fiançailles. Enfin non, ça ne l'est plus. Plus depuis que Lucas a jugé bon d'y inscrire notre anniversaire de rencontre. Mon fiancé se lève en soupirant et va jusqu'à la bague calmement. J'essuie mes joues en détaillant son expression.

— Je ne t'avais pas dit de laisser tomber pour cette bague ? soupire-t-il lourdement en me jetant un regard lourd de reproches.

— C'est Kevin qui a négocié pour moi.

Il la détaille et ses muscles tressautent quand il y découvre l'inscription. Après un long moment dans un silence pesant où je le scrutais à la recherche de la moindre réaction, il glissa la bague dans sa poche en contractant les mâchoires puis ses yeux croisèrent enfin les miens et il me lâcha un léger sourire en coin.

— Oublions ça.

— Tu es sûre que ça va ? je l'interroge quand il sort de mon bureau les mains dans les poches.

Il me rassure vaguement puis rejoint son bureau et en ressort une dizaine de minutes plus tard en partant vers l'accueil. Je fronce les sourcils quand j'entends Sarah lui souhaiter une bonne journée. Est-ce qu'il me laisse à nouveau ? Comme la dernière fois ? Sa réaction a été si surprenante… Je n'aurais pas dû le laisser quitter mon bureau dans cet état. Pas après ce qu'il venait de voir.

— Parker, rappelle-moi s'il te plaît, je m'entends le supplier une nouvelle fois sur sa messagerie.

Il a coupé son téléphone volontairement et cela fait déjà six fois que je l'appelle en laissant un message. Il a quitté le building sans expliquer son départ à Sarah, il ne lui a pas dit non plus comment excuser son absence auprès des clients et fournisseurs. Je me passe les mains sur le visage une nouvelle fois pour encaisser la défaite contre sa messagerie. Son sourire n'avait été qu'une façade pour lui-même, arrivé à faire face à tout ça. J'aurais dû me méfier.

Je jette un coup d'œil sur mon téléphone, il est l'heure de partir et Parker n'est toujours pas rentré. Je me résigne, il ne reviendra plus. Peut-être est-il déjà à la maison ? Je quitte l'ascenseur avec cet infime espoir en suivant la foule qui s'échappe de l'immeuble. C'est l'heure de fermeture de bureau et il y a de moins en moins de touristes à cette époque pour monter au 86ème étage.

— Sophia, on m'appelle.

Je me détourne de l'entrée de métro et regarde derrière moi.

— Non, non non et non…, je fulmine en reprenant mon chemin, furieuse. Arrête-toi, s'il te plaît.

— Fous-moi la paix ! je gueule en descendant les escaliers.

Des passants m'interrogent du regard et je décide de les ignorer en passant mon badge pour dépasser les portiques de sécurité aussi vite que possible. Quand je jette un coup d'œil par-dessus mon épaule, je trouve Lucas en train d'enjamber le portique dans son costume noir, sidérée. N'y a-t-il pas un seul foutu flic dans cette rame de métro ?

— Écoute-moi, lâche-t-il en m'attrapant par le poignet sans mal.

Je suis en talons, il n'y a pas de miracle. Alors je décide de l'ignorer jusqu'à ce qu'il cède et parte.

— Tu n'es jamais venue dîner avec moi, lance-t-il sur un air de reproche.

Vu que je ne me décide pas à lui répondre, il soupire.

— Tu as bien reçu la bague ?

Je bous intérieurement mais lui répondre lui ferait trop plaisir alors je me mure dans le silence et regarde même le cadran de ma montre pour lui signifier que je n'ai pas de temps à lui accorder.

— Sophia, ne te marie pas avec lui.

Je le fusille du regard sans pouvoir m'en empêcher et redresse fièrement le menton. Il a l'air attristé l'espace de quelques secondes mais bien vite, je retrouve seulement l'homme fier qu'il est et qu'il a toujours été.

— Épouse-moi.

Ses mains attrapent mes épaules quand je ne réagis pas et reste silencieusement à le regarder fixement.

— Fais de moi l'homme le plus heureux du monde. Épouse-moi, me supplie-t-il presque en m'attirant contre lui.

Je ferme les yeux quand mon corps rentre en collision avec le sien et qu'il serre ses bras tout autour de moi. Combien de fois ai-je rêvé d'entendre ces mots sortir de sa bouche ? Combien de restaurants avons-nous faits où j'avais l'impression qu'il allait me faire sa demande au moment du dessert ? Mes poings se serrent d'eux-mêmes contre son torse en repensant à tout ça et je remarque avec nostalgie qu'il n'a pas changé de parfum.

Si je suis si en colère, c'est que j'aurais voulu qu'il me fasse sa demande tant de fois. J'aurais voulu qu'il me signifie qu'il n'avait pas oublié le jour où il m'avait croisé pour la première fois. Mais il préfère le faire maintenant, quand c'est trop tard.

— Il faut que tu me laisses partir, je murmure la voix chevrotante.

— Je t'ai dit que je ne t'abandonnerai pas, souffle-t-il en me gardant contre lui, une main posée dans mes cheveux.

— Je ne te demande pas de m'abandonner, je soupire. Je veux que tu me laisses faire ma vie Lucas.

— J'ai déjà perdu Milla, je ne peux pas te perdre toi aussi…

Je ferme les yeux douloureusement contre son torse en encaissant sa confession.

— Je suis désolée pour toi… mais c'est trop tard.

— C'est jamais trop tard, quitte-le. S'il te plaît.

— Si c'est trop tard, je le contredis en relevant le visage vers lui. Je suis amoureuse de lui.

— Et de moi.

J'inspire profondément avant de me pincer les lèvres.

— Je tiendrai toujours à toi, je lui concède en soupirant. Mais plus comme ça.

Il a l'air perdu quelques secondes mais ne relâche pas sa prise sur moi. Je le vois réfléchir, j'imagine bien qu'il retourne la situation dans tous les sens pour attaquer sur un nouvel angle. Quand nos regards se croisent à nouveau, il articule silencieusement une supplique et je pose mes doigts sur ses bras pour les enserrer délicatement. J'apprécie pour la première fois le fait de retrouver son étreinte familière et la nostalgie me prend aux tripes.

— Je t'aime, souffle-t-il en déposant ses lèvres sur ma tempe. Ne me quitte pas encore une fois.

Sa bouche reste déposée contre la racine de mes cheveux longuement et je me mords l'intérieur de la joue alors qu'une larme glisse sur ma joue.

Il y a quatre ans, je quittais Lucas.

Chapitre 32

Il avait passé sur les derniers mois énormément de temps avec sa fille Milla et de ce fait, avec Vanessa la femme qu'il a mise enceinte quand nous étions lycéens. Je l'avais encouragé à reprendre son rôle de père auprès de sa fille et puis, Vanessa était avec Logan de toute façon, que risquais-je ? J'étais souvent prise par mes cours à la fac, alors la plupart du temps, ils se voyaient seulement tous les trois. Le soir, je regardais les yeux de Lucas s'illuminer alors qu'il parlait de sa fille et j'étais pleinement touchée de le voir si ému. Il se morigénait d'avoir demandé à Vanessa d'avorter et il s'en voulait encore plus d'avoir demandé à son père de lui faire un chèque pour qu'elle sorte de sa vie. Maintenant qu'il passait du temps avec elle, il était totalement tombé sous le charme de sa fille et je le comprenais. Après tout, elle était adorable et venait de fêter ses quatre ans.

Malheureusement, un soir j'avais reçu un coup de fil de Logan sur mon portable. J'étais surprise qu'il ait mon numéro car ni lui ni moi ne communiquions d'habitude. Nous avions peut-être passé trois soirées ensemble et quelques après-midi pour Milla.

Ce soir-là, je me rappelle parfaitement d'être avec Kevin dans un bar pour décompresser de ma journée d'examen. J'avais passé les dernières semaines à réviser comme une dingue pour valider mon année et pouvoir entrer dans ma seconde année de fac. Je ressentais juste le besoin de relâcher la pression et Lucas n'était pas là alors mon meilleur ami était venu me chercher à la sortie des cours et nous avions filé dans un bar.

Alors quand mon interlocuteur m'annonça, la voix pleine de haine contenue, qu'il avait découvert que Vanessa et Lucas entretenaient une liaison, mon verre tomba et explosa en mille morceaux à mes pieds alors que je sentais la panique me prendre aux tripes. Ça recommençait, encore. Je raccrochais sans prendre la peine d'écouter la fin de son annonce et je fermais fort les lèvres pour empêcher la bile de remonter.

Je me rappelle le sentiment d'injustice, de trahison et de découragement comme si c'était hier.

Ce soir-là, alors que j'étais rentrée chez mon meilleur ami, j'avais renoncé. Tout simplement. C'était la fois de trop, le coup de trop. Et j'avais décidé de jeter l'éponge à ce moment-là. Je me suis plongée dans une transe qui m'empêchait de bouger, de réagir ou de parler. Je me suis murée dans le silence ce jour-là. Je quittais le bar et Kevin me suivait dans la rue en me hurlant dessus pour comprendre ce qui m'arrivait mais je ne lui répondais pas. Dans un accès de colère, il arracha mon téléphone et rappela mon dernier interlocuteur. Quand il eut fini, ses bras me serrèrent si fort… C'était réconfortant.

Je passais deux semaines, murée dans sa chambre étudiante, tant et si bien que son colocataire n'osait même plus rentrer. Je n'étais pas la meilleure compagnie qui soit. Kevin passait son temps au téléphone, le mien et le sien. Mais de toute façon, je m'en fichais. Parce qu'à nouveau, Lucas m'avait trahie.

Josh et Kevin s'occupèrent de récupérer mes affaires dans son appartement et dans la foulée, ils jugèrent bon de m'envoyer à Miami pour quelques semaines ; je ne bronchais pas. En fait, je ne bronchais plus. Je ne m'opposais à rien, et n'écoutais pas non plus leurs conseils. C'était la fois de trop, et je doutais de réussir à m'en relever.

— Sophia, soupira Josh pour la énième fois alors que j'avais emménagé dans son appartement pour la rentrée scolaire.

Je levais vaguement les yeux vers lui alors qu'il s'était assis près de moi.

— Tu devrais parler à Lucas.

J'esquissais un sourire mais le cœur n'y était pas.

— Sophia, il me jure qu'il n'a rien fait, insistait-il en serrant mon genou entre ses doigts. Tu sais que je ne t'en parlerais pas si je n'y croyais pas.

Je m'étais simplement levée et j'avais pris ma propre décision.

Il était hors de question que je lui parle ou que je le revois, il était hors de question de revivre ça encore une fois.

Chapitre 33

— Il faut que j'y aille, je fuis en m'échappant de son étreinte.

Je me sens presque suffoquée quand je m'éloigne vers le métro qui vient de s'arrêter sur le quai. Ma respiration est courte et mes larmes redoublent sur mes joues quand je m'assieds près de la vitre. Je réalise que j'ai peut-être tout foutu en l'air, toute seule. Mon Dieu, j'aurais peut-être dû écouter Josh. Il essayait de me faire réaliser ce jour-là, et c'est ce qu'il a refait il y a quelques semaines. Sans vouloir me brusquer, il prenait la défense de Lucas. C'est aussi certainement pour cela qu'il ne l'a pas chassé de sa vie comme il l'avait déjà fait. Si je l'avais écouté, ma vie serait sûrement différente.

En ai-je envie ?

Je me masse les tempes en tentant de reprendre une contenance. Dans dix minutes, je serai chez moi. Chez nous. Parker serait sûrement là, il serait peut-être rentré.

Je quittai la bouche de métro en titubant mais grâce au ciel, en ayant repris mes esprits. Niel me salue et je lui fais un petit signe de la main en grimpant dans l'ascenseur sans arriver à décrocher un mot. C'était trop tard. Je vais me marier avec Parker. Bon sang, il n'avait qu'à se battre avant !

— Parker, je l'appelle sur le pas de la porte.

Je fronce les sourcils en n'entendant aucun bruit et avance dans l'appartement en ayant abandonné mes affaires dans l'entrée. Je ne le trouve pas dans le salon, ni dans la cuisine et quand j'arrive sur la terrasse, je baisse les bras en m'affalant dans un des fauteuils en osier.

Mon monde part en vrille, à nouveau. Et si Lucas ne m'avait finalement pas trompé avec Vanessa ? Ces mois de haine auraient été vains. Je me serais murée dans le silence et la tristesse pour… rien ? Pourtant je le ressentais dans mes tripes. Sinon, pourquoi ne se serait-il pas battu ? Et Logan, qu'avait-il à gagner en me mentant ? Lui-même avait l'air dévasté…

Mais est-ce que je regrette ? Pas totalement.

Certes, les premiers mois ont été les plus durs. J'ai refusé de m'alimenter correctement, je me suis engueulée avec mon frère un nombre incalculable de fois, j'ai failli complètement foirer ma deuxième année de fac mais… Je me suis relevée. J'ai réussi à aller chercher au plus profond de moi la force de me battre et me reprendre ma vie en main.

J'ai terminé mon Bachelor et j'ai postulé chez Bailey Corp. J'y ai rencontré Parker. Qui est devenu tout pour moi, mon patron, mon ami, mon amour et mon fiancé. Pourrais-je un jour regretter de l'avoir rencontré ? Non, évidemment.

Est-ce que toute cette peine valait de rentrer dans sa vie ? Peut-être.

Est-ce que je suis triste de constater que mon cœur balance ? Totalement…

Mon cœur entier se meurt entre la tristesse d'avoir avorté ma relation avec Lucas et la joie d'avoir rencontré Parker.

Parker n'a jamais renoncé à se battre pour moi. Lucas l'a fait un nombre incalculable de fois. Mais il connaît aussi tout de moi, quand Parker ignore tant de petits détails sordides…

Le bruit singulier de la porte d'entrée qui s'ouvre me sort de mes pensées et je me lève en sentant mes jambes flageoler. Mais je rejoins mon fiancé quand même en courant.

— Putain mais t'étais où ? je ne peux m'empêcher de l'engueuler en le serrant dans mes bras.

Je me blottis contre son torse en agrippant sa chemise férocement et son odeur m'englobe d'un nuage paisible. Pourtant, je sens bien qu'il ne m'accueille pas comme il en a l'habitude. Il ne passe pas ses bras autour de moi, n'embrasse pas mon front. Il ne rigole pas non plus de m'avoir vu débarquer comme une furie. Il ne dit rien.

— Parker ? je l'interpelle en me redressant pour croiser son regard.

Après quelques secondes, il sort de sa poche un écrin et me repousse.

— Ne fais pas ça, je le supplie en le voyant si distant.

Contre toute attente, je l'observe stupéfaite poser un genou à terre alors qu'il attrape une de mes mains.

— Qu'est-ce que tu fais ? je chuchote en le regardant faire.

— Est-ce que… tu veux toujours devenir ma femme ? me propose-t-il à nouveau.

— Bien sûr Parker, j'assure en fronçant les sourcils. Mon amour, qu'est-ce que tu as ? je fais inquiète en m'approchant pour le serrer contre moi.

Sa tête repose sur mon ventre et je lui caresse les cheveux, soucieuse. La question ne se pose pas. J'aime cet homme. Je l'aime passionnément. Mais peut-être que tout ça… Tout ça pourrait l'éloigner de moi et le faire partir. J'ai toujours considéré Parker comme un homme vaillant, fort, fier et enthousiaste. Est-ce que mon passé pourrait le faire flancher ? Ses yeux sont si tristes… Je me pince les lèvres et m'accroupis face à lui, l'estomac noué.

— Est-ce que toi, tu me ferais toujours l'honneur de devenir mon mari ? je lui demande en encadrant son visage.

Il esquisse un sourire discret et je pose mes lèvres sur les siennes délicatement.

— Ne me fuis pas, je le supplie silencieusement.

— Jamais.

Et cela sonne comme une promesse à laquelle je peux enfin me rattacher dans ce tourbillon que devient ma vie. J'inspire profondément en guise de soulagement et quand je rouvre les yeux, l'écrin est tendu vers moi. Ouvert sur une bague totalement différente de celle qu'il m'avait offert et j'ai un petit coup au cœur. Je suis triste de ne plus avoir cette bague ; celle qu'il avait choisie originalement pour nos fiançailles. Tout ça par ma seule faute…

— Elle est magnifique, je bredouille en croisant son regard.

— Passe-la.

— Passe-la-moi, je lui souris en tendant ma main gauche.

Il lève les yeux vers le plafond et son sourire devient plus franc. Et j'aime ça. J'aime le voir comme ça. Alors je me surprends à le détailler. Et j'aime tout chez cet homme. Il fait la pluie et le beau temps sur moi depuis bientôt un an. Et je suis sûre de l'aimer et qu'il n'est pas seulement là par dépit de ma relation perdue avec Lucas. Je suis juste… éperdument amoureuse de lui depuis ma première semaine chez Bailey Corp. Quand il glisse l'anneau contre mon doigt, il ne lâche pas mon regard et je ne peux plus quitter mon sourire. Vingt minutes plus tard, j'aurais juré me noyer dans cette situation. Et maintenant qu'il est là, j'oublie simplement tout ce qui me paraissait insurmontable il y a quelques heures.

— J'ai hâte de devenir ta femme, Parker, je le rassure à nouveau en regardant ma main à nouveau ornée.

— Allons à Vegas, lance-t-il en se redressant.

Il m'aide à me redresser mais son regard ne me lâche plus et un instant, je crois déceler qu'il est sérieux malgré son sourire en coin.

— Allons nous marier, maintenant, à Las Vegas, susurre-t-il d'un air assuré en enroulant mes hanches entre ses bras.

Je pose mes mains sur son torse, amusée puis fronce les sourcils en remarquant son regard insistant.

— Tu n'es pas sérieux ?

— Pourquoi pas ?

— Parce que nos familles vont nous tuer, je ricane en serrant sa chemise entre mes doigts.

Il s'apprête à parler et je le coupe, en posant ma main sur sa bouche, hilare.

— Je sais, tu emmerdes tout le monde.

Il acquiesce sous ma main et ses sourcils remuent sur son visage pour appuyer son avis.

— Mon amour, je soupire. J'ai vraiment envie que ma famille soit là.

Il grommelle quand mes doigts descendent tendrement dans son cou avant de retrouver leur place sur son torse. À l'emplacement de son cœur. Je sais que c'est stupide, car ce n'est pas réellement l'organe qui décide quand nous tombons amoureux. Mais j'aime cette poésie. Et je sais que le mien réagit toujours en présence de Parker. Je sens mon pouls battre plus vite comme quand il débarque dans une pièce, parfois de façon erratique comme quand ses mains se glissent sur mon corps et certaines fois, comme ce soir quand je suis inquiète parce qu'il ne rentre pas, j'ai l'impression qu'il pourrait s'arrêter.

— Je paie les billets d'avion de tout le monde ? propose-t-il comme dernière arme.

— Et si tu passais plutôt ta soirée à répéter notre nuit de noces ? je lui lance sur un ton innocent en reculant de quelques pas.

Je bats des cils plus que nécessaires et minaude en réajustant ma chemise pour laisser paraître un peu plus de peau qu'au bureau. Parker n'est pas un surhomme. Et j'avais enfin trouvé la solution pour lui faire occulter cette idée d'aller à Vegas se marier comme des voleurs. Il me souleva dans ses bras et je crochetai mes chevilles derrière ses hanches avant qu'il ne me fasse passer par-dessus son épaule.

— On reparlera de Vegas, me promet-il en prenant le chemin de la chambre.

Chapitre 34

Le lendemain, je débarquai chez mon frère après le travail. Alex me serra joyeusement dans ses bras et remit une mèche rebelle derrière mon oreille. Plus ça va, plus ma belle-sœur grossit et inconsciemment, cela m'inquiète. Peut-on avoir un ventre encore plus gonflé que ça arriver au terme ? Bon sang, mon utérus me fait presque mal rien qu'à l'idée d'y songer.

— Josh est là ? je lui demande mais je suis quasiment sûre qu'il l'est.

— Oui, je l'entends gronder. Qu'est-ce que tu fous là ?

— J'aurais besoin de te parler, je soupire en restant debout dans son salon.

Alex s'assied près de lui et mon grand frère pose sa main sur son genou d'un air protecteur.

— Josh, je vais me marier avec Parker, je commence. Malgré les derniers évènements, je me sens obligée de lui lancer un pic pour lui montrer mon ressentiment.

— Tu fais une connerie.

Alex le noircit du regard et je me pince les lèvres.

— J'aimerais que tu viennes à mon mariage.

— Est-ce que tu as discuté avec Lucas ?

— Josh, c'est trop tard, je lui clarifie. Je vais avancer dans ma vie, avec Parker, que ça te plaise ou non.

— Eh bien je ne viendrai pas.

— Je ne peux pas te forcer, je lâche, encaissant difficilement le choc.

Alex nous regarde tour à tour en se mordant l'intérieur de la joue. Nous échangeons silencieusement et mes épaules s'affaissent quand je renifle.

— Tu sais Josh, si Lucas avait eu envie de se battre, il l'aurait fait. Il revient simplement car il n'apprécie pas qu'un autre homme le fasse à sa place.

— Si tu veux. Tu es tellement butée, crache-t-il dans un reproche.

— Vous aviez trois ans ; trois ans Josh, j'insiste sévèrement. Ça n'était pas suffisant pour me coller une baffe et me prouver que Lucas ne m'avait pas trompé ?

Il s'apprête à parler et je le pointe du doigt en le fusillant du regard pour qu'il se taise.

— Non, au lieu de ça, toi et ton meilleur ami, vous attendez que j'aie enfin rencontré quelqu'un que j'aime et qui m'aime, j'ajoute durement. Pour venir foutre ma vie en l'air.

— On ne savait pas que tu fréquentais quelqu'un, me rappelle-t-il sèchement.

— Quand bien même Josh, je me mets à rire de nerfs. Vous aviez même presque quatre ans pour réagir et c'est maintenant que je me fiance que vous vous réveillez.

— Tu as encore le choix.

— Mais j'ai fait mon choix Josh, je lui dis attristée. Mon histoire avec Lucas est terminée.

— Comment tu peux dire ça alors que votre rupture part d'un mensonge ?

— Josh, je lui fais un sourire contrit. Est-ce que je me suis mêlée une seule fois de votre rupture avec Élodie ?

Un silence de mort pèse sur la pièce.

— Alors mêle-toi de tes affaires, je conclus en me triturant les mains. Et sache que je serais vraiment triste si tu décidais de ne vraiment pas venir à mon mariage, mais ce serait la vie et j'irai quand même.

Alex me gratifie d'un petit sourire d'encouragement et elle se lève pour venir me prendre dans ses bras tendrement. Son énorme ventre pousse contre moi mais je suis heureuse de la compter comme un soutien.

— Moi je serai là à ton mariage avec ton neveu Sophia.

J'appréciais un instant sa confession avant de me reculer en lui faisant un petit signe de tête plein de gratitude.

— Je dois y aller, Parker m'attend en bas.

— Il ne vient même pas saluer sa belle-sœur préférée ? s'enquiert-elle en retrouvant sa bonne humeur.

— Je voulais lui éviter ça, je lance en offrant un regard éloquent à mon grand frère qui pianote sur son téléphone.

— Je vais te raccompagner.

Quand nous arrivons en bas, mon fiancé sort de la voiture en un temps record et vient enlacer Alex. Contrairement à moi, il lui fait remarquer qu'elle est énorme désormais et j'apprends qu'il ne lui reste plus que deux mois et demi avant le terme. Tout cela m'était sorti de la tête. J'avais malheureusement eu besoin de faire passer certaines choses avant mon neveu à naître ces dernières semaines mais j'étais bien décidée à me rattraper avant sa naissance.

— Parker, je suis vraiment contente que tu sois dans la vie de Sophia, le rassure Alex en posant une main sur son épaule. Je suis contente que vous vous soyez trouvés, ajoute-t-elle en me souriant.

Il pose sa main sur ma nuque en m'attirant contre lui et j'y déposais ma tête pour me réconforter. La conversation avec Josh n'avait pas été franchement joyeuse et retrouvé les bras de Parker me remettait un peu de baume au cœur.

— Tu sais qu'il va se calmer, tempère Alex en croisant les bras sur son imposant ventre.

— Je voudrais simplement qu'il laisse tomber cette histoire…, je regrette en acquiesçant. Pour passer à autre chose.

— Ce qui compte, c'est vous deux, me rappelle-t-elle dans un sourire.

— Tu sais à quel point je l'aime, je soupire et Parker me presse contre lui, sous son imposante épaule.

— Sophia… il viendra, il fait juste sa tête de mule.

— Ça me rappelle quelqu'un…, balance Parker l'air de rien avant de me faire un sourire quand je l'interroge du regard.

— Allez, je rentre avant qu'il me retourne l'appartement, raille Alex en nous serrant dans ses bras à tour de rôle. Bonne soirée les amoureux !

— Bon courage, je marmonne pour lui donner du courage en rejoignant le côté passager.

Chapitre 35

Le mois qui suivit, j'atterrissais à LAX auprès de Parker. J'avais pris une semaine de congé pour aller passer du temps avec Élodie et il en profitait pour visiter son agence de la côte ouest. Après avoir posé nos valises à l'hôtel, je pris un taxi pour rejoindre l'appartement de ma meilleure amie tandis qu'il utilisait la voiture de location que nous avions prise pour notre séjour.

— Alors, avec Parker ? s'enquiert-elle en déposant une bière devant moi.

Nous nous sommes posées sur la terrasse pour profiter du soleil de la Californie en cette fin d'hiver. Le climat à New York est carrément frigorifiant à l'heure actuelle, ce que n'hésite pas à me faire remarquer Élodie, dans son petit short en jean.

— Kevin m'a tout raconté, ajoute-t-elle en me faisant un sourire avant que je ne me lance dans un gros mensonge.

Je suis contente d'avoir ce pied-à-terre à l'autre bout du pays pour pouvoir souffler.

— C'est… fatiguant, je lui avoue, à moitié amusée.

— Sophia, je suis tellement contente pour vous ! s'exclame-t-elle en prenant ma main pour observer ma bague de fiançailles. Ne laisse personne te gâcher ça !

Elle me lance un regard entendu et j'imagine qu'elle fait référence à mon frère qu'elle connaît plutôt bien du fait de leurs longs mois de relation.

— Ça ne te fait rien ? s'inquiète-t-elle en posant sa joue contre sa paume.

— Bien sûr que si, je soupire en regardant au-delà d'elle. Mais je suis vraiment amoureuse de Parker et cette fois-ci, ce n'est pas juste une amourette comme ça.

— Je n'en doute pas, se met-elle à rire. Sinon ce pauvre homme aurait fini comme William, largué en dix jours.

Je souris en repensant à ce souvenir. Il est vrai que mes amourettes de lycée se sont toutes envolées à chaque fois que Lucas repointait le bout de son nez dans ma vie. Il lui suffisait d'un sourire pour me faire fondre à nouveau. Et j'imagine qu'il s'attendait à me faire cet effet, une fois de plus.

— Je suis vraiment heureuse avec lui.

— Tu as plutôt intérêt vu que tu songes à passer ta vie avec lui, me rappelle-t-elle dans un sourire.

Il n'est même plus seulement question d'y songer. Je me sens prête à dire oui à cet homme et à passer ma vie à ses côtés. Parker me rassure ; dans ses bras, je me sens entière, à ma place, aimée. Et mes yeux brillent à chaque fois que je me mets à le regarder. Il est devenu mon monde, tout du moins, une grande partie. Et même la réapparition de Lucas n'a pas entaché cela.

— J'espère seulement que tu es en paix avec toi-même sur cette décision, ajoute-t-elle alors que ses sourcils sont légèrement froncés pour former un petit creux.

— Je ne ressens pas de doute, ou d'affaiblissement de mes sentiments comme à chaque fois.

— Parker doit être un sacré coup ! plaisante-t-elle pour détendre l'atmosphère.

— Non mais, je souris en rougissant. Je l'aime vraiment.

Elle me serre la main et me sourit tendrement.

— Et moi, je suis ravie de tout ça, parce que ça me permet de t'avoir ici plus souvent !

— Il faudrait que j'arrive à venir avec Kevin, comme au bon vieux temps.

— Je devrais le supporter toute une semaine ? feint-elle l'appréhension avant de rire à gorge déployée.

— On va revoir Collin ce soir, je lui lance faussement nonchalante.

— Collin ?

La garce ose faire semblant de ne pas se rappeler et j'ouvre la bouche, outrée.

— Parker m'a tout raconté ! Espèce de menteuse ! je m'exclame en lui balançant un coussin sur le visage. Tu oses me mentir !

Elle dissimule son hilarité derrière un grand sourire en recevant les coups les uns après les autres.

— Ça va, ça va ! grommelle-t-elle en se levant alors que je reprends mon souffle difficilement, à genoux sur son canapé de jardin. On s'est revus une ou deux fois.

Quand je lève les sourcils elle rit et montre huit doigts tendus en abdiquant.

— Pourquoi tu ne m'as rien dit ?

— Parce que j'aime avoir mon petit jardin secret, madame, me lâche-t-elle en continuant de rire. Il n'y a rien de sérieux entre nous.

Je hausse un sourcil, dubitative, et elle lève les yeux au ciel.

— On ne fait que s'amuser. Ce mec est un gros baratineur.

— Il parle de toi avec Parker, je lui fais remarquer, l'air de ne pas y toucher.

— J'imagine que c'est le genre de pervers qui adore raconter toutes ces histoires à ses amis. Méfie-toi, dit-elle en me pointant du doigt d'un air éloquent.

Je me mets à rire en la voyant sous-entendre que Parker pourrait raconter nos parties de jambes en l'air à ses amis.

— Si Collin te fait du bien, pourquoi tu refuses qu'il t'invite à dîner ?

— Le petit connard, il raconte ça à ton fiancé ! s'exclame-t-elle, la bouche grande ouverte.

Oui, le petit connard raconte tout à mon fiancé, qui me raconte tout. Et Élodie est une vraie purge si j'en crois ses dires. Collin voulait l'inviter à dîner et elle a refusé. À la place, elle a instauré une relation où elle accepte seulement de coucher avec lui une fois de temps en temps. D'ailleurs, elle réfute le mot relation. Elle ne répond pas à ses messages quand il l'appelle. Elle se pointe seulement chez lui quand elle en a envie. Et je sais que ça rend Collin complètement dingue. Pas seulement dans le bon sens du terme. C'est pour cela qu'on a organisé un nouveau dîner à quatre ce soir. Élodie est ma meilleure amie depuis sept ans maintenant. J'ai connu sa première relation sérieuse, ses premiers émois, ses premiers chagrins, mon frère est sa première déception amoureuse. Peut-être que si j'approuve Collin publiquement, elle changerait peut-être d'avis sur la situation ?

— Je sais tout, je lui rappelle dans un grand sourire qui la fait bougonner. Tu sais que c'est un homme bien.

— Rectification : ce n'est pas un homme. C'est un gamin qui se trimballe toujours avec une capote sur lui comme un putain d'étudiant.

J'éclate de rire et admets que Collin n'est peut-être pas l'homme le plus mature au monde. Mais j'aimerais tellement que ma meilleure amie arrive à s'ouvrir à un autre homme et se permette de retomber amoureuse. Cela rendrait tellement plus facile l'annonce de la grossesse d'Alex… Je dois absolument le faire cette semaine, il n'est plus question de repousser. Mais Élodie me semble encore si fragile à ce sujet. Et je ne veux pas prendre le risque de mettre à mal notre amitié à nouveau.

Les garçons finissent par arriver en début de soirée, chic mais décontractés. Les bureaux de Los Angeles n'ont visiblement pas exactement le même dresscode que ceux de New York.

— Collin, Élodie ; Élodie, Collin, je les présente, amusée quand ils se font une accolade maladroite.

Ma meilleure amie me gratifie d'un tirage de langue et d'un doigt d'honneur tandis que l'ami de mon fiancé me lance un clin d'œil avant de m'enlacer.

— Alors, la future mariée ? me demande-t-il en se reculant.

Je minaude en mettant en évidence ma bague pour le faire rire et je l'entends souhaiter bon courage à Parker.

— T'es sûr que t'as bien réfléchi mec ? Elle a l'air vénale !

J'éclate de rire et vais pour me blottir contre Parker tandis qu'Élodie part à la cuisine pour récupérer les bières et les chips.

— C'est la première fois que je vois son appartement, nous chuchote Collin en faisant les gros yeux.

— On rentre à l'hôtel ce soir, essaie de prolonger la visite, lui répond Parker à mi-voix, complice.

Elle rapplique les bras chargés et je l'allège de deux bières que je tends aux garçons avant d'installer les chips et les tomates cerises sur la table basse. Le climat nous permet de prendre l'apéro dehors et je ne peux m'empêcher de remarquer que la qualité de vie doit être absolument formidable ici. À New York, le froid s'est déjà insinué entre les buildings et j'ai dû ressortir mon manteau et mes bas. Comparativement, mon jean et mon t-shirt me suffisent ce soir.

— Alors, tu as posé ta semaine pour voir Sophia ? lui demande Parker.

— Jeudi je dois aller travailler, mais sinon oui ! lui rétorque-t-elle, solaire. Parker, je dois encore te remercier, c'est grâce à toi que je la vois si souvent en ce moment.

Je lui lance un sourire complice et mon fiancé la gratifie d'un clin d'œil en m'attirant sous son épaule.

— Pourquoi vous ne venez pas vivre ici ? demande-t-elle insidieusement.

— On pourrait, acquiesce Parker.

— Ce serait tellement bien ! Kevin t'a eu assez de temps pour lui seul…, se plaint-elle en ponctuant sa phrase par une gorgée de bière.

Je leur souris mais ma maison est à New York. Kevin est là-bas, mon frère – même si nous sommes en froid – habite là-bas avec Alex, qui porte mon neveu. Il est inenvisageable pour moi de quitter cette ville tant que ma famille y est installée.

— J'aime New York, j'élude.

— Moi aussi, mais la Californie c'est juste…

Elle mime une balance avec deux poids et vu son sourire, la Californie est bien au-dessus de la grosse pomme selon son point de vue.

— Et vous pourriez apprendre à faire du surf, ajoute Collin. Je serai votre prof !

— Pour ça, il faudrait déjà que tu saches surfer correctement, le rembarre Élodie.

Voilà qu'il s'y met aussi.

— Est-ce que je suis dans un genre de secte ? je demande en fronçant les sourcils, amusée.

— On fera ce que tu veux, me rassure Parker en posant sa main dans mon dos.

Je lui en suis reconnaissante. Élodie bougonne dans son coin. Mais je ne lâche pas mon fiancé du regard parce qu'il me fascine. Parker est en train de rire avec nos amis, il a réussi à faire changer le sujet de conversation et je sais qu'il l'a fait pour moi, pour ne pas me faire sentir mal à l'aise. J'aime cet homme pour sa prévenance et pour le fait qu'il me fasse toujours passer avant toute chose. Il est comme ça depuis notre rencontre et n'a jamais changé. Et c'est ce que j'apprécie. Il est constant, ne se laisse pas porter par un caractère trop impulsif, et cela m'aide à ne pas surréagir.

Au lycée, j'avais toujours tendance à me laisser porter par mes émotions sans jamais arriver à prendre sur moi. Ça m'a valu beaucoup de soucis dans ma jeunesse et un renvoi de l'internat. Et la présence de Lucas, aussi impulsif que moi, ne m'a jamais aidé à faire mieux. C'était presque devenu la normale de surréagir. S'engueuler jusqu'à se quitter, être énervée jusqu'à lever la main sur quelqu'un, hurler pour un rien. Et aux côtés de Parker, je me rends compte qu'il y a d'autres façons d'agir. Qu'il est parfois utile de se poser pour ne pas réagir sur un coup de tête et regretter par la suite. J'ai simplement l'impression d'être meilleure à ses côtés.

— Sophia, m'interpelle Élodie et je remarque que ça doit faire un moment que je suis plongée dans mes pensées.

— Pardon.

— Tu es partante pour Vegas ? me demande-t-elle en haussant un sourcil.

— C'est pas encore ton idée de mariage ? je m'exaspère en me tournant vers Parker.

— Non, se met-il à rire en pressant ma nuque. On pensait y aller ce week-end.

Je les regarde, suspicieuse, et tous me regardent avec un grand sourire suspect.

— Mouais.

— Cool ! s'exclame Élodie presque en sautant sur place. Après Élodie et Sophia à New York, Élodie et Sophia à LA, Élodie et Sophia à Vegas !

— Et nous ? lui rappelle Collin.

— Vous, vous êtes les guests de nos aventures.

J'éclate de rire par son répondant. Élodie était si timide quand je l'ai rencontrée. Je me rappelle qu'elle grommelait la plupart du temps dans son coin, ou lançait de gentils pics à Kevin en rougissant un peu. Et puis au fil des mois, on l'a vue se transformer ; devenir plus femme et moins petite fille. Elle prenait en assurance, ne se laissait plus marcher sur les pieds, parlait avec plaisir à des inconnus. Je suis tellement fière d'elle et d'avoir assisté à son évolution.

— Collin, tu vois, tu n'es qu'un invité, le taquine Parker en appuyant sa main sur son épaule.

— J'ai bien compris ça, éclate-t-il de rire.

Ma meilleure amie le couve du regard, amusée. Je sais qu'elle apprécie Collin, au fond. Par sa façon de se tenir en sa présence, par ses petits regards furtifs, par ses pics. Elle l'aime bien mais ne veut juste pas se l'avouer… Ça finira par venir. Personne n'est infaillible.

— Rends-toi indispensable et on verra pour te faire rejoindre la série, je lui lance pour l'encourager.

Elle me fait les gros yeux et je lui souris en retour.

— Allez ma grande, ça va bien se passer.

— Commence par un petit déjeuner au lit, j'ajoute.

— Pour ça, faudrait-il encore qu'elle reste jusqu'au lever du soleil, raille-t-il en lui tapant dans le bras.

— Tu pourrais faire un effort quand même, je la morigène et j'exulte, parce qu'elle me fusille du regard. Franchement t'es pas sympa, regarde, il rêve de t'amener le petit déjeuner au lit.

— Continuez comme ça et il n'y aura même plus d'histoire de coucher du soleil, bougonne-t-elle.

Je me marre en lançant un clin d'œil à son soupirant. Finalement, mon bras entoure les épaules de ma meilleure amie pour lui montrer mon soutien et Parker me blâme du regard ce qui me fait sourire.

Chapitre 36

Parker ouvre la porte de notre chambre d'hôtel et j'apprécie d'être enfin seule avec lui, et à l'autre bout du pays. J'ai volontairement coupé mon téléphone portable dans la voiture afin d'être sûre de ne pas être dérangés. Cette coupure loin des tumultes de New York ne peut que nous faire du bien. Les derniers mois ont été riches en rebondissements et rudes pour notre relation. J'ai conscience que Parker est un homme droit et patient, et je sais comme il a pu être éprouvé par la présence de Lucas. Cette semaine loin de tout ça va nous permettre de revenir à zéro et d'oublier les embûches posées sur notre chemin.

— Collin a été viré de chez Élodie, rit-il en jetant un coup d'œil sur son téléphone.

J'esquisse un sourire et avance dans la chambre vers ma valise pour y attraper mon pyjama.

— Sophia, dit-il en attrapant mon poignet pour me tourner vers lui.

Je relève les yeux vers lui et suis contente de constater qu'il a abandonné son téléphone sur le meuble de l'entrée. Ses bras sont noués autour de moi et il embrasse délicatement mes lèvres.

— Je suis heureux d'être ici avec toi, me confie-t-il en appuyant son front contre ma tempe.

— Moi aussi, j'acquiesce en me dressant sur la pointe des pieds. J'avais besoin d'être seule avec toi.

— J'ai tout le temps besoin d'être seul avec toi, murmure-t-il avant de m'embrasser à nouveau.

J'approfondis son baiser en nouant mes bras autour de sa nuque avec ardeur et il comprend le message car je bascule sur le lit en un rien de temps et son corps vient faire pression contre moi et je l'accueille en écartant les cuisses. Mes jambes se nouent autour de sa taille et comme des adolescents, son corps vient faire pression sur le mien langoureusement alors que nous sommes toujours habillés. Il dépose des baisers dans mon cou et sur la naissance de ma poitrine découverte. J'enfonce mon crâne dans l'oreiller pour lui laisser un maximum d'espace et mes seins se tendent vers lui.

— C'est nouveau ça, remarque-t-il en repoussant mon t-shirt pour libérer mon soutien-gorge blanc en dentelle.

Ses yeux rayonnent presque quand il relève la tête vers moi pour m'interroger du regard. J'acquiesce et il retire mon haut délicatement, comme s'il ouvrait un cadeau de Noël. Ses lèvres écartent le bonnet en dentelle et il suçote mon téton tandis que je caresse ses cheveux, l'encourageant à ne surtout pas s'arrêter. Mon corps tressaute sous le sien à cause des frissons dont il est à l'origine. Ses mains passent dans le creux de mon dos et il s'affaire à retirer mon jean sans abandonner mes seins. Rapidement, sa patience est mise à rude épreuve et il se redresse pour faire glisser le tissu sur mes jambes avec habilité. De son pantalon, il sort un bout de soie et quand il la déroule sur son poing, je distingue une cravate ce qui m'arrache un sourire.

— Pour une fois…, commence-t-il en se penchant sur moi. « … tu vas rester calme… » ses mains attrapent mes poignets et je me laisse faire. « … et docile. »

Je ris un peu quand il noue un nœud au-dessus de ma tête qu'il a bien pris soin de serrer pour que je sois incapable de libérer mes bras. Ses lèvres m'embrassent tendrement, puis rapidement, descendent le long de mon corps avec impatience. Quand elles trouvent enfin leur destination, mes hanches se soulèvent imperceptiblement pour venir à leur rencontre et je gémis de frustration quand il lève les yeux vers moi, joueur. Je sais pourquoi il m'a attachée. Je l'interromps à chaque fois que la tension est trop forte entre mes jambes en tirant sur ses épaules pour le forcer à revenir vers moi. Et ce soir, il a l'air décidé à ne pas se laisser interrompre.

Je déglutis difficilement quand il aspire mon clitoris entre ses lèvres et qu'un premier doigt pénètre mon intimité. Il le recourbe habilement et mes yeux commencent à se fermer au bout de quelques vas et viens parfaitement inclinés. Sa main appuie sur mon bas ventre pour m'empêcher de remuer et tout ce que je suis en mesure de faire, c'est gémir. Deux nouveaux doigts me pénètrent et je me fige un instant tandis qu'il continue à sucer mon clitoris en y faisant rouler sa langue.

Mes cuisses se resserrent autour de sa tête et je le supplie presque d'arrêter mais il les bloque avec ses épaules et continue ses vas et viens en moi tandis que ses lèvres parcourent l'intérieur de mes cuisses dans un frôlement. Un vrombissement léger se met à résonner dans la pièce où seuls mes gémissements brisent le bruit du silence et j'ouvre les yeux pour découvrir un œuf vibrant calé dans sa main.

La petite boule rose est appliquée au niveau de mon clitoris et il s'affaire à faire aller et venir ses doigts en moi, toujours plus profondément. La cadence est infernale, je suis incapable de retenir mes gémissements et mes hanches restent malgré moi collées au matelas tandis qu'il écarte mes cuisses au maximum avec satisfaction.

Je le supplie, mon corps entier se tend et finalement, la jouissance s'empare de la moindre parcelle de chair et le liquide qui la symbolise semble le ravir au plus haut point.

— Enfin, murmure-t-il en revenant sucer mon clitoris endolori par les spasmes.

— Parker, je m'entends gémir.

Il semble enfin m'entendre car ses lèvres reviennent dans mon cou et il défait le nœud qui a tant tiraillé mes nerfs ces dernières minutes. Son sourire est éblouissant et je sais qu'il a réalisé son fantasme : me voir atteindre la jouissance totale, seulement pour lui. Ses bras m'étreignent tendrement et il doit voir à mon visage que je suis épuisée. Être incapable de se débattre, lutter dans le vide, sentir la jouissance monter, être parcourue de spasmes… Je me blottis contre son corps encore totalement habillé et un instant, je me sens honteuse de le laisser là, pantelant. Mais à la façon dont il me berce, je sais qu'il n'attend rien de plus. Il voulait simplement arriver à me faire lâcher entièrement prise pour la première fois, juste pour lui.

Chapitre 37

Le lendemain midi, nous parcourons le Brush Canyon Trail avec Élodie en tenue de yoga. Elle a insisté pour qu'on aille faire du yoga sur la plage et me faire découvrir ses nouvelles habitudes de Californienne. J'aurais préféré rester au lit avec Parker, mais comme il devait de toute façon partir au bureau, j'ai finalement abdiqué pour adopter sa routine sportive.

— Tu vas voir, on va voir le signe Hollywood, me dit-elle enthousiaste pour m'encourager.

— Ça fait une heure que tu me le dis, je me plains.

Elle glousse et continue à bon rythme.

— Tu as foutu Collin dehors alors ?

— Mais ce mec est pire qu'une nana ! rouspète-t-elle. Est-ce qu'il a dit à Parker qu'il était infoutu de me donner un orgasme aussi ?

Je fais la moue pour lui montrer mon scepticisme et elle éclate de rire en détournant le regard.

— OK, un de temps en temps, me concède-t-elle.

J'esquisse un sourire.

— Je me disais bien aussi. Pourquoi tu refuses d'aller dîner avec lui ? je la questionne.

— Ce n'est pas mon genre.

À nouveau, je la regarde sceptique.

— Il manque de classe ! ajoute-t-elle devant mon air effaré.

— Élodie, arrête, je me mets à rire. Pas à moi !

— Il a voulu m'inviter au fast food, avance-t-elle. Je vaux quand même mieux que six morceaux de poulet frits dans une boîte en carton ! s'indigne-t-elle.

Je soupire en me disant que la situation s'annonce plus compliquée que prévu si elle est touchée dans son estime d'elle-même.

— Tout le monde aime les nuggets.

Ma réplique n'a pas l'air de la mettre d'accord avec moi vu son regard noir. Je hausse les épaules, dubitative, et préfère ne pas insister. Quand elle se bute, il est impossible de lui faire émettre une autre hypothèse que celle qu'elle a décidé d'arrêter.

Nous arrivons finalement à destination et la vue sur le signe Hollywood me fait sourire. Je l'ai vu tant de fois à la télévision que c'est presque irréel de le découvrir pour la première fois en vrai. Élodie s'étire sur une barrière en bois.

— Tu t'es tatouée ! je m'exclame en découvrant avec effarement un motif fleuri sur ses côtes et qui remonte de part et d'autre de son sein a priori.

Elle se redresse et me fait un sourire en réajustant son haut mais c'est trop tard, j'ai vu les petites fleurs sexy qui mettent en valeur sa poitrine. Je siffle pour l'embêter et elle éclate de rire.

— Collin aussi a beaucoup apprécié, me lance-t-elle en me faisant un clin d'œil.

— Les coquins !

Son visage est plus souriant et je remarque qu'elle est de nouveau apte à discuter de sa presque-relation avec l'ami de mon fiancé sinon, elle ne l'aurait même pas mentionné.

— Il a des tatouages lui aussi en plus, me semble-t-il.

Elle acquiesce vivement et les coins de sa bouche s'étirent encore un peu plus.

— Ce mec est à tomber ! elle me confie en étirant son pied sur sa fesse. C'est juste tellement nul qu'il soit un gamin.

— Élodie, il t'a invité au restaurant. Les ados ne font pas ça.

À nouveau, elle me noircit du regard pour avoir oublié qu'initialement, il l'avait invitée dans une chaîne de restauration rapide.

— D'accord mais il a un job, il a une situation, j'énumère en tendant mes doigts à mesure. Il a le permis, il connaît les responsabilités.

— Il baise une autre fille, me coupe-t-elle en me faisant un grand sourire forcé.

— Quoi ?

— Ce gros naze est parti pisser après qu'on ait fait l'amour et devine de qui il a reçu un message ? elle me laisse quelques secondes pour marquer le suspense. Plan cul blonde.

Ses yeux lancent presque des éclairs et sa bouche forme une fine ligne pincée. Et je n'ai plus rien à ajouter pour tenter de la pousser dans les bras de Collin. OK, c'est effectivement encore un ado attardé. Mais Parker aussi devait sûrement avoir des conneries de ce genre dans son téléphone pour distinguer les nanas qu'il faisait venir au bureau. Je hausse les épaules, décidant de ne pas envoyer la discussion sur ce sujet qui pourrait m'irriter.

— Donc je le considère comme tel : un plan cul, conclut-elle et je l'encourage en lui tendant ma main pour qu'elle tape dedans.

***

Le cadre du restaurant en bord de plage est agréable et j'apprécie la brise. Parker nous a finalement rejoints seul pour ce déjeuner car Collin avait apparemment un dossier très chaud qu'il ne pouvait pas lâcher. J'imagine qu'il est plutôt toujours vexé d'avoir été foutu dehors la veille mais si Élodie a réellement vu ce message dans son téléphone, je suis heureuse qu'elle ne se laisse pas mener par le bout du nez. Et Dieu seul sait quel nom de contact il a mis pour ma meilleure amie. Rien que l'idée qu'elle soit nommée « Plan cul » commence à m'énerver.

— Est-ce que vous savez où aura lieu le mariage ? nous questionne Élodie en sirotant sa limonade bio.

Nous nous regardons perdus car nous n'avons pas encore évoqué le sujet. Enfin si, si on compte Las Vegas comme une proposition. Mais aucune idée intelligente n'a encore été proposée et je suis un peu perdue. Ai-je envie de me marier dans le hall d'un hôtel de New York ? Je n'ai même pas idée de quel type d'hôtel pourrait accueillir un mariage. En réalité, je suis perdue parce que je n'ai jamais songé à l'idée de mon mariage.

— New York ? je lui demande d'une petite voix.

— Comme tu veux, hausse-t-il des épaules en passant sa main sur ma nuque.

— Mais au fait, je suis ta demoiselle d'honneur ? Rassure-moi ! s'exclame Élodie d'un regard inquisiteur.

— Bien sûr.

Et si Kevin voulait être mon témoin ? Et Alex, voudrait-elle être aussi une demoiselle d'honneur ?

— Il faut que je me penche plus sur ce mariage, je grimace en me rendant compte que je n'ai aucune idée des us et coutumes.

Est-ce que Abbygail doit aussi être dans mes demoiselles d'honneur puisqu'elle est la sœur du marié ? J'ai la tête qui tourne tout à coup.

— On va s'y mettre en rentrant, me rassure Parker.

J'acquiesce en croisant son regard, reconnaissante qu'il soit si calme pour apaiser ma nouvelle anxiété.

— Si quelqu'un m'avait dit que j'allais un jour te voir en robe de mariée ! ricane Élodie. Il faudra absolument que tu me donnes toutes les dates pour que je prévoie mes voyages à New York.

Je fais les gros yeux. Quelles dates ?

Chapitre 38

Jeudi, j'arrive au bureau de Los Angeles avec Parker et Collin me salue avec plus d'engouement que ce que j'aurais imaginé. Mes pieds décollent littéralement du sol quand il m'étreint et Parker le toise avec méfiance.

— Sophia, on se voit enfin sans ta copine ! se réjouit le surfeur.

— Collin ! je gronde en fronçant les sourcils.

— Sérieusement, explique-moi ce qu'elle a contre moi. Ou alors, est-ce qu'elle est juste folle à lier ?

Mes sourcils se froncent encore plus et il lève les mains à hauteur d'épaules, conscient d'aller trop loin.

— Tu sais définitivement parler aux femmes, le félicite Parker en déposant une main sur son épaule, hilare.

— La plupart du temps, je ne leur parle pas, lui rappelle son ami et visiblement, c'est une blague entre eux.

Ce qui ne me plaît que très moyennement d'ailleurs mais je décide de passer outre. Ils se sont rencontrés à la fac, j'imagine bien qu'ils ont des centaines d'anecdotes ensemble que je ne suis pas censée connaître.

— Est-ce que tu prends même la peine de connaître leurs prénoms ? je lui demande en croisant mes bras sous ma poitrine, un brin peste.

— Quoi ? Mais bien sûr, balbutie-t-il.

— Donc ça ne te dérangerait pas de me donner ton téléphone pour que je regarde un peu tes contacts, je continue en haussant un sourcil et en tendant ma main vers lui.

— Elle est folle ? interroge-t-il Parker.

Ce dernier nous observe en souriant et finalement, il embrasse ma tempe avant d'avancer dans le couloir en lui souhaitant bonne chance. J'imagine qu'il a quelques tâches à accomplir ici.

— Pauvre imbécile ! je lâche à son attention. Plan cul blonde t'a appelé après que tu aies couché avec ma meilleure amie.

Il ouvre ses grands yeux bleu-vert comme s'il venait de voir un fantôme et rapidement, sa main trouve sa nuque qu'il masse en grimaçant. C'est bien mon grand, il semblerait que tu comprennes enfin.

— Mais c'est des bêtises ça ! s'exclame-t-il.

— Oui des conneries d'adolescents. Pas d'homme de trente ans.

Il continue de grimacer et semble réfléchir à la question en scrutant le plafond.

— Je t'aiderai avec ma meilleure amie, j'attire son attention. Si, et seulement si, elle s'appelle Élodie dans ton répertoire.

Ses yeux sont grands ouverts et ses sourcils hauts sur son front, tandis qu'il se hâte d'attraper son téléphone, l'air ravi.

— Vous me prenez vraiment pour un trou du cul, ricane-t-il en pianotant.

— Tu ne triches pas ! je m'exclame en tendant la main pour l'attraper.

Finalement, il m'invite à observer l'écran et je me mets à rire en voyant qu'il a même carrément inscrit son nom de famille.

— Tu en fais trop ! je ris en m'éloignant.

— Du coup, tu veux bien m'aider ? demande-t-il en me suivant de près.

— On verra.

— Mais Sophia, tu viens de me dire que tu m'aiderais.

Je m'arrête et il me rentre presque dedans alors je fronce les sourcils et il se recule d'un pas en haussant les épaules innocemment.

— J'ai dit que je plaiderais ta cause. Et Élodie a un vrai mauvais caractère.

— À ce que j'ai compris, t'es plutôt pas mal non plus.

Il sourit d'un air lointain et je le fusille du regard. À nouveau, il lève ses mains à hauteur d'épaules, candide, et finalement passe son bras autour de mes épaules.

— Allez Sophia, tu sais que je suis un bon gars, il insiste.

— On verra, je marmonne alors qu'il me fait avancer dans le couloir.

— En plus imagine, des meilleures amies qui sortent avec des meilleurs amis.

— Tu en fais trop Collin, j'observe en haussant un sourcil, dubitative.

Son rire résonne dans tout le couloir et je suis incapable de retenir mon hilarité alors je détourne la tête pour esquisser un sourire, ce qu'il ne manque pas de faire remarquer à tout le couloir tant sa voix porte.

— Collin, lâche ma femme putain ! j'entends grommeler Parker dans un bureau.

Il s'exécute et me laisse en me gratifiant d'un clin d'œil.

Chapitre 39

Sur une station d'essence où nous avons décidé de nous arrêter pour acheter de quoi grignoter, je suis absolument subjuguée par les paysages désertiques qui défilent par les vitres du Range Rover depuis bientôt deux heures.

— Sérieusement ? me demande Parker quand j'arrive les bras chargés.

Il toise les nombreux paquets de chips, bonbons et gâteaux que j'ai entassés tant bien que mal avant de froncer les sourcils.

— Mais j'ai jamais fait autant de route ! je lui rappelle en faisant la moue.

— On ne part pas pour une virée de dix-huit heures, il ne reste que trois heures de route, me dit-il amusé.

J'ouvre grand les yeux pour lui montrer mon assentiment mais aussi la surprise du mot « que ». Trois heures de route, c'est encore énorme et je m'ennuie toujours en voiture. Donc en voiture, je mange pour passer le temps.

— Je m'en fiche, je me les paie toute seule, je le toise en relevant le menton et je l'entends pouffer dans mon dos.

— Tu comptes nourrir un régiment ou quoi ? m'interroge Collin en haussant les sourcils.

Élodie éclate de rire en voyant qu'elle a presque pris autant de gâteaux que moi et je suis enfin heureuse de trouver une alliée dans cette station. Collin nous regarde à tour de rôle, dubitatif, et finalement, il dépose sa bouteille de soda sur le comptoir en soupirant.

— Parker, t'avais pas déclaré que ta future femme était un ogre.

Je le noircis du regard et il me jette un coup d'œil amusé en me faisant de la place pour libérer mes bras.

— Parce que je n'étais pas au courant, lui rétorque ce dernier dans mon dos. Toi en revanche, tu le sais dès le début, lui lance-t-il amusé en désignant Élodie.

— Je suis loin d'être sa future femme, objecte celle-ci en levant le menton, fière d'elle.

— On ne sait jamais ce qui peut se passer à Vegas, relativise Collin.

— Moi si : je vais me bourrer la gueule célibataire et me réveiller célibataire.

J'éclate de rire en l'imaginant me demander plusieurs fois dans la soirée de la surveiller pour ne pas faire de conneries, beurrée comme une biscotte. Le signe qu'Élodie est vraiment bourrée, c'est quand elle retire ses escarpins de peur de se tordre la cheville. À ce moment précis, on sait qu'il est temps d'aller la coucher.

Nous regagnons finalement la voiture pour continuer notre chemin vers Vegas. Je découvre totalement la côte ouest depuis que je suis avec Parker et c'est grisant de se sentir si seuls au monde sur les routes étroites qui mènent à la ville de la débauche. À l'arrière, Collin et Élodie se chamaillent et j'esquisse un sourire en observant le profil concentré de mon fiancé sur la route. Cinq ans auparavant, je n'aurais jamais imaginé me trouver dans cette situation.

Il y a cinq ans, je mettais fin à mon amitié avec Élodie. J'étais complètement à bout de nerfs en grande partie car mon frère se trouvait entre la vie et la mort. Plus ou moins à cause d'elle. Et je n'arrivais plus à la regarder en face.

Il y a cinq ans, j'étais avec Lucas et je voyais mon avenir seulement à ses côtés. Aujourd'hui, l'homme qui est assis près de moi est tellement différent, mais tellement aimant. Et il me propose un nouvel avenir, sans l'ombre de Lucas dans l'équation. Mais je n'arrive pas à le chasser totalement de mon esprit car nos rencontres ont été très intenses ces derniers mois. Je n'avais plus de nouvelles de lui depuis des années et voilà qu'il réapparaissait, la mort dans l'âme, pour me demander de l'épouser et de vivre avec lui.

Finalement, la civilisation retrouvée attire mon attention et je découvre avec enthousiasme les hauts buildings se frayer un chemin au milieu du désert. Le panneau Welcome to Fabulous Las Vegas si connu m'arrache un sourire et je me redresse dans mon siège pour tendre le nez et observer tout autour de l'habitacle. Les hôtels sont tous plus extravagants les uns que les autres. La montagne russe qui se détache au milieu d'un énorme château atypique dans le décor. Tout de suite après, la Statue de la Liberté nous tend les bras et je suis amusée de découvrir un petit bout de chez moi dans cette oasis de fantaisie. Élodie a agrippé ses mains sur mon appuie-tête pour pouvoir pointer son doigt à travers ma fenêtre sur l'immense hôtel-casino en forme de pyramide. Elle est déjà venue à Las Vegas plusieurs fois selon ses réseaux sociaux, alors j'imagine qu'elle est seulement très excitée à l'idée de me faire découvrir la ville.

Parker s'éloigne du Strip pour s'engouffrer sur une rue à gauche et je remarque qu'on est arrivés à destination. Un voiturier vient ouvrir la portière et je le gratifie d'un sourire. Un groom décharge nos valises sur un chariot doré et je distingue que Collin leur donne à tous les deux un pourboire discrètement. Il fait moins chaud que je l'imaginais dans le désert pour un mois de novembre, ce soir, il faut absolument que je pense à prendre ma veste.

— On y est ! claironne Élodie en partant vers le hall, sautillant sur place.

Parker m'attire sous son bras en entourant mes épaules et je suis heureuse de retrouver son étreinte réconfortante. Mes lèvres trouvent les siennes rapidement mais nous sommes dérangés par Collin qui nous sommes de rejoindre notre chambre pour ce genre de cochonnerie.

— Vous êtes vraiment intenables ! ronchonne-t-il en me tenant par les épaules pour me guider vers l'intérieur.

J'éclate de rire et finalement, je les laisse entre hommes pour rejoindre ma meilleure amie au milieu de la végétation luxuriante et d'une petite cascade. L'illusion est parfaite et j'arrive presque à ressentir l'humidité typique de la Floride en plein été. Je les suis jusqu'au comptoir pour la forme car Parker s'occupe de tout pour cette réservation. Élodie et Collin ont pris des chambres séparées mais je doute fort qu'elle arrive à lui résister après quelques tequilas.

— On se rejoint dans le hall d'ici une heure ? propose Élodie quand nous sommes dans l'ascenseur.

— Oui parfait, j'acquiesce en jetant un coup d'œil vers ma montre.

Le soleil descendait déjà sur Vegas quand nous sommes arrivés, d'ici une heure, il devrait faire nuit noire et j'imaginais sans mal que le spectacle de nuit devait être encore plus spectaculaire qu'à la télé.

Nous descendons au quinzième étage et Parker traîne la valise dans le couloir tandis que je cherche notre chambre. Chose faite, je déverrouille la porte et découvre avec ébahissement qu'il a carrément réservé une suite. Comme si une chambre simple pour deux nuits ne pouvait pas suffire. Je lui jette un coup d'œil ahuri et il se contente de me sourire en retirant ses chaussures à l'entrée.

— Pourquoi est-ce que tu en fais toujours trop ? je le questionne en haussant un sourcil.

— Pourquoi je logerais dans une cage à rat alors que je peux avoir un appartement ? me répond-il laconiquement.

Je pouffe et soupire en le contournant pour aller ranger nos affaires sur les cintres prévus à cet effet.

— Viens te doucher avec moi, me supplie-t-il presque en m'arrêtant.

Je lève les yeux au ciel et un sourire étire mes lèvres, mais je reste dos à lui, ce qui a le don de l'agacer. Rapidement, sa main applique une pression sur mon poignet et il m'attire dans ses bras. Ses cheveux et sa barbe ont été fraîchement taillés et j'ébauche un sourire en les caressant du bout des doigts. J'adore voir son visage se détendre, centimètre par centimètre, quand je passe mes mains dans ses cheveux. Ses yeux se plissent légèrement et la tension dans sa mâchoire retombe presque instantanément. J'aime pouvoir lui procurer ce sentiment d'apaisement.

— Viens, réclame-t-il d'une voix plaintive en me serrant un peu plus contre lui.

— C'est d'accord, je lui cède devant sa moue d'enfant.

Il me traîne presque jusqu'à la salle de bain et la baignoire me fait de l'œil alors j'y allume l'eau et il hausse un sourcil en m'observant, surpris.

— Je préfère prendre un bain.

Parker jette un coup d'œil à sa montre et ses lèvres sont pincées.

— Collin et Élodie pourront commencer à picoler sans nous, je lui lance en retirant mon jean.

Ses yeux scrutent la moindre parcelle de peau nue chez moi et il acquiesce. Visiblement, l'idée de les laisser seuls une heure de plus n'a pas l'air de le contrarier. Son intolérance au manque de ponctualité varie en fonction des situations apparemment.

— Ils peuvent même passer toute la nuit ensemble, soupire-t-il quand je commence à défaire les boutons de sa chemise un par un.

Je me mets à rire et lui lance un regard éloquent pour lui signifier que nous allons sortir de cette chambre, qu'il le veuille ou non. Il est hors de question de sauter l'étape de la visite du séjour, je disais simplement qu'un petit retard sur le planning en tête à tête avec mon futur mari ne pouvait pas faire de mal. Ses yeux roulent vers le plafond et je plante un baiser sur ses lèvres avant de vider la bouteille de bain moussant dans l'eau chaude et de finir de me déshabiller.

— Si on les laisse une petite heure ensemble, ils devraient en arriver à la même activité que nous, plaisante-t-il en me tendant sa main pour m'aider à entrer dans la baignoire.

— Tu as remarqué ? je lui lance en ouvrant grand les yeux. Bon sang, j'ai cru qu'ils allaient finir par baiser sur la banquette arrière !

— Je pense que Collin adore qu'Élodie soit aussi sèche avec lui.

— Ça doit être leurs préliminaires à eux, je ricane.

La tension était palpable durant le trajet. Parfois, Élodie se laissait aller à rigoler avec son meilleur ami, tandis que parfois, le ton montait à l'arrière et qu'ils se regardaient en chiens de faïence, aussi énervés l'un que l'autre. Et c'est précisément dans ces moments-là qu'on se sentait de trop dans la voiture.

Je m'assieds dans la baignoire et Parker s'installe derrière moi et me fait venir contre son torse. Ma tête trouve une place dans le creux de son épaule et je ferme les yeux pour profiter de l'instant paisible.

Nous sommes depuis une semaine à Los Angeles et je me sens enfin sereine et écartée des tracas du quotidien. J'ai volontairement coupé mon téléphone pour ça d'ailleurs. J'y ai seulement jeté un coup d'œil de temps à autre pour m'assurer qu'il n'arrivait rien de grave à mon neveu. Mais tout va bien dans la grosse Pomme et je peux me concentrer exclusivement sur mon fiancé, ce qu'il apprécie grandement.

— C'est toujours non pour le mariage à huis clos ? me demande-t-il alors que sa main soulève la mienne et époussette ma bague de fiançailles de la mousse qui l'encombre.

— Oui, je lui réponds dans un sourire.

— Oui tu veux qu'on se marie ? je le sens tressauter dans mon dos.

— Oui, c'est toujours non Parker, je le reprends en soupirant, amusée.

— Je veux que tu t'appelles Mme Bailey le plus vite possible.

— Tu as peur que je file en douce ? je plaisante.

Un silence se fait dans la pièce et je fronce les sourcils en me dégageant tant bien que mal pour lui faire face.

— Parker, c'est pour ça que tu insistes ? je le questionne, chagrinée.

— J'ai de quoi, non ? me rétorque-t-il sèchement et je ressens sa frustration.

— Parker, même mariée, si je voulais filer, je le ferais.

Je ne sais plus comment lui faire ouvrir les yeux sur la situation. J'ai hâte de lier ma vie à la sienne devant nos proches et nos amis. Je l'aime. Mais cette cérémonie n'a pas d'emprise sur moi. Ce n'est pas parce que je jurerai solennellement devant le pasteur que cela m'empêchera de partir à tout jamais. Sa tête se décompose un peu plus.

— Cette bague ne fait pas que je reste.

Mais c'est déjà trop tard, il s'est renfermé complètement sur lui-même et je ne reconnais plus l'homme joyeux que j'épouse dans quelques mois. Je le vois rien qu'à son regard fermé et lointain.

— Bébé, je soupire en caressant sa joue.

Il prend appui sur les parois la baignoire et ses bras gonflent quand il force pour se relever sans me toucher. Son corps nu et luisant disparaît sous une serviette qu'il noue à sa taille et finalement, il décampe dans la chambre sans un mot.

Notre relation est incroyablement frustrante depuis que Lucas a fait son retour dans ma vie. Mon cœur balance constamment entre deux eaux et comme si ça n'était pas assez compliqué, Parker n'arrive pas à me faire confiance malgré les efforts que je déploie pour me sortir de cet enfer. Je soupire de lassitude et me replonge dans la baignoire parce que j'avoue être à court d'idées pour le rassurer. Parker se raccroche à cette idée de mariage comme si c'était la solution au problème que représente Lucas. Mais la vérité, c'est que ça ne l'est pas. Je ne me marie pas pour prouver quoi que ce soit à qui que ce soit ; je voulais me marier simplement parce que j'aime cet homme et que j'ai envie de symboliser la relation que nous avons. Mais maintenant qu'il tourne simplement ce mariage en bataille de virilité, je ne suis plus si sûre d'avoir envie d'y songer pour le moment.

Chapitre 40

Quand je sors finalement de la douche, il n'est plus dans la chambre. Il n'est plus là. J'imagine qu'il est parti prendre l'air, comme il le fait à New York quand il n'arrive plus à se contenir. Je décide de me préparer quand même : je ne vois pas souvent ma meilleure amie alors elle aura le droit à toute mon attention ce week-end avant qu'il soit déjà l'heure de reprendre l'avion et de retourner à l'autre bout du pays, là où je ne suis jamais au bout de mes surprises.

— Sophia ! s'exclame-t-elle joyeusement en me voyant arriver au bar où elle m'a indiqué qu'ils se trouvaient tous.

Je me suis sentie stupide d'arriver après Parker alors j'ai prétexté devoir passer dans une boutique de l'hôtel avant les rejoindre.

— Cul sec ! me met-elle au défi en me tendant un shooter rose fluo.

Je fronce les sourcils et la regarde, pas très sûre d'avoir envie d'ingurgiter un truc pareil mais j'obtempère en la voyant trinquer avec moi, enthousiaste. L'alcool brûle ma gorge et je le sens descendre jusqu'à mon œsophage. Élodie a l'air hystérique et moi, je grimace en déglutissant difficilement.

— Mais quelle horreur, c'était quoi ce truc ?

— L'élixir de l'amour, claironne-t-elle en me souriant de son tabouret.

Je jette un regard à Collin qui me fait un clin d'œil, fanfaron. Tiens, je devrais peut-être en offrir un à Parker qui a à peine levé les yeux depuis que je suis arrivée. Et ma meilleure amie l'a remarquée vu la manière dont elle m'interroge silencieusement. Je hausse les épaules en feintant un sourire. Mon cœur n'est pas aux réjouissances, mais il est hors de question de le laisser gâcher une soirée avec Élodie.

— Casino ? lance-t-elle en tombant lourdement du tabouret.

Ses jetons résonnent dans son gobelet et elle m'attrape par le bras, bien décidée à dépenser son argent.

À quatre heures du matin, ma meilleure amie n'est plus qu'une masse dégingandée qui se raccroche à mon bras en me suppliant de ne pas la laisser coucher avec Collin tandis que nous déambulons le long du Strip.

Ce dernier marche plutôt loin devant nous avec mon fiancé qui m'a à peine adressé un mot et lui comme moi, n'avons pas eu le goût à s'enivrer ce soir. Je préfère rester sobre pour éviter un drame. Quand je suis ivre, je ne réponds plus de rien et majoritairement, je fais des conneries. Kevin est bien placé pour le savoir, il passe son temps à rattraper les dégâts que je crée. Parfois une bagarre, parfois une scène, parfois un appel en larmes à Lucas… Alors j'évite simplement l'alcool, surtout quand mon futur mari m'en veut déjà visiblement à mort.

— Regarde-le, il est trop sexy, couine Élodie en tenant lourdement mon coude.

— Et il est très gentil, je lui glisse, l'air de rien.

Mes pieds me brûlent à cause de ces foutus talons à fines lanières et les vacillements d'Élodie n'arrangent en rien les frottements déjà lancinants sur mes orteils. Las Vegas est un véritable show à ciel ouvert dès la tombée de la nuit et j'ai été séduite par sa mini Tour Eiffel, malheureusement, la photo de Parker et moi ne sera pas aussi romantique que je l'aurais espérée. Il me tient par la taille tout en gardant ses distances et son regard n'exprimait rien quand nos yeux se sont croisés. En souvenir, je garderai les photos et vidéos faites avec Élodie ; à tour de rôle en train de faire les pitres, mimant une demande en mariage un genou au sol, moi juché sur le dos de ma meilleure amie qui rit aux éclats. C'est ce genre de souvenir que je veux à tout jamais garder dans ma mémoire. Ce sont ces moments qui me démontrent à quel point je suis heureuse d'avoir pu la retrouver malgré les situations difficiles que nous avons connues. Mais un point sombre continue d'ombrager mon week-end et comme si la discorde avec Parker ne suffisait pas, je vais devoir trouver l'opportunité de parler de la grossesse d'Alex avec Élodie. Elle est en droit de savoir, de ma bouche, que je vais devenir tatie. Et j'appréhende sa réaction.

Élodie est une femme forte et indépendante, elle mène sa vie comme bon lui semble depuis plusieurs années maintenant. Mais je n'oublierais jamais ce qu'elle est devenue quand mon frère s'est mis à sortir avec Alex. Elle a été envoyée prendre du repos dans un autre État par sa famille car plus personne ne savait comment lui faire sortir de l'eau.

Ils se sont aimés autant qu'ils se sont détruits et ça me brise le cœur car leur entente était parfaite il fût un temps. Et si je sais que la page est définitivement tournée du côté de Josh, je crains qu'au fond, Élodie regrette toujours son choix de l'avoir quitté.

Quand nous allons nous coucher ce soir-là, Parker s'endort presque instantanément. En tout cas, il m'a tourné le dos délibérément et sa respiration est régulière quand je sors de la salle de bain douchée et emmaillotée dans ma nuisette en soie. Je repousse le drap et m'allonge sur le dos en regardant le plafond un instant avant d'éteindre la lumière et un soupir m'échappe pour faire évacuer ma frustration.

Au fond de moi, j'en ai simplement marre de me justifier. Et je déteste le fait que Parker n'arrive pas à mettre toutes ces histoires de côté au moins le temps d'une semaine. Juste une, pour me permettre de souffler. La situation est déjà éprouvante pour mes nerfs. Mon frère ne m'a pas adressé la parole depuis un mois, Lucas n'a pas non plus essayé de me contacter mais je sais au plus profond de moi qu'il va revenir ; encore. Et si j'ai été assez forte pour le repousser jusqu'ici, c'est pour moi-même… Et pour pouvoir vivre ma vie avec Parker et continuer tous les beaux projets qu'il me laisse entrapercevoir. Je suis tellement frustrée qu'il ne puisse pas voir ça, du moins, qu'il ne le remarque pas.

Je m'endors à contrecœur sans avoir réussi à désamorcer la discorde.

Je sais qu'une nuit fâchée équivaut à une semaine de froid. Et s'il y a bien une chose dont je n'ai pas besoin, c'est ce genre de sentiment d'abandon qui m'assaille.

Chapitre 41

Nous buvons un verre avec Élodie dans un hôtel somptueux qui rappelle Venise. Les gondoles avancent même sur le bassin qui sinue entre les boutiques de luxe et les petits cafés charmants au style très européen et je suis sous le charme de l'endroit où j'ai l'impression que le temps s'arrête… La tension étant toujours palpable entre mon futur mari et moi, j'ai proposé à Élodie un après-midi entre filles et celle-ci tortille ses doigts alors que son sourire est difficilement contenu.

— J'ai couché avec Collin ! s'exclame-t-elle soudainement. Oh mon dieu, dis-moi que ça n'est pas une grosse connerie.

— Pourquoi ce serait une connerie ? je lui demande, amusée.

J'ai le cœur lourd parce qu'elle a l'air épanouie. Épanouie et anxieuse. Et je m'en veux de devoir lui faire ça, putain. Comme si ce week-end ne tournait pas déjà assez au cauchemar.

— Parce que…

Elle ne trouve pas de justifications et ses yeux papillonnent autour de nous. Je me penche et attrape sa main pour la serrer, mais la boule dans mon ventre remonte dans ma poitrine.

— Collin est parfait, Élodie, je tente de la rassurer. Et je pense qu'il t'aime vraiment bien.

Bon sang, je suis en train de lui passer de la pommade pour ce qui va suivre, je me hais.

— Je ne suis pas prête pour ça, grimace-t-elle.

— Prends les choses comme elles viennent. Ne te force pas.

Elle fait la moue et un instant, je crains qu'elle se mette à pleurer et ce serait vraiment un comble, vu que je sens moi-même mon pouls s'accélérer comme si j'allais faire une crise de panique.

— Élodie, je la coupe avant qu'elle continue.

Elle hausse un sourcil pour m'inciter à continuer et mes mains tremblent presque sur mes cuisses avant que je les passe dans mes cheveux, nerveusement. Et ma meilleure amie semble vraiment perplexe en me voyant me trémousser de la sorte. Ne t'en fais pas, moi aussi je suis perplexe devant mon attitude, j'ai envie de lui dire.

— Josh va être papa, je lui lâche de but en blanc.

La bile franchit presque mes lèvres et je scrute la moindre de ses réactions. D'abord, elle semble prise d'effroi et finalement, ses yeux se perdent dans le vide quelques secondes. Elle mord sa lèvre puis sourit à peine et se redresse imperceptiblement en regardant de nouveau le plafond.

— Elo', je l'appelle, inquiète.

— C'est… cool, marmonne-t-elle dans un sourire contrit. Je suppose qu'Alex est la mère.

J'acquiesce et ses yeux brillent quand elle fait un hochement de tête en souriant un peu plus. Mais je ne suis pas dupe. Elle ne va pas bien. Et la boule dans mon estomac ne cesse de grossir car j'ai peur de repartir dans la même situation infernale. J'ai peur qu'elle se renferme. Peur qu'elle s'en prenne verbalement à Alex. Peur qu'elle recontacte Josh. Et inconsciemment, peur de devoir l'éloigner de ma vie à nouveau.

— J'ai complètement oublié que j'avais un rendez-vous au spa, dit-elle en souriant, mais son regard est déjà lointain quand elle se lève et attrape son sac à main.

— Élodie ! je l'interpelle.

C'est trop tard, elle est déjà loin et ne se retourne pas. J'abdique en jurant et me lève pour rejoindre ma chambre, ce week-end tourne à l'enfer, je ferai tout pour grimper dans un avion pour New York immédiatement. Parker est assis dans le canapé de la suite quand j'y entre, dans un t-shirt blanc qui marque ses épaules et ses pectoraux. Ses yeux s'ouvrent plus grands et il me rejoint, les sourcils froncés. Je sursaute presque quand ses doigts écrasent les larmes qui roulent sur mes joues. Je n'avais même pas remarqué que je pleurais. Et c'en est trop.

— Alors maintenant je ne suis plus inexistante ! je lui crache à la figure alors qu'il a l'air réellement soucieux.

— Tu n'es jamais inexistante à mes yeux, soupire-t-il en prenant mon visage entre ses mains.

— Tu ne vas pas m'emmerder plus longtemps, je siffle en me reculant pour échapper à son étreinte. Il est hors de question que je porte cette relation toute seule, tu m'entends ?

Il plonge ses mains dans ses poches de jean et penche la tête pour m'indiquer de continuer.

— J'ai un passé Parker ; que ça te plaise ou non. Et Lucas fera encore certainement les quatre cents coups avant ce mariage alors il serait temps que tu t'achètes une paire de couilles et que tu arrêtes de me laisser gérer ça toute seule si tu ne veux pas que je me barre et que je vous laisse tous les deux.

Il a carrément l'air scandalisé à présent. Et les larmes continuent de perler sur mon visage maintenant trempé. Je l'essuie avec rage et la boule dans ma poitrine continue de compresser mes poumons. Avec empressement, je rassemble mes affaires et ouvre ma valise sur le bout du lit.

— Putain mais qu'est-ce que tu fais ?

— Je me casse. Tu ne veux pas de moi ici, Élodie ne veut pas de moi ici.

Je continue comme une cinglée à fourrer en boule mes vêtements dans la valise cabine, furieuse et attristée. J'ai vu dans les yeux d'Élodie qu'elle n'allait pas bien. Je l'ai vu, je l'ai reconnue : la fille désespérée qui a tout perdu. Et quand les bras de Parker m'encerclent pour me compresser contre son torse et bloquer mes poignets contre ma poitrine, je fonds simplement en larmes.

— Calme-toi, souffle-t-il en appuyant son visage sur mon épaule et son étreinte me serre toujours aussi étroitement.

Je me détends seulement au bout de quelques minutes en réalisant qu'il a enfin décidé d'être présent à mes côtés et que je peux compter sur lui quand je vais mal. Son parfum me réconforte et finalement, je renifle en me retournant pour appuyer ma tête contre son torse.

— Qu'est-ce qu'il s'est passé ? s'enquiert-il, inquiet.

— J'ai avoué à Élodie qu'Alex attendait un enfant.

Il fronce les sourcils au-dessus de ses beaux yeux noisette. Et c'est là que je me rends compte que Parker ne connaît pas mon passé, notre passé. Il ne connaît pas notre histoire, il n'était pas là. J'ai le même entourage depuis ma première année de lycée, nous avons tout vécu ensemble, tout affrontés aussi. Mais Parker n'était pas là… Il ne sait pas comme Élodie a été détruite pendant des mois, comment mon frère est devenu un junkie après s'être fait larguer. Il ne me connaît pas… comme Lucas, tout simplement. Et j'ai du mal à me faire à cette idée. Je n'arrive pas à l'intégrer parce que ma vie a toujours tourné autour de lui ces dernières années et il était là, à chaque étape. Pas Parker. Et je m'en rends compte à mesure de le laisser pleinement intégrer ma vie.

— Élodie et Josh étaient ensemble au lycée, je marmonne.

Cela lui semble incongru au vu de ses expressions. *Et pourtant, c'est bien vrai.* Je me détache en essuyant les dernières larmes sur mes joues à moitié déjà sèches et j'observe mon futur mari en silence.

— C'est vrai qu'elles se ressemblent au niveau du caractère en même temps, il analyse en faisant mine d'y réfléchir.

J'acquiesce en lui faisant un petit sourire mais le cœur n'y est pas parce qu'il ne peut pas comprendre ma tristesse. Il ne peut pas imaginer mon angoisse de revoir Élodie plonger, encore une fois. Et combien ça a été dur pour moi de lui avouer que je ne voulais plus être son amie.

— Elle va s'en remettre, ça fait quoi, cinq ans maintenant ?

Je réajuste mes cheveux derrière mes oreilles en lui souriant. Tout simplement, il ne peut pas comprendre. Il n'a jamais été amoureux au lycée, ni même à la fac. Putain, il n'a jamais été amoureux avant ses trente ans, comment peut-il savoir si on s'en remet ? On ne lui a jamais brisé le cœur.

— On n'oublie jamais son premier amour, je le contredis même si je sais que ça risque de mettre le feu aux poudres.

Et ça ne manque pas car il me fusille à nouveau du regard.

— Ça peut te déplaire autant que tu veux, je soupire en haussant les épaules. Mais c'est la vérité.

Nous restons là à nous observer en chiens de faïence et mon cœur bat la chamade dans ma poitrine. Mais qu'il le veuille ou non, Lucas aura toujours une place dans mon esprit et dans mon cœur. Comme Josh aura toujours sa place chez Élodie. Et même si le temps apaise la blessure, il en restera toujours une cicatrice, quoi qu'il arrive. Nous portons tous les cicatrices de notre passé. Mais il ne peut juste pas me comprendre et c'est ce qui nous mène dans une impasse.

La soirée s'est finalement passée de manière silencieuse. Ni lui ni moi n'avons voulu tenter d'aller rejoindre les autres. Si tant est qu'Élodie soit sortie de sa chambre après mon annonce et je suis meurtrie de l'imaginer triste et seule. Mais je pense qu'elle avait besoin d'une nuit pour l'accepter et se faire à l'idée. Une nuit en face à face avec elle-même, j'aurais tout le temps de lui rappeler que je suis là pour elle demain. Après tout, nous avons cinq heures de trajet de voiture, quoi qu'il en soit.

Quand nous descendons finalement dans le hall pour libérer les chambres, je trouve Collin et Élodie en pleine conversation animée. Elle a l'air furieuse et lui, il est complètement ahuri.

— Je t'ai bourrée la gueule et traînée dans cette chapelle de force ? lui demande-t-il en pointant son torse de la main, outré.

Chapelle ?

— Pour quelle autre raison est-ce que je t'aurais dit oui ? lui gueule-t-elle en retour.

Mes yeux s'ouvrent en grand et je pose ma main sur ma bouche pour contenir un sentiment mêlé entre l'hilarité et l'horreur. Parker part vers le comptoir sans même se rendre compte de ce qui se passe autour de nous. Depuis hier, il n'a pas décroché un mot. Et les deux blondinets continuent de s'étriper du regard au milieu de l'agitation des nouveaux visiteurs qui prennent connaissance des lieux.

— Sophia, fait Élodie en me voyant m'approcher et ses yeux sont grands ouverts, comme un enfant qui aurait fait une bêtise.

— Vous vous êtes mariés ? je leur demande et c'est l'hilarité qui prime, un sourire orne mes lèvres.

— Pas de façon consentie.

— Quoi ? Non mais je rêve ! s'exclame Collin en écartant grand les bras. Qui est venu dans ma chambre me demander du réconfort avec une bouteille de vodka ?

Je me marre franchement maintenant que ma meilleure amie pose sa main sur sa poitrine en battant des cils, l'image de l'innocence incarnée.

— Je voulais que tu me baises, pas que tu m'épouses !

Oh mon dieu. Je détaille les gens autour de nous en me pinçant les lèvres et quelques touristes comprennent mieux l'anglais que ce que l'on peut imaginer.

— Il se passe quoi ici ? nous interroge Parker en rejoignant notre petit groupe.

— Mec, je me suis marié avant toi, lui lance Collin, tout sourire, en levant sa main ornée.

Bon sang. Il ne manquait plus que ça pour le faire exploser. Inutile de mentionner que mon fiancé ne félicite pas son ami et qu'il se renferme encore un peu plus – si c'est possible – sur lui-même.

— Mais t'es content de toi en plus ! l'engueule Élodie. Tu crois que je veux être marié avec un coureur comme toi ?

— Je me suis rangé pour toi, bébé, lui lance-t-il en l'enlaçant de force.

Elle dépasse à peine de ses épaules quand il nous tourne le dos en l'emmenant vers la sortie mais j'entends toujours sa voix perçante qui vocifère.

— Super ! Au moins des gens heureux de se marier à Las Vegas, lance sèchement Parker à mon attention avant de les suivre.

Cette ville devient mon enfer personnel, il est temps qu'on la quitte.

Chapitre 42

Nous franchissons tous ensemble les portes de l'appartement d'Élodie. Après ce dernier verre, il sera déjà temps pour nous de boucler nos valises et de rentrer à New York. Et les cinq heures de voiture ont été longues. Je me suis assise à l'arrière avec ma meilleure amie qui a préféré dormir plutôt de passer du temps avec moi tandis que les garçons parlaient sans joie. Enfin, Collin ricanait de sa nouvelle union et Parker serrait et desserrait les dents de manière anecdotique.

— Élodie ! je l'interpelle alors que je la suis vers sa chambre dans le couloir.

— Oui, elle me sourit mais je vois d'ici que son sourire est faux.

— Ne sois pas comme ça, je la supplie en attrapant sa main.

Elle garde le silence sans détourner les yeux mais je le vois, elle est vide.

— Je suis là pour toi, je le lui rappelle.

— Ne te voile pas la face, tu es là pour ton frère, Alex et ton neveu maintenant, chuchote-t-elle.

— Tu dis n'importe quoi, je soupire.

— Non Soph', elle me coupe et ses lèvres sont pincées. Tu vas être la meilleure tatie du monde.

— Élodie, arrête. Tu sais très bien que je peux être ta meilleure amie et la tante de leur enfant.

— Tu ne te mets pas à ma place ! elle me reproche à mi-voix pour que les garçons ne nous entendent pas.

— C'est toi qui ne te mets pas à ma place ! je m'agace. Tu ne vas pas recommencer Élodie. Je t'aime. Et j'aime mon frère. Je vous encourage tous les deux. Je vous souhaite du bien à tous les deux. Je vous choisis tous les deux. C'est très triste que vous ne soyez plus ensemble mais tu ne peux pas lui reprocher toute sa vie d'avoir refait sa vie.

À nouveau, elle est murée dans le silence et je commence vraiment à en avoir marre de ne parler qu'avec des muets ces derniers temps. Mon frère ne m'adresse plus la parole. Mon fiancé ne m'adresse plus la parole. Et voilà que ma meilleure amie s'y met.

— Il est hors de question qu'on revienne cinq ans en arrière, tu m'entends ? je chuchote en tirant sur sa main pour attirer son attention. Élodie, tu ne peux pas me faire ça encore une fois.

Elle avale difficilement sa salive en acquiesçant et des larmes commencent à perler sur ses longs cils alors elle se met à ciller pour les chasser. Dans un mouvement, je l'attire contre moi et la serre dans mes bras en lui frottant le dos, les lèvres à deux doigts de son oreille.

— Je t'aime, Élodie. Je veux que tu refasses ta vie et que tu sois aussi heureuse que moi, je l'encourage. Et que tu le veuilles ou non, Collin est un homme vraiment bien.

Elle cherche à se détacher mais je raffermis ma prise autour d'elle.

— Laisse-lui une chance, au moins une.

Ses épaules s'affaissent et je soupire en frottant ses épaules et son dos, les yeux levés vers le plafond pour contenir mes propres larmes. La fin de cette semaine magique est devenue bien trop éprouvante pour moi.

— Je t'aime, marmonne-t-elle dans mon oreille.

— Moi aussi. Même quand tu m'emmerdes.

Chapitre 43

Un mois plus tard, mon monde est toujours incomplet même si mon fiancé a enfin décidé de se reprendre. Nous avons rendez-vous ce soir avec une wedding planner pour m'aider à ne pas perdre pied dans l'organisation d'un mariage où mon frère refuse toujours de venir. Je n'ai pas eu de ses nouvelles, hormis celles données par mon meilleur ami et par sa femme.

Parker insiste pour que l'on se marie en mai. Nous sommes en décembre. Mais ça lui tient particulièrement à cœur de s'unir à moi au plus vite, dans une limite raisonnable. Et comme les couples sont faits de compromis, j'ai accepté. Après tout, pourquoi attendre un an ? Ce n'est pas comme si nous devions économiser... Et puis le mois de mai offre un panorama magnifique sur Central Park. Et c'est opportun, puisque nous nous marierons au vingt-sixième étage du Monumentum, un hôtel cinq étoiles dont la salle de réception a une vue imprenable sur mon endroit préféré au monde.

— Ça va toi ? s'enquiert Sarah en s'asseyant dans la chaise en face de moi. C'est ce soir votre rendez-vous chez la wedding planner, non ?

J'acquiesce et elle me fait un grand sourire.

— Est-ce que je fais partie de ta liste de demoiselle d'honneur ?

J'ouvre de grands yeux et je sens mes joues s'empourprer. Comment choisit-on ses demoiselles d'honneur ? Je croyais que cela s'arrêtait aux amis proches et à la famille.

— Invite-moi au moins à ton enterrement de vie de jeune fille ! elle me supplie en battant des cils.

Il était évident pour moi qu'Élodie soit ma demoiselle d'honneur. Comment faire autrement ? Mais combien doit-on en choisir au juste ?

— Comment va la plus belle fiancée de Manhattan ? nous interrompt Garreth, sur le pas de ma porte.

Il sort de son rendez-vous avec Parker. J'esquisse un sourire et ce beau brun aux yeux noirs réduit l'espace entre nous pour m'enlacer joyeusement.

— Et toi ? je lui demande en m'éloignant. Tu as déjà acheté ton smoking j'espère, je le taquine en lui pinçant le bras.

— J'ai déjà un smoking.

— Mais mon thème, c'est le rose pâle, je lui mens en faisant la moue.

Il fronce les sourcils au-dessus de ses yeux, l'air dépité et j'éclate de rire.

— Et avec qui vas-tu venir ? je l'interroge en croisant mes bras sous ma poitrine.

— Tu veux vraiment que je ramène une nana à ton mariage ? me demande-t-il, dubitatif.

Garreth est la version new-yorkaise de Collin, à l'exception près qu'il soit brun. Je suis d'ailleurs étonné qu'il ait évoqué une nana et non un plan cul. J'imagine que Parker lui a dit de ne surtout pas m'en faire part.

— Il est hors de question que tu sautes une fille dans les toilettes, je le réprimande en le noircissant du regard.

Ses yeux regardent au-delà de mon épaule et je rougis d'avoir oublié que Sarah était toujours là. Décidément, elle en sait bien plus sur nous tous que ce que l'on veut bien lui divulguer.

— Ne vous en faites pas pour moi, marmonne-t-elle en faisant mine de ranger des piles de papier sur mon bureau, cramoisie.

— Pourquoi tu n'accompagnerais pas Sarah ? je lance d'un coup. Elle non plus n'a pas de cavalier.

— Tu m'invites ? s'écrit celle-ci, surexcitée.

Je lui fais les gros yeux afin que l'information ne circule pas trop dans les bureaux. Sarah est partisane de notre relation depuis le début, elle nous encourage et c'est devenu une copine, au fur et à mesure du temps. Pas jusqu'à lui demander d'être ma demoiselle d'honneur, mais il est évident qu'elle pourrait venir à notre mariage. Et si elle pouvait éviter que Garreth ramène n'importe qui, c'est le pactole.

— Trop cool ! s'exclame-t-elle en réalisant une petite danse de la joie.

Ce dernier me lance un regard lourd de sens et je le gratifie d'un sourire en appuyant ma main sur son épaule. Ces deux-là doivent bien avoir dix ans de différence.

— Elles ne sont pas beaucoup plus vieilles d'habitude, je le charrie à mi-voix.

Il lève les yeux au ciel et détourne son attention dans le couloir. Mon fiancé arrive à son tour sur le pas de la porte.

— Qu'est-ce qui se passe ? me demande-t-il, concerné.

Sa standardiste continue de se déhancher sur un rythme qu'elle seule peut entendre.

— Garreth sera le cavalier de Sarah à notre mariage, cool non ?

Parker retient difficilement son hilarité en pinçant ses lèvres et de légères secousses parcourent son corps alors qu'il pose une main sur l'épaule de son ami et qu'ils échangent un regard lourd de sens.

— Très bonne idée, conclut-il en me faisant un sourire. J'ai hâte de vous voir assortis, plaisante-t-il en les regardant tour à tour.

— Sarah ! je l'appelle pour qu'elle se calme.

— Un café ? propose-t-elle en époussetant sa jupe et en replaçant ses cheveux.

Je jette un coup d'œil vers l'ami de mon futur mari et celui-ci continue de pincer les lèvres, entre l'amusement et l'exaspération.

— Ça va aller, marmonne-t-il en inspirant profondément.

Sarah nous sourit et s'éclipse dans le hall, à son poste.

— Ça va pas ? me demande-t-il alors que nous nous engouffrons tous les trois dans le bureau de Parker.

— Garreth, je ne veux pas que tu me ramènes un plan cul à notre mariage ! je le contrains. Et que je sache, tu n'as aucune petite amie officielle à l'heure actuelle.

— Parker, tu te rappelles ce que c'est que des couilles ? Ce serait sympa que tu t'en serves !

Celui-ci pose un bras autour de mes épaules et reste ferme.

— Mec, on t'a pas dit que tu devais coucher avec elle.

— Tu peux draguer qui tu veux ! j'acquiesce vivement. Mais il me faut un nombre pair, et si tu viens seul, je suis déséquilibrée pour mon plan de table.

— Vous vous foutez de moi ? ricane-t-il.

— Un peu, je lui souris. Sarah veut venir à ce mariage. Et je ne veux pas qu'elle ramène un inconnu.

Il lève les yeux au ciel puis me pointe du doigt.

— Tu me promets qu'il y aura tes copines sexy ?

— Bien sûr.

Je lui mens délibérément. La seule amie sexy que je compte inviter, la seule amie tout court d'ailleurs, c'est Élodie. Et que je sache, Collin est toujours sur le coup même si elle veut à tout prix divorcer.

— Bon, OK, obtempère-t-il. Ce que je ne ferais pas pour vous.

— Pour mon plan de table ! j'insiste alors qu'il m'étreint.

Il grogne un peu dans mon oreille et finalement, Parker le raccompagne dans le hall, amusé.

— Tu sais que tu lui as menti, n'est-ce pas ? me dit-il une fois revenu.

— Bien sûr, je répète en lui souriant largement.

Il se met à rire et ses bras m'enserrent tendrement. Du couloir, je distingue Sarah toujours tout sourire alors qu'elle flâne sur son ordinateur.

— Tu as eu une bonne idée de l'inviter, me souffle Parker à l'oreille.

J'acquiesce, l'air de dire que je sais. Sarah est plus qu'une collègue et moins qu'une amie proche. Mais je donne si peu ma confiance qu'il est difficile d'être catégorisée dans la seconde proposition. Alors j'imagine pouvoir dire qu'elle est une amie. C'est la seule avec qui je discute au bureau, on se taquine, elle me fait rire et me parle de sa vie privée. C'est ce qui se rapproche d'une copine, non ?

Chapitre 44

— Donc si je résume correctement, nous partons sur un évènement privé au Momentum, d'une centaine de personnes.

Il est risible d'employer le mot privé quand on invite une centaine de personnes à son mariage. Si ça ne tenait qu'à moi, on serait bien moins, mais Parker a une très grande famille comparativement à la mienne. Et j'y ai compté Josh, bien qu'il ait officiellement annoncé qu'il ne viendrait pas. Je suis meurtrie, mais il me reste encore cinq mois pour le faire changer d'avis.

— Vous savez déjà sur quel type de décoration vous souhaitez partir ? nous questionne-t-elle derrière son immense bureau.

La pièce dans laquelle on se trouve est un ramassis de rose, de blanc, de plumes et de fleurs. Une arche orne même le mur qui nous fait face, comme si on pouvait oublier qu'on venait préparer une cérémonie de mariage.

— Du sobre, lâche Parker après que nous ayons échangé silencieusement, par regard interposé.

Je refuse de voir des plumes roses lors de notre jour. Il est aussi hors de question de mettre une jarretière ou de faire la danse des canards.

— Oui, des tons pâles, beaucoup de blanc, j'insiste.

Elle note consciencieusement dans son carnet et j'avale difficilement ma salive. À voir son bureau, je doute qu'elle sache faire quelque chose de ce genre mais les avis sur elle sont réputés à Manhattan, alors je suis bien obligée de lui faire confiance. D'autant plus que je vais devenir folle si je dois me taper des détails du type couleur coquille d'œuf ou blanc cassé. Elle fera une première sélection, et je n'aurais plus qu'à me pointer à des rendez-vous précis auxquels elle nous aura conviés une fois les détails insignifiants décidés. Ma robe de mariée et le gâteau n'en font évidemment pas partie.

— Pourquoi avoir choisi le Momentum ? nous demande-t-elle après avoir longuement observé son carnet. Vous auriez pu choisir une salle à Brooklyn, pour une magnifique vue sur Manhattan.

J'entends Parker ricaner. C'est un homme de Manhattan. Son engouement n'est pas énorme pour le nouveau repère à hippie de la grosse pomme. Mais évidemment, cela avait aussi été envisagé.

— On a un fort attrait pour Central Park.

Et c'est vrai. Je suis amoureuse de ce poumon au cœur de la jungle urbaine tant et si bien que je passe de longs moments à notre baie vitrée pour l'observer à toute saison. Et en ce moment, son grand manteau blanc me subjugue chaque matin.

— Je disais ça pour l'originalité, me rétorque-t-elle dans un sourire.

— Il n'y a plus rien d'original à Brooklyn, la contre Parker. Tout le monde ne jure déjà plus que pour ce borough.

Elle nous sourit joyeusement comme pour éluder le sujet.

— La réservation est déjà faite pour le 15 mai, de toute façon.

— Parfait alors, nous sourit-elle. Dois-je également prendre en charge vos EVJF et EVG ?

Nos regards se croisent et j'ouvre les yeux, un peu médusée. Est-ce qu'on va vraiment en passer par là ? Je veux dire, est-ce qu'on va vraiment me mettre une banderole, une couronne et un tutu en me faisant déambuler dans une limousine ?

— Je pense que nos amis sont plutôt imaginatifs, dit Parker plus à mon attention qu'à la sienne, les sourcils froncés comme s'il me demandait mon avis sur la question.

C'est bien ce dont j'ai peur puisque Garreth et Collin sont en charge de l'organisation de son enterrement de vie de garçon. Eux-mêmes sont encore de vrais gamins ! Il va certainement se retrouver avec une strip-teaseuse sur les genoux, je grimace à l'idée.

— C'est encore à définir, je réponds à notre prestataire après avoir noirci mon fiancé du regard.

Il est hors de question qu'un homme en string danse sur moi, je dois absolument appeler Élodie dès que possible.

— Et concernant les fleurs, quelles sont vos préférences ?

— Est-il possible que vous me fassiez plusieurs propositions ? je lui demande en grimaçant. Je suis totalement perdue, je n'ai vraiment pas d'idée précise.

Pour faire suite à ma confidence, elle me gratifie d'un sourire alors que Parker prend ma main dans la sienne, l'air soucieux. Il m'interroge du regard et je secoue la tête. Il n'y a pas d'inquiétude à avoir. Je n'ai simplement jamais été des petites filles à rêver son mariage depuis l'enfance, en imaginant partir sur un cheval blanc. En réalité, j'ai même longtemps été contre l'idée. Mais j'ai ensuite rencontré Lucas et je ne pouvais plus imaginer par la suite de ne pas me marier. Je rêvais de me voir en robe blanche descendre l'allée jusqu'à lui, mon frère à ses côtés… Je retire brusquement ma main, honteuse d'avoir eu cette pensée. Parker me sonde et je lui souris tendrement, mais au fond, je me sens mal.

Mon frère ne sera pas sur l'autel à nos côtés. Et Lucas ne sera pas celui en costume qui m'attendra, prêt à lier sa vie à la mienne.

— Tu es silencieuse depuis le rendez-vous, me fait remarquer Parker dans la voiture.

— Non.

Son regard m'interroge silencieusement alors que ses sourcils s'arquent au-dessus de ses yeux.

— Josh refuse toujours de venir, je regrette en me mordant l'intérieur de la joue.

Sa main cherche ma joue pour y déposer une caresse réconfortante tandis qu'il continue de conduire entre les buildings.

— Tu devrais l'appeler.

Il m'encourage, bien qu'il soit parfaitement au courant de la raison pour laquelle mon frère refuse de venir. D'abord, je l'ai désinvité. Et finalement, je l'ai rappelé à mon retour de Californie pour lui faire savoir combien ça comptait pour moi qu'il soit présent. Et il a simplement refusé mon invitation. Josh ne viendra pas, et ça me brise le cœur. D'autant plus qu'il refuse de venir, par égard pour Lucas. Mais ça, je me suis retenue de l'avouer à mon fiancé. Comment pourrait-il réagir bon sang ? Qui fait ça ? Personne. Je suis tellement en colère, et en même temps, profondément triste.

— Il refuse de décrocher.

— Alors retourne le voir.

— Tu penses ? je lui demande d'une petite voix.

— Sophia, c'est ton frère. Il ne peut pas ne pas venir.

Je me mords les lèvres en triturant mes doigts et finalement, sa main peigne mes cheveux en arrière avant de masser tendrement ma nuque.

— J'irai dans la semaine.

— Tu veux que je vienne ? il s'enquiert.

— Non, je lui refuse, mal à l'aise. Je vais essayer de régler ça seule si ça ne te dérange pas.

Il me lance un sourire rassurant en coin alors que la voiture tourne finalement dans l'avenue qui mène à notre appartement.

Le mariage est dans cinq mois, j'ai encore l'espoir de faire changer Josh d'avis. C'est une tête de mule butée, mais il ne peut pas me faire ça. Si ? Une boule se forme dans mon estomac car je redoute déjà le moment où je vais monter l'escalier qui mène à leur palier. Alex n'est plus qu'à un mois et demi du terme maintenant. Je ne veux pas l'inquiéter plus que nécessaire… Même si j'imagine sans mal qu'être entre mon frère et moi doit lui infliger beaucoup de soucis au quotidien. Merde, je n'ai pas envie qu'elle perde les eaux à cause d'une de nos disputes.

Chapitre 45

L'échéance arrive pourtant plus vite que ce à quoi je m'attendais, et bien que Kevin m'ait encouragé à faire le premier pas auprès de mon grand frère, j'ai un nœud à l'estomac depuis ce matin, quand, devant mon café, j'ai décidé qu'il était temps de prendre le taureau par les cornes.

Deux semaines sont passées, et je n'ai pas vu le temps qui passe. Enfin, c'est ce que j'aime à me faire croire. Je suis simplement une froussarde qui a peur de se faire rabrouer encore une fois.

Alex m'accueille sur le pas de sa porte, les yeux presque livides et les lèvres tordues en un sourire bizarre.

— Sophia, me salue-t-elle, gênée.

Elle jette un coup d'œil à l'intérieur de l'appartement et je fronce les sourcils.

— Alex, ça va ? je m'inquiète en remontant son sac à main sur mon épaule pour occuper mes mains vides.

Ma belle-sœur ne me serre pas dans ses bras, elle tient le chambranle en se pinçant les lèvres mais son visage est tendu. Et je n'ai jamais vu Alex comme ça. Elle a rétrospectivement toujours été la personne la plus joyeuse dans ma vie. Même dans les heures sombres de mon frère, elle a été rayonnante pour notre famille. Et si je devais me vanter, je pense même qu'elle m'aime bien.

— Bien sûr, désolée, marmonne-t-elle en m'étreignant et sa main frotte mon épaule plus que nécessaire. Chéri, c'est Sophia !

— Tu ne m'invites pas à entrer ? je lui demande, un peu amusée.

À nouveau, ses lèvres rose vif se pincent et ondulent sur son visage soucieux et elle soupire lourdement en ouvrant la porte plus grand pour me céder le passage. Mon frère n'a fait aucun commentaire. Est-il si en colère que ça pour qu'elle ait cette attitude étrange ?

— Tu es bizarre Alex, je raille en avançant dans l'appartement, la tête tournée vers elle. Énorme aussi.

Son sourire s'excuse presque à ce moment-là et je détourne les yeux pour trouver mon frère et Lucas, attablés autour d'une bière.

— Ah d'accord… je ricane nerveusement.

Les deux sont tournés vers moi et c'est à mon tour de presser les lèvres honteusement en restant plantée là, au beau milieu du salon.

— Ça va ? me demande Josh, toujours assis dans son canapé.

— Très bien, je réponds plus sèchement que nécessaire. Désolée, je pensais que vous étiez tous les deux, je repasserai.

— Tu peux rester, m'interrompt ma belle-sœur une fois nous avoir rejoints.

— Si tu veux, je peux sortir le temps que tu leur parles, me propose mon ex, grand seigneur.

— Tu n'as aucune raison de partir, le rabroue Josh.

Il se lève quand même et je reste statique. Je n'ai pas vu Lucas depuis plusieurs mois maintenant, et pourtant, ma réaction reste à chaque fois la même. Mon cœur s'accélère, j'ai les mains moites, et mes jambes peinent à ne pas flancher.

— Vous n'êtes pas des gosses, vous pouvez rester tous les deux dans ce putain d'appart' dix minutes ! siffle mon grand frère.

— Josh, le sermonne Alex en s'asseyant.

J'imagine que porter un ventre pareil ne doit pas être de tout repos. Surtout quand on lui cause autant de soucis... Lucas s'arrête juste à côté de moi et ses doigts effleurent presque les miens.

— On fête ce putain de huitième mois, alors vous allez rester tous les deux, ici, gronde-t-il en faisant claquer sa bière sur la table basse.

J'obtempère en le voyant si en colère et vais m'asseoir à côté de ma belle-sœur tandis que Lucas va reprendre sagement sa place.

— Et Sophia, va te chercher une bière !

À nouveau, je m'exécute après avoir posé mon sac contre le dossier du canapé. Josh est vraiment furieux. Ses yeux sont noirs, son visage est contracté de toutes parts. Et je suis touchée qu'il veuille m'avoir à leurs côtés pour célébrer les huit mois de grossesse. Plus qu'un, et mon neveu sera parmi nous, s'il ne décide pas de pointer le bout de son nez avant. Quand je reviens dans le salon, mon ex petit ami boit docilement sa bière, sans s'être affalé dans les coussins, comme s'il restait sur le qui-vive.

— Tu bois ? je m'étonne en voyant la bouteille ambrée devant Alex.

Je l'enjambe pour me rasseoir à ma place, juste à côté de Lucas sur l'angle de leur canapé. Et l'ambiance est juste, extrêmement pesante. Josh a l'air toujours aussi irrité et j'évite de laisser mes yeux dévier sur lui trop souvent. Ils sont trop occupés sur les genoux de mon ex qui frôlent les miens selon nos positions.

— Sans alcool, grommelle-t-elle en me la tendant pour pointer l'étiquette du doigt.

— Quelle vie triste, je tente de plaisanter.

Elle caresse amoureusement son ventre en l'observant et je suis sûre qu'à cet instant, elle ne songe pas une seconde au fait que sa bière contienne ou non un pourcentage d'alcool. Non, elle irradie l'amour.

— Vous ne nous avez toujours pas dit le prénom ! je leur rappelle.

— Et vous ne le saurez que quand il sera là.

Alex a l'air très fière de sa décision mais moi, j'en ai marre de l'appeler « le bébé » ou « il » alors je fais la moue et cette petite effrontée se contente de remuer son doigt sous mon nez en guise de refus d'obtempérer.

— Tu ne veux toujours pas toucher mon ventre ?

— Non, tu sais que ça me terrifie, je grimace en me décalant imperceptiblement quelques centimètres sur ma gauche.

— C'est la nature Sophia, ricane Alex.

— Est-ce qu'on peut me mettre dans le coma durant toute la grossesse ?

Elle fronce les sourcils et se met à rire. Ce n'est pas drôle. J'ai vraiment peur d'être enceinte. Et quand je détourne la tête, l'attention de Lucas et Josh sont posées sur moi, leurs bières toujours à la main. Mon grand frère me couve du regard sans paraître en colère, tandis que Lucas pose toujours le même sur moi. Il déborde d'amour, littéralement. Et j'avale difficilement ma salive sans pouvoir le lâcher des yeux, troublée de le voir faire.

— Tu deviendras grosse, comme tout le monde, affirme ma belle-sœur.

— Elle sera parfaite.

Je lève les yeux vers mon frère, ébahie.

— Merci, je murmure en détournant le regard, mal à l'aise.

Alex lui sourit d'un air reconnaissant avant de reposer son attention sur moi et de prendre mon genou dans sa main, encourageante. J'imagine qu'elle voit que je réprime mes larmes. Parce que tout à coup, je me sens seulement entourée d'amour, et heureuse. Alex porte mon neveu, grâce à Dieu tout va pour le mieux et elle et mon frère sont heureux ensemble. Josh semble ne plus m'en vouloir à mort et Lucas… Je me sens simplement heureuse quand il est là, que je réfrène ce sentiment ou pas. Je ne peux pas m'en empêcher.

Et l'espace d'un instant, j'ai l'impression d'être dans une dimension parallèle où nous serions restés ensemble. Et c'est à cela qu'aurait pu ressembler ma vie si on ne s'était pas séparés. Et c'est terriblement réconfortant.

— Oh non, ne pleure pas, regrette Alex en se penchant vers moi comme si elle allait me câliner.

Mais ce n'est pas son bras qui m'agrippe le premier. Il me serre contre lui en passant son coude derrière ma nuque pour me plaquer contre son flanc, dans le creux de son épaule. Comme s'il ne voulait manquer ce moment pour rien au monde, comme s'il ne voulait me laisser à personne d'autre. Et mon cœur s'emballe parce que moi aussi, j'avais besoin de ça. Je ne le savais pas, mais lui le savait pour moi. Parce qu'il me connaît mieux que quiconque.

— Ne me fais pas ça, murmure-t-il en enlaçant son deuxième bras autour de moi.

Je lève les yeux vers lui en voyant qu'il s'est tourné pour entièrement me faire face.

— Ne fais pas de bébé avec lui, il me supplie presque en dégageant les mèches mêlées aux larmes sur mon visage. Je ne peux pas accepter une seconde que ton corps appartienne comme ça à quelqu'un d'autre que moi.

Les larmes continuent de dévaler mes joues et une boule entrave ma gorge ; je suis incapable de parler mais je le ressens, juste au fond de moi.

— Marie-toi avec moi. Aie des enfants avec moi Sophia.

Il dépose un baiser sur le sommet de ma tempe et à nouveau, ses bras m'entravent pour me serrer contre lui, comme s'il me berçait tendrement.

— Je t'en supplie, soupire-t-il en déposant à nouveau ses lèvres dans mes cheveux.

Je ferme les yeux pour respirer son parfum et mes mains sont compressées entre sa poitrine et la mienne, tremblantes. Je veux que le temps s'arrête. Parce que cette dimension-là est mon rêve absolu. Partager un dîner avec mon frère et ma belle-sœur, mon neveu, être avec Lucas et projeter nous-mêmes des enfants. C'est ce que j'ai toujours voulu.

Je me hais de ressentir ça. Je déteste le fait de me sentir grisée par cette situation et le bonheur qui fourmille dans mes membres. Je l'aime. Je l'aime tellement, je l'aime depuis le premier jour. Et je me sens tellement coupable de ressentir ça. Alors que Parker est à la maison et… que je l'aime aussi.

Mon cœur est entre deux feux, et c'est insoutenable.

Je serre le pull de Lucas entre mes ongles en l'attirant un peu plus contre moi, mon front posé contre sa clavicule et l'adrénaline pulse dans tout mon corps. Alors qu'une partie de moi devient hystérique de bonheur à l'idée de relever la tête pour l'embrasser et arrêter de reculer l'inévitable, l'autre, le petit ange qui siège sur mon épaule droite, me rassérène pour ne pas bouger ; profiter du moment, savourer les souvenirs passés, ressasser les moments où nous étions heureux avant de lui dire définitivement adieu.

— Je t'aime, murmure-t-il en prenant brusquement mon visage entre ses mains. Sophia je t'aime, ne me fais pas ça.

Mes yeux cherchent les siens sans arriver à les trouver car ils sont perdus, lointains, comme s'il était possédé. Comme s'il était autant au bout du rouleau que moi.

J'inspire profondément et pose mes lèvres sur le coin des siennes lentement, lourdement. Et ça résonne en moi comme un baiser d'adieu, juste un dernier. Sa bouche prend possession de la mienne quand je fais mine de m'écarter et mon cœur fourmille d'enchantement car il ne me laisse pas partir. Ses mains sur mes joues, il ne cesse ses assauts dans l'embrasure de mes lèvres et j'accroche désespérément son pull, pour ne plus le laisser me quitter.

Mais c'est la vraie vie qui m'arrache à lui quand je recule à brûle-pourpoint, à bout de souffle. Ma main saisit mon sac à main et je suis soulagée de voir qu'Alex et Josh nous avaient quittés. Je ne sais depuis combien de temps. Mon cœur tambourine dans ma poitrine et je file vers la porte d'entrée, déchirée entre deux eaux. Des pas résonnent derrière moi dans la cage d'escalier que je descends en trombe et sur le palier du deuxième étage, Lucas me bloque à nouveau brutalement contre le mur en écrasant son corps contre le mien, ses lèvres contre les miennes. Ma langue va à la rencontre de la sienne alors que je le serre contre moi, mes bras pendus à son cou. Je le redécouvre, j'ai mal au cœur, je l'aime, je pleure, je le repousse. Son entrejambe s'appuie contre mon ventre. Il me désire, je l'aime, ses mains sur moi.

— Reste avec moi.

— Je vais me marier, je le lui rappelle, le visage embrumé par les larmes.

— Sophia, je t'en supplie, reste avec moi, soupire-t-il en tenant mes joues en étau.

Je le regarde attentivement et tout comme moi, il est dans l'attente. Un ange passe. Je l'aime depuis toujours. Ma mâchoire trouve appui contre sa paume et je me laisse aller parce que ce monde me convient et j'aimerais en profiter, juste un instant.

— Je te partagerai avec lui, murmure-t-il en caressant ma fossette du pouce. Si tu as besoin de temps pour voir que je suis digne de toi, fais-le.

Je fronce les sourcils, pas bien sûre de comprendre.

— Reste avec lui. Mais reste avec moi aussi.

— Lucas, tu débloques.

— Non. Tu l'aimes aussi ; reste avec lui. Mais accepte de dîner avec moi. Passe du temps avec moi et tu verras que j'ai changé.

Il dépose à nouveau ses lèvres contre les miennes, alors que je l'observe faire, médusée. Et sa main appuie mes doigts sur sa poitrine, à l'emplacement de son cœur.

— Je ne peux pas te laisser partir encore une fois.

Mes cils battent la mesure et font déverser les dernières larmes qui s'étaient abandonnées au coin de mes yeux. Je ne pleure plus. Je suis étonnamment calme. Calme et concentrée sur l'homme qui me fait face. Mais à l'intérieur, une explosion balaye tout sur son passage parce que je songe à sa proposition. Et mon cerveau n'est plus qu'un ramassis de sentiments tapis dans le fond de mon esprit.

— Lucas et Parker ? je murmure.

— Il n'est pas obligé de savoir.

Sa main caresse ma joue et dégage mon visage des mèches rebelles qui l'encombrent. Je me sens honteuse, survoltée et stupéfaite. Les sentiments sont mêlés et ma conscience ressemble à un petit ange qui se tape le crâne, désespérée.

— Ça a toujours été toi et moi, insiste-t-il en effleurant l'angle de ma mâchoire. Tu es ma vie.

Ma respiration fait se soulever ma poitrine calmement. Je suis toujours aussi calme en apparence. Mes pupilles détaillent mon ex-petit ami tendrement. Parce que c'est la seule chose que je ressens à présent, en le voyant si dévoué, si acculé par ses sentiments. Nos sentiments réciproques. J'aimerais toujours cet homme. Je lui pardonnerais toujours. Quoi qu'il advienne, ma vie est liée à la sienne pour l'éternité.

— Laisse-moi y réfléchir, je lui demande en palpant son torse.

Je fais venir mon regard de l'emplacement de mes mains, jusqu'à son visage et le bout de mes doigts palpent le tissu rêche alors que je détaille ses lèvres avec envie.

— D'accord, il abdique en touchant ma lèvre inférieure.

Je lui en suis reconnaissante. Car une supplique de plus, et je n'étais même plus sûre de pouvoir rentrer.

— Il faut que j'y aille.

Je n'ai aucune envie de quitter ses bras ; de le quitter de nouveau. Il ferme les yeux un instant, comme s'il souffrait atrocement et finalement, sa tête oscille de haut en bas pour acquiescer, à regret et ses yeux soutiennent les miens. Mon cœur bat toujours aussi fort dans ma poitrine et alors qu'il ne fait pas un mouvement, je me presse à nouveau contre lui pour un ultime baiser. Dieu sait quand je pourrais le revoir. Dieu sait si après une nuit de sommeil, je déciderais de le revoir. Alors j'en profite, tout simplement. Je garde notre bulle quelques secondes de plus et mes doigts serrent férocement sa nuque. Est-ce que je vais le revoir ? Est-ce que cet homme est ma vie ?

— Je dois y aller, je murmure contre ses lèvres.

— Je sais.

Je ferme les yeux et inspire profondément avant d'expirer en me reculant, tremblante. J'ai peur de partir et de faire le mauvais choix. Tout comme je crains de rester et de prendre la mauvaise décision. Il recule négligemment d'un pas mais je lis la torture l'ensemble de ses traits. Je dois partir, c'est insoutenable. J'agrippe mon sac à main, lui lance un dernier regard, puis prends la direction du rez-de-chaussée, les mains tremblantes. Il respecte mon choix et ne me poursuit pas, mais je me sens vide. Parce que je ne me sentais entière que dans ses bras.

Chapitre 46

J'éteins volontairement mon téléphone quand j'arrive à destination. Mon ventre n'est qu'un énorme nœud, mes larmes ont cessé de couler, mais je me sens presque étourdie. Je suis étourdie depuis une heure. Une heure à marcher dans les rues, ou plutôt à errer. Mes pieds sont douloureux, mon visage est tiré par le froid, et mon cœur est en mille morceaux. Il est vingt et une heures, les abords des trottoirs se couvrent à mesure par les énormes flocons qui volettent sur la ville et les décorations de Noël illuminent toutes les vitrines des boutiques. Je n'aime pas la période de Noël, ou du moins, je ne l'aime plus. Ma mère est partie durant ces vacances-là. Son cœur balançait entre deux hommes. Et je me hais de réaliser que je suis dans la même situation qu'elle, que je suis ses traces contre mon gré. Mais elle, elle a abandonné également deux enfants… Et sans le savoir, un enfant qui n'aura jamais de grand-mère maternelle.

Mes fesses se déposent sur un banc et mes yeux se rivent sur le lac de Central Park. En été, des amoureux sinuent le long du canal dans des barques au milieu des cygnes et des canards. En hiver, il est simplement morne. Personne ne veut naviguer au milieu des amas de glace qui se forme à cause des températures réfrigérantes de la ville. Je suis congelée et pourtant, je suis incapable de rentrer chez moi. Chez Parker.

Je l'aime tellement. J'aurais aimé être comme lui, sans aucun passé, pour pouvoir profiter pleinement et sans restriction de notre relation. Je me sens coupable, et je me hais d'avoir embrassé Lucas. Parce que je suis persuadée au plus profond de moi que Parker a toujours été un homme droit envers moi. Il n'est pas tout blanc, il a sûrement fait beaucoup de mal aux femmes par le passé. Mais il a toujours été irréprochable envers moi. Son amour est sincère et intense. Ses yeux pétillent quand il me voit et je sais que je le regarde la même manière. Pas depuis quelques semaines, parce que mon esprit est entaché. Mais ça ne m'empêche pas d'être amoureuse de lui et de l'homme qu'il est. D'être un amant exceptionnel, un patron incroyable et un homme admirable.

Les hommes qui ont fait face à Lucas ont tous été balayés durant mes années d'étudiante comme de vulgaires feuilles mortes qui ne tiennent qu'à peine aux branches. Mais mon histoire avec Parker est différente. Je l'aime différemment. Ce n'est pas une amourette, ou juste un pansement. Il n'est en rien une distraction. Je suis tombée amoureuse de lui rapidement. Et il m'a laissé une place dans sa vie sans aucune retenue. C'est authentique et réel. Mais à cause de moi, notre relation n'est plus loyale alors même que ma décision n'est pas prise.

J'aime Parker. Il est calme, réfléchi, adulte. J'adore son insolence, son honnêteté, ses attentions, sa sincérité. Il n'a jamais tenté de me cacher qui il était réellement et je n'ai jamais eu besoin de faire semblant d'être une personne différente pour lui plaire. Il m'a accueilli à bras ouverts dans toutes les facettes de sa vie. Et mon cœur se brise à l'idée même de le quitter.

Mais Lucas c'est… Mon premier amour, ma première déception, mon meilleur ami comme mon meilleur ennemi. Il ne fait pas semblant d'être quelqu'un d'autre. Il n'hésite pas à me dire tout, même ce qui peut me faire du mal et ne cède pas à mes caprices. Il s'énerve, hausse le ton, m'engueule. Et j'en fais de même. Il a été un père adorable pour Milla et a su rattraper ses erreurs. Il mûrit, en même temps que moi. Il est brisé au fond de lui, par l'abandon, comme moi. Il n'est pas parfait, mais moi non plus. On a grandi ensemble. On a évolué tous les deux. Et quand je vois qu'il est prêt à tout pour me récupérer, mon cœur fond.

Je suis déchirée de ne pas lui céder tout de suite parce qu'il est mon âme sœur et que j'ai autant mal que lui. Mais je ne peux pas ignorer et renier ma relation avec Parker. Il n'est pas mon âme sœur. Il est comme une moitié de moi. Je suis volcanique, il est calme et tempéré. Il est démonstratif et je suis discrète. Il est impétueux et je suis réservée. Il ne connaît pas tout de moi, parce qu'il ne peut pas lire dans mes pensées, qu'il n'était pas là. Mais il est tout aussi rassurant. Il a porté le poids de notre relation et de mes craintes sur ses épaules les premiers mois. Il s'est battu pour que je lui cède, pour me permettre d'avancer avec lui. Il a fait tomber toutes les barrières que j'ai érigées, pour me sauver de moi-même.

Chapitre 47

Quand j'arrive à l'appartement, Parker est dans le canapé, assis le portable à la main devant la télévision. Je cille de le voir dans l'attente.

— Putain mais où t'étais ? fulmine-t-il en se levant brusquement.

Ma main tremble sur le poignet et je ferme derrière moi juste avant qu'il ne me serre dans ses bras. L'étreinte est brusque et presque étouffante, comme s'il avait besoin de se prouver que je suis là.

— J'avais besoin de souffler, je lui réponds, la lèvre tremblante.

Il se recule et caresse mon visage, soucieux.

— Ton frère m'a dit que tu étais parti il y a deux heures Sophia, où est-ce que tu étais ?

Il a parlé à Josh. Mais il ne semble pas furieux contre moi. Agacé, soulagé, mais pas hors de ses gonds.

— J'étais dans Central Park.

— De nuit ? me lance-t-il, perplexe.

J'acquiesce en faisant la moue et il fronce les sourcils sur ses beaux yeux verts.

— Tu voulais quoi ? Te faire violer ?

— Non, j'avais besoin de prendre l'air.

Il soupire en fermant les yeux pour évacuer son énervement et je détourne le regard tandis qu'il semble lutter pour ne pas me crier dessus. Mais rapidement, je me surprends à l'observer avec attendrissement. S'inquiéterait-il toujours pour moi de cette façon ?

— Il faut que j'aille me doucher.

Ses yeux me sondent avec intérêt mais il abdique en se décalant sur le côté pour me laisser passer. Je me sens indigne d'être ici. J'ai honte d'avoir embrassé Lucas, et je m'en veux de ne pas m'en vouloir. Autant que je me hais d'éprouver autant d'amour quand j'observe Parker. Je suis sous le choc, comme anesthésiée par l'instant passé avec Lucas, mais je l'aime toujours autant. Dans un monde idéal, je pourrais voir les deux. Comme mon ex-petit ami me l'a proposé. Mais je ne suis pas une idéaliste ni une enfant. Et je sais que je vais devoir faire un choix. Seulement je repousse cette éventualité pour ce soir, et mon téléphone est toujours fourré dans le fond de mon sac, éteint, pour m'accorder une seconde de normalité.

L'eau chaude efface toutes les dernières empreintes de Lucas sur ma peau et mes vêtements gisent près du panier à linge. Je me frotte vigoureusement le visage et finalement, je retiens ma respiration pour profiter du jet massant qui vient chatouiller mes lèvres. Les minutes s'égrènent et pourtant je reste là, à tenter de penser à autre chose. Mais c'est vain.

— Tu es bizarre depuis tout à l'heure, me fait remarquer mon fiancé alors que nous sommes installés dans le canapé.

— Non, je marmonne en rivant les yeux sur la télévision.

— Viens alors.

Il me confronte, ses bras tendus vers moi et je sens mon cœur s'accélérer. Il avait adopté un rythme à peu près convenable après mon escapade sous la douche, mais maintenant que Parker m'invite à le rejoindre, torse nu, je m'embrase à nouveau. Si tant est que mon corps sache encore se tenir ces dernières semaines. Je soupire intérieurement pour ne pas attirer son attention et me rapproche de lui, hésitante.

— Parker, je grince quand il m'attrape par les aisselles pour me faire grimper sur lui.

Mes genoux de part et d'autre de ses cuisses, ma gorge se dessèche en ressentant qu'il est très excité à l'idée de m'avoir offerte à lui de cette manière. Son érection trouve confortablement sa place entre mes cuisses et son jogging et mon short en lin sont les derniers remparts qui nous séparent. Et si mon esprit est entre deux eaux, mon intimité semble-t-elle reconnaître mon fiancé avec un plaisir non dissimulé.

— Sophia, souffle-t-il alors que sa bouche parcourt mon cou et le haut de ma poitrine.

J'agrippe ses épaules et me laisse aller contre lui sans pour autant lui rendre ses baisers ou ne serait-ce que bouger les hanches pour frictionner son entrejambe. Mon âme est vendue au diable bon sang, comment puis-je embrasser deux hommes dans une même journée et aimer deux hommes aussi passionnément l'un que l'autre ?

Sa main effleure mes côtes avant de prendre mon sein pour le relever à hauteur de ses lèvres. Je brûle d'impatience et d'horreur quand la bosse sous son pantalon appuie à un rythme plus soutenu contre mon sexe qui n'attend que ça…

Je suis la pire femme au monde.

Sous moi, je le sens se débattre avec ses vêtements et mon cœur s'arrête presque en sentant son sexe s'insinuer par mon bas de pyjama. Je ravale la bile qui me confirme que je me hais et finalement, un gémissement de bonheur m'échappe quand il me pénètre terriblement profondément.

— Tu es toujours prête pour moi…, murmure-t-il de satisfaction, les yeux fermés et les lèvres étirés dans un sourire béat.

Je caresse sa mâchoire en enserrant son cou et ferme les yeux pour symboliser mon extase quand à nouveau, il m'emplit lentement jusqu'à la garde. Un nouveau gémissement glisse entre mes lèvres alors qu'il me bascule légèrement en arrière en accélérant l'allure de ses vas et viens. C'est tellement, tellement bon. Et l'angle est parfait. Je m'entends crier de satisfaction et le supplier de continuer. Mon sexe l'accueille avec le plus grand bonheur et mes doigts agrippent la moindre parcelle libre de son corps pour l'encourager à ne jamais s'arrêter. Sa main enlace la mienne pour la déposer contre mon clitoris et imposer le rythme de frottement qu'il souhaite. C'est intense, délicieux, et ses pénétrations profondes apostrophent à la perfection chaque caresse sur ma boule de nerfs ravie. Ma voix n'est plus qu'une série de supplication qui se mue dans une vague de gémissement quand je me laisse retomber contre lui. Ses assauts continuent alors que mon sexe l'enserre par pressions satisfaites et finalement, il s'immobilise au plus profond de moi alors que ses mains empoignent mes hanches pour m'empêcher de bouger.

— Putain… marmonne-t-il, la tête appuyée contre mon crâne.

Je suis à bout de souffle et la sensation de béatitude est si délicieuse que je voudrais rester là, contre lui, pour toujours. Nous ne sommes plus qu'un corps, un corps en sueur, comblés et tremblants.

— Tu étais tellement chaude, s'extasie-t-il en reculant sa tête.

La culpabilité tombe sur moi comme une masse. Il faut que j'ouvre les yeux. Il faut que je lui fasse face et que je découvre son visage. C'est avec mon fiancé que je viens de faire l'amour et pourtant… mon esprit affichait à tour de rôle son visage parfait et celui de Lucas tandis qu'il me faisait prendre un pied d'enfer. Je suis la pire personne sur terre et ça me coupe le souffle de me l'avouer.

Les yeux fermés je cherche ses lèvres et appuie mes doigts dans ses cheveux pour le serrer contre moi et intensifier notre baiser. Je sais que c'est Parker, mais j'ai besoin de me rassurer en retrouvant ses lèvres fermes et les mordillements sur ma bouche. Mon fiancé, avec qui je dois me marier dans cinq mois.

— Tu veux déjà remettre ça, ricane-t-il alors que je le sens frétiller sous mes fesses.

— Pourquoi pas ? je murmure en l'observant.

Mon cœur s'arrête. Il a son sourire en coin narquois que j'aime tant, et ses lèvres bien fournies lui donnent un air adorable et charmeur. Je pourrais rester là toute ma vie, à faire l'amour avec lui sur ce canapé. Seigneur, je voudrais qu'il m'enferme ici pour me baiser jusqu'à la fin de mes jours. Et mon dilemme serait résolu. Mais je dois absolument garder les idées claires, alors je me redresse en prenant appui sur le dossier et j'entends Parker gronder son mécontentement quand je rejoins la chambre, bouleversée.

Chapitre 48

Aller au travail relève du calvaire quand Sarah passe quarante-cinq minutes complètes dans mon bureau pour me remercier de l'inviter à notre mariage, me questionner sur le thème, me demander si je veux bien aller avec elle pour choisir sa robe et finalement, me demander le numéro de Garreth pour s'assurer qu'ils soient accordés. Mes yeux dévient entre son visage transformé en moulin à paroles et l'écran de mon ordinateur où un mail de l'agent de Ross Graham vient de tomber.

— Qu'est-ce qui se passe ? s'enquiert-elle, mécontente de voir mon attention posée sur autre chose qu'elle.

Nous avons échangé ces derniers sur le fait que ni lui ni moi ne trouvions d'issue pour la carrière américaine de notre client. C'est sans espoir et Ross s'évertue à refuser l'offre faite par une équipe turque. Alors qu'il n'a plus d'autres choix. C'est ça, soit la fin de sa carrière de basketteur. Et il ne l'entend pas.

— Un mail de démission de l'agent de Ross, je lui réponds distraitement.

J'omets de lui dire qu'il m'encourage à me retirer également du cas volontairement. Elle ouvre de grands yeux, stupéfaite. J'ai évoqué rapidement avec elle mon dossier mais je doute qu'elle saisisse vraiment les tenants et les aboutissants. Ross va débarquer dans mon bureau et me hurler dessus pour tenter d'apaiser ses nerfs mais le mal est fait, sa carrière est foutue et je ne peux plus rien y faire.

Parker entre dans mon bureau à ce moment-là et me gratifie d'un sourire contrit, appuyé contre le chambranle. Et ça n'attire pas l'attention de Sarah, obsédée par son téléphone.

— Il faut qu'on se retire, formule-t-il à voix haute ce que j'étais en train de penser tout bas.

Sa mine a l'air désolée. Le cas Graham a été mon premier cas important, géré presque seule. Et même s'il m'a foutu dans des colères noires, qu'il m'a empêché de dormir certaines nuits, Ross n'est pas un mauvais garçon. Il est jeune, il a fait des bêtises, mais savoir que tous les efforts qu'il a fournis dans sa jeunesse vont s'effondrer dans le néant ; ça me fait mal au cœur pour lui. J'acquiesce et il me lance un sourire réconfortant avant de disparaître dans le couloir.

Une nouvelle alerte attire mon attention et je fronce les sourcils en découvrant un nouveau courriel d'une adresse inconnue.

— Sophia, tu es vraiment sûre pour le rose ? redoute Sarah à mon opposé.

Je suis prête à lui répondre quand mes yeux commencent à détailler le mail et que mon estomac se serre à mesure.

Ça fait déjà quatre jours.
Quand est-ce que je peux t'inviter à dîner ?

Je t'aime,

L.

— So’, elle insiste en voyant que je ne formule pas de réponse.

J’ai la gorge sèche et quelque part au fond de moi, je sautille de joie. Mais je reste de marbre et abaisse mon écran pour que personne ne puisse distinguer la note de Lucas.

— C’était une blague pour le rose. Je dois appeler un client, est-ce que tu peux… ? je laisse ma phrase traîner et mes yeux parcourent le chemin entre elles et la porte de mon bureau.

Elle lève les yeux au ciel en marmonnant qu’elle cherche une robe à l’effigie de Barbie pour rien depuis trois jours. Quand la porte claque plus fort que nécessaire, j’ouvre à nouveau mon ordinateur.

Ma relation avec Parker est de nouveau sur les rails depuis mon intermède avec mon ex-petit ami. J’aime Lucas, passionnément. Mais mon mariage est prévu pour dans cinq mois et Parker est un homme fait pour moi. Je ne peux pas tout quitter quand mon ex réapparaît comme à l’époque du lycée. Si je me le répète assez souvent, peut-être que cela va finir par entrer dans ma tête pour de bon. Mais mon corps n’a pas l’air d’accord avec mon nouveau leitmotiv et mes doigts tremblent presque sur les touches. Je tape une première réponse, puis la supprime. Une seconde passe également à la trappe. La troisième trépignait presque d’impatience avec un « Comme tu veux » que j’ai fini par annuler également. Je suis incapable de lui répondre, car je ne sais pas moi-même. Je rêverais de revoir Lucas avant d’enterrer définitivement ma vie de jeune fille. Mais les yeux bleus de mon ex sont un océan pour lequel je plonge sans hésitation. Et je ne peux pas me le permettre.

Je sens les larmes monter dans tout mon être quand mon petit doigt appuie sur la touche Suppr de mon clavier et qu'à nouveau, je répète le geste dans ma corbeille.

Mon passé ne peut pas définitivement définir mon avenir…

Et cette pensée m'envahit sans arriver à disparaître et emporter la douleur avec elle. Je passe mon après-midi minée, le chemin du retour taraudé et la douche à pleurer silencieusement sous le jet brûlant pour dissimuler les rougeurs provoquées.

— Tu es bizarre Sophia, me fait remarquer Parker quand nous sommes assis tous les deux autour de l'îlot pour dîner.

— Pourquoi tu dis ça ? je feins la surprise en éclaircissant la voix.

— Tu n'as pas décroché un mot.

Il me regarde d'un air inquisiteur en haussant un sourcil alors je redresse vaguement les épaules pour le leurrer et paraître décontractée.

— Tu es stressée à cause du mariage ?

— Non. J'ai hâte, je lui souris mais ma gorge s'étrécit.

C'est un demi-mensonge. J'ai hâte de me marier avec lui. Mais j'aime Lucas quand même. Je vis avec lui, je suis heureuse avec lui, mais je pense tout de même à un autre. Il fronce les sourcils, soupçonneux. Parker est plutôt bon pour cerner les gens, du moins, pour me cerner.

— Tu me dirais si quelque chose n'allait pas, n'est-ce pas ?

Ses yeux sont plissés quand il se penche pour attraper ma main dans la sienne, bienveillant. Et à nouveau, je m'admoneste pour lui décocher un sourire qui se veut rassurant. La boule a totalement condamné ma gorge, je suis incapable de le rasséréner.

— Sarah aussi te trouve bizarre ces derniers temps, insiste-t-il alors que son pouce caresse le dos de ma main.

— C'est juste… qu'il y a beaucoup de choses à gérer. Est-ce qu'on arrivera à être dans les temps ?

Lucifer doit avoir une place de choix pour moi en enfer… Mon fiancé trouve ma réponse satisfaisante car il me sourit tendrement et ses doigts infligent une pression plus intense dans ma paume.

— Victoria est très reconnue à New York, on peut lui faire confiance les yeux fermés.

— Et si elle ne comprenait pas nos attentes ?

Il soupire en se levant de son tabouret et ses bras m'enlacent alors que son torse se colle contre mon dos.

— On passe trois heures avec elle par jour au téléphone et par mail, elle a plutôt intérêt à saisir ce qu'on veut.

Son insolence me fait esquisser un sourire sincère cette fois et je repose affectueusement l'arrière de ma tête contre sa clavicule. Ses mains caressent mon ventre et l'espace entre mes seins.

— Tu peux lui demander plus de rendez-vous pour te rassurer.

— Je ne veux pas l'embêter.

— Au prix où on la paie, tu peux te le permettre.

Ses mains remontent sous mes seins pour les soupeser et l'air de rien, il arrive à les infiltrer sous mon débardeur en lin blanc. J'imagine que je dois être une très bonne actrice car mon fiancé semble déceler chez moi une sorte d'apaisement, comme s'il avait réussi à faire disparaître toutes les sources de stress. La principale est toujours là, ancrée au plus profond de moi. Mais il ne s'en soucie pas, ses lèvres détaillent ma nuque tandis que ses pouces pressent tendrement mes tétons, l'un après l'autre. Et je sens ma poitrine peser plus lourd dans ses mains. Mon corps est un traître infoutu de se mettre en accord avec mon cœur. À moins que mon cœur lui-même soit totalement perdu.

— C'est seulement toi et moi, murmure-t-il. La cérémonie ne changera rien.

Les commissures de mes lèvres s'étirent dans un sourire et je trouve sa bouche en détournant la tête pour l'embrasser tendrement, une main posée sur sa joue barbue. J'acquiesce quand il m'interroge du regard pour me demander la permission. Mon corps s'embrase et mon cœur se met à battre plus vite. J'aime tellement Parker. Il a toutes les facettes de l'homme idéal. Je suis indéniablement amoureuse de lui, de toutes ses particularités.

Alors quand il fait tourner mon tabouret pour me soulever et me déposer sur l'îlot en granit, je n'y oppose pas la moindre résistance. Mes lèvres sont trop occupées à redécouvrir les siennes.

Ses doigts fouillent déjà mon intimité et je gémis alors qu'il frotte mon clitoris avec véhémence. Je ne recherche plus que ça : l'ardeur, l'exaltation et la fougue. Mes pensées ne sont plus que tournées vers lui.

Ses mains attrapent mes cuisses pour faciliter le dégagement de mon shorty assorti et dans l'empressement, je descends son short en coton sur sa taille pour libérer son sexe. J'ai conscience de n'avoir pas été à la hauteur ces derniers temps, le laissant seulement me déshabiller et me faire l'amour. Parfois avec acharnement, parfois dans une pure intensité lente et délicieuse. Alors j'enserre mes doigts autour de son sexe dans l'espace infime qui sépare nos deux corps et cale mes mouvements de vas et viens sur ceux qu'il inflige déjà à mon intimité gonflée. Mon pouce effleure encore, et encore son gland à chaque remontée le long de sa verge.

— Arrête, arrêtes, geint-il en me repoussant.

Je me retiens sur mes coudes alors qu'il tire mes hanches au plus près du bord, au plus près de lui. Son sexe disparaît entre mes lèvres et je gémis en attrapant la seule chose à portée de main, son t-shirt. Il passe une de mes chevilles sur son épaule et continue ses vas et viens en malaxant mes fesses à une vitesse quasi insoutenable. Je m'entends le supplier sans savoir réellement ce que j'attends. Aller plus vite, plus profondément, ralentir, me laisser une seconde ou tout arrêter ?

Son front s'effondre entre mes seins alors qu'il s'immobilise en moi, poussant un râle de délivrance. Et je n'ai pas eu le temps de trouver la réponse à ma question. Je suis frustrée tout en étant satisfaite. Peut-être que je ne mérite pas un orgasme au vu de ce que j'ai fait après tout. Ma main caresse délicatement sa nuque et je cherche une réponse dans le plafond. Rien ne vient.

Chapitre 49

Je cours les boutiques avec Sarah. C'est la quatrième fois que nous retournons de fond en comble mais aucune robe ne lui convient. Elle se plaint de ne pas connaître mon thème et ce à quoi j'aspire. Mais je n'aspire à rien. Je n'arrive même pas à savoir si je mérite ce mariage. C'est le deuxième mail de Lucas que je supprime en l'espace de trois semaines et plus les heures passent, plus la boule dans mon estomac prend de l'ampleur. J'aime Lucas, je couche avec mon fiancé, je planifie mon mariage, j'ignore mon ex-petit ami, je retombe amoureuse chaque jour de Parker. Mon corps est une boule de nerfs à vif.

— Laquelle tu préfères ? me questionne-t-elle en soulevant à bout de bras deux robes de part et d'autre de sa tête.

— La bleu roi est très belle.

Et c'est vrai. Elle irait à merveille sur sa peau bronzée et ses cheveux bruns.

— Tu devrais l'essayer, je lui conseille en jouant avec l'étiquette d'une robe qui pend près de moi.

Elle n'a pas l'air vraiment convaincue. En réalité, je pense que c'est à cause de moi. Je joue très mal le rôle de la jeune femme enjouée par son mariage à venir. Dans mon sac à main, mon portable se met à résonner et je le porte avec empressement à mon oreille.

— Oui ?

— Sophia, le travail commence, m'annonce Josh au bout du fil. Lenox Hill, me rappelle-t-il le nom de l'hôpital.

— Oh mon dieu ! je me mets à bafouiller. Merci Josh, j'arrive.

Mes mains se mettent à trembler sur le téléphone et je me sens simplement marcher vers Sarah, complètement débordée.

— Je suis désolée, je dois te laisser, mon frère va être papa.

Mes yeux se mettent à briller, je sens les larmes qui se nichent le long de mes paupières. Bon sang, je sens même mes jambes flageoler.

— Oh mais c'est génial !

Elle me sourit joyeusement et dépose les cintres sur le portant près d'elle avant de m'étreindre en frottant mon dos.

— Dépêche-toi !

J'acquiesce, reconnaissante et file rejoindre la rue animée. Un taxi sera bien plus rapide que de trouver une bouche de métro à cette heure-ci. Dans la voiture, je n'arrive pas à m'empêcher de sourire. Mon neveu arrive, et mon grand frère a jugé bon de m'en informer. Je suis surexcitée à l'idée de rencontrer ce petit être.

La femme à l'accueil m'adresse un sourire poli avant de m'indiquer la direction de la salle d'attente du service maternité. Je me hais d'être perchée sur des talons aiguilles quand je vois le nombre d'étages à grimper mais je ravale mon aigreur. Parce que je suis à quelques heures de rencontrer le nouvel homme le plus important de ma vie.

La salle d'attente est assez peu occupée à cette heure-ci un lundi et aucun visage connu ne m'interpelle. Je suis donc la première arrivée. J'imagine sans mal mon père et Laurenn déjà en route pour l'aéroport. Ils avaient initialement prévu un vol les faisant arriver le week-end prochain pour Noël mais j'imagine que leurs vacances d'hiver vont durer un peu plus longtemps que prévu.

Je me languis de voir tout le monde arriver. Kevin ne devrait pas tarder. Lucas aussi. Tout à coup, je me demande si la mère torturée d'Alex va se pointer. Sa fille est un vrai rayon de soleil et j'avais été surprise par le contraste entre elles deux. Depuis le décès de son père, Alex m'avait raconté que sa mère n'était devenue plus que l'ombre d'elle-même. Et effectivement, après l'avoir vue si aigrie lors d'un dîner chez eux, j'en avais conclu.

La porte battante s'ouvre sur mon meilleur ami, les joues rougies par l'effort, ou le froid.

— Où sont-ils ? me demande-t-il, survolté.

— En salle de travail, je lui souris juste avant qu'il ne me serre dans ses bras.

— Je ne peux plus attendre ! s'exclame-t-il en tapant dans ses mains d'engouement.

— Moi non plus, je secoue mes bras pour y faire échapper la tension accumulée.

— Je suis sûre qu'il va ressembler à Alex, je le sens.

Je ricane en lui faisant remarquer que malheureusement, cet enfant aurait probablement un caractère similaire à celui des Rial parce qu'on fait partie de ses gênes à cinquante pour cent.

— Pauvre de lui !

J'écrase son bras avec mon poing en le noircissant du regard et il se contente de ricaner en s'installant sur ces horribles chaises en plastique inconfortables.

— J'ai lu que le travail pouvait durer quarante-huit heures.

J'ouvre de grands yeux inquiets et il marque son hilarité par un grand sourire. Je ne serai jamais prête pour ça. Quarante-huit heures les jambes écartées devant un médecin ? Mon Dieu, je risque de vomir.

— Tu as prévenu Parker ? s'enquiert-il en me sondant.

Je secoue la tête vivement. Je n'y ai pas pensé. Ou plutôt, j'y ai vu une opportunité de voir Lucas en seule à seul pour lui expliquer mon silence. Je ne sais pas. Je ne me voyais pas leur imposer la présence l'un de l'autre ici. Ou bien, je voulais seulement vivre ça avec Lucas. Je me sens perdue. Kevin marque sa désapprobation par une moue puis il soupire en regardant son écran de téléphone.

— Tu peux dire ce que tu penses.

— La dernière fois, tu m'as désinvité de ton mariage pour ça, me fait-il remarquer avec légèreté.

Il m'observe du coin de l'œil alors que j'ai replié ma jambe sous mes fesses pour me tourner vers lui. La position est inconfortable, mais l'espace est exigu.

— Josh m'a raconté, se contente-t-il de me dire.

— Depuis quand êtes-vous si proches ? je grommelle dans ma barbe.

— Depuis un moment, rétorque-t-il dans un sourire.

Je fronce les sourcils. Ce n'est pas que je n'aime pas les voir si proches. C'est simplement que je n'aime pas qu'ils parlent ensemble de moi ou s'allient contre moi. J'aime les voir complices. Mais pas de cette manière.

— Tu désapprouves, je lui fais remarquer, comme une évidence.

— C'est ta vie Sophia, soupire mon meilleur ami. Mais tu vas faire du mal à Parker et tu le sais.

— J'aime Parker, je le contredis.

— Oui, et tu aimes Lucas depuis le bac à sable.

Il soutient mon regard en haussant un sourcil. Je n'aime pas qu'il exagère la situation de cette manière.

— Nate, Evan, William, énumère-t-il les prétendants qui se sont succédé sur ses doigts.

— C'est différent.

— Oui c'est pire puisque tu es censée te marier avec Parker dans quatre mois.

Kevin n'est pas sec, ni même moqueur. Il a l'air concerné et son air est grave, pourtant, il garde un ton bienveillant envers mois.

— Sophia, tu vas retourner avec Lucas, soupire-t-il. Alors ouvre les yeux le plus vite possible pour éviter la casse, s'il te plaît.

Je fais la moue. Je me débats avec mes sentiments confus depuis des semaines, pourtant tout à l'air simple et clair pour lui.

— Je m'occuperai de le ramasser à la petite cuillère.

Il dit ça comme si la décision était déjà prise.

— Ça n'est pas si simple Kevin. Je suis vraiment amoureuse de Parker. Je n'ai pas encore pris ma décision.

— Et quand comptes-tu la prendre ? À l'autel ?

Je soupire et la porte battante s'ouvre à nouveau brusquement. Lucas apparaît dans son long manteau beige et il nous gratifie d'un signe de tête, mais ses yeux s'attardent plus longtemps sur moi.

— Est-ce que vous avez des nouvelles ? s'enquiert-il.

Kevin secoue légèrement la tête et finalement, mon ex-petit ami vient s'asseoir à côté de moi.

— Pourquoi tu ne m'as pas répondu ? je l'entends me demander.

Mon ami s'éclaire la gorge avant de se lever en me bourrant un sale œil, agacé de devoir sortir de la pièce pour nous laisser de l'intimité. Je grimace en le voyant disparaître derrière la porte vitrée.

— Lucas, tu m'écris sur ma boîte professionnelle, je lui fais remarquer en soupirant.

— Tu m'as bloqué partout.

— Parce que je vais me marier !

Il me noircit du regard.

— Tu m'as promis d'y réfléchir et de me laisser une chance.

— Et comment est-ce que je peux faire pour dîner avec toi ? je le questionne en fronçant les sourcils. Comment j'explique à mon futur mari que je dois sortir avec toi ?

— Tu n'as pas de copines ?

— Je ne veux pas lui mentir, je soupire en secouant la tête. Je refuse de faire ça.

— Alors omets de lui dire que tu dînes avec moi.

Je soutiens son regard en avalant difficilement ma salive. Je suis tentée de le faire. Bien sûr que j'adorerais me retrouver totalement seule avec lui quelques heures, l'écouter m'expliquer pourquoi il est le bon choix pour moi, combien il a changé et surtout, à quel point il me veut dans sa vie. Mais comment puis-je faire ça quand je couche toujours avec Parker et qu'il me fait confiance ?

— S'il te plaît, me supplie-t-il en attrapant ma main dans les siennes.

Ses beaux yeux bleus me détaillent en s'attardant longuement sur mes lèvres et je sens mon pouls s'accélérer dans ma poitrine. Je dépose les armes. Mon menton acquiesce légèrement et j'ai le souffle coupé par ma réponse. Je suis incapable de lui dire non. Je suis incapable de lui refuser quoi que ce soit, je suis folle de cet homme. *Autant que de Parker*, me sermonne une petite voix dans ma tête. Je ferme les yeux et me rassieds correctement en récupérant ma main. *Il est inutile de me le rappeler,* j'ai envie de grogner.

— C'est bon ou vous êtes en train de baiser ? grommelle Kevin du pas de la porte.

Je le hais…

— On est en train de faire des tas de bébés, je plaisante sans joie.

— Super, je vais être un tonton d'enfer, raille-t-il sans engouement.

J'ouvre un œil pour le sermonner du regard et il se contente de rire en se rasseyant près de moi. Un instant, je suis tentée de me rappeler que la dernière fois que nous avons été tous les trois dans cette salle d'attente, Josh était entre la vie et la mort. Aujourd'hui, sa vie a tellement changé. Nos vies ont tellement changé. Mon cœur est chargé d'amour et de gratitude. Mon frère va bien. Sa femme va bien. Et je suis seulement à quelques heures de rencontrer le fruit de leur amour, le coup de foudre de ma vie.

— Kevin, est-ce que tu penses que Sophia a raison de se marier avec Parker ?

J'ouvre de grands yeux baignés d'effroi en me tournant vers Lucas, scandalisée.

— Ne me mêle pas à ça, mec, grogne mon meilleur ami.

— Tu es son meilleur ami, tu la connais non ?

Kevin lui lance un regard peu amène avant de me noircir du regard.

— Oui, justement, lui lance-t-il d'un air entendu.

Kevin n'a jamais approuvé les multiples relations avec Lucas. Il les a tolérées, supportées, mais jamais ô grand jamais il ne souhaiterait me voir remonter l'autel pour y rejoindre Lucas. L'ambiance est presque palpable quand ils se jaugent.

— On n'est pas là pour ça, je les morigène.

— Tu devrais prévenir ton fiancé, me fait-il remarquer à nouveau.

Je soupire lourdement en appuyant l'arrière de mon crâne contre le mur blanchâtre. La salle est aseptisée ; seuls quelques posters égayent les murs. La plupart promeuvent le co-dodo, d'autres l'allaitement maternel. C'est extrêmement malaisant d'être entourée par les diktats auxquels font face toutes nouvelles mères. Un jour, j'aurais certainement un enfant. Aurais-je envie qu'on me sermonne sur les meilleures façons de faire pour lui ? Qu'on me dicte comment être une bonne mère ? Après tout, j'ai déjà eu le pire exemple. Je devrai simplement faire l'opposé exact de la mère désastreuse que j'ai eu. C'est-à-dire aimer mon enfant, le protéger envers et contre tous, rester jusqu'à ce que la mort nous sépare…

La porte battante donnant sur un long couloir blanc sur notre gauche s'ouvre brusquement et une femme, partiellement cachée par son uniforme rose pâle nous sourit.

— Tout se passe bien. Vous devriez pouvoir les voir dans deux heures, nous rassure-t-elle. N'hésitez pas à aller manger un bout.

Je sens les larmes me monter aux yeux à l'idée de savoir que nous allons tous enfin pouvoir faire sa rencontre. Dans un effleurement, les doigts de Lucas viennent entourer ma main posée sur ma cuisse et y infliger une pression tendre. La sage-femme disparaît de nouveau derrière la porte et je me sens euphorique d'être ici, entourée des personnes que j'aime, pour un évènement si parfait.

— Burgers pour tous ? propose Kevin en se levant.

Ses yeux parcourent nos mains liées sur ma cuisse d'un air réprobateur et finalement, il soupire en quittant la salle d'attente avec précipitation. Je sais que la situation le met mal à l'aise. Elle me tord littéralement l'estomac depuis des semaines. Je me rends malade d'hésiter entre eux deux. À chaque fois que je vois Lucas, je retombe amoureuse de lui. Et dès que je croise le regard de Parker, je fonds de nouveau pour lui.

— Je veux vivre ça avec toi Soph', soupire Lucas, les yeux rivés vers le plafond. Je veux te voir enceinte de notre enfant, être avec toi en salle d'accouchement, présenter notre bébé à nos familles…

Je l'observe mais il ne détourne pas le regard vers moi.

— Et toi aussi, sinon tu l'aurais appelé pour qu'il soit ici avec toi.

Ses yeux croisent les miens et il me fait un léger sourire avant de porter le dos de ma main contre ses lèvres pour y déposer un baiser.

— Je voulais être avec toi, je lui avoue, troublée.

C'est la réalité… Je souhaitais vivre ce moment avec lui. Lucas est dans ma vie depuis quasiment toujours. Ainsi que dans celle de Josh. Il a été mon amour ; et son meilleur ami. Il a vécu ses heures sombres à mes côtés, il l'a soutenu dans ses mauvais moments, nous a accompagné quand notre mère est partie, il était là quand je pensais le perdre pour toujours, il l'a littéralement porté à bout de bras quand Josh ne pouvait plus marcher, il a toujours été là. Parfois entre nous, parfois, avec nous. Je ne pouvais imaginer vivre ce moment avec Parker. C'est égoïste, affreux, dégueulasse. Mais je ne me voyais pas vivre ce moment avec un autre homme que Lucas à mes côtés.

— Moi aussi, je voulais être avec toi.

Ses lèvres embrassent ma tempe alors qu'il s'est penché sur moi en m'attirant contre son flanc. Je ferme les paupières pour en profiter alors qu'il s'y attarde nonchalamment.

Pourquoi voudrais-je vivre un moment aussi important de nos vies, de notre famille, avec quelqu'un d'autre ? Lucas fait partie de ma famille. Tout comme Kevin.

Je suis partie dans cet internat à reculons, je restais silencieuse sur le trajet pour l'aéroport, je maudissais mes parents en silence de me forcer à quitter Miami et les gens que je considérais comme des amis mais je restais froide et sans réaction.

Et je me rappellerais toujours la première fois que j'ai rencontré Lucas, Kevin ou Élodie.

Comment aurais-je pu imaginer qu'ils entreraient dans ma vie à ce point-là ?

J'ai passé des mois à me débattre avec moi-même, avec mes sentiments, qu'ils soient amoureux ou amicaux. J'ai essayé de les repousser, de vivre ma vie, avec pour seul objectif de repartir dès que possible de New York.

Je me rappelle tomber sous leur charme, à chacun. Et qui aurait pu prédire que des années plus tard, nous en serions là ?

Je n'imagine pas ma vie sans eux. Sans aucun d'eux. Ils font partie de moi. Et ils en ont toujours fait partie. Même quand j'étais en colère, même quand j'ai tenté de les repousser… J'y reviens irrémédiablement. Parce que c'est auprès d'eux que je me sens moi, que je me sens chez moi.

Et c'est terriblement égoïste de penser ça quand Parker se donne tant de mal pour être le meilleur homme qui soit pour moi. Il n'était pas là pendant mes années de lycée et ça n'est pas de sa faute. Mais toute ma vie semble s'être jouée il y a sept ans…

Chapitre 50

Après plusieurs heures de silence, alors que ma tête repose contre son épaule et que Kevin pianote sur son téléphone sur ma droite, la porte s'ouvre de nouveau et je me redresse immédiatement, en alerte.

— Vous êtes prêts ? s'enquiert l'infirmière en nous souriant.

J'acquiesce vivement en me relevant brusquement. Je ne vis que pour ce moment à cet instant précis. Les garçons me suivent dans le couloir et j'entends vaguement mon meilleur ami s'extasier d'être ici, avec nous.

Qui l'eût cru ?

Elle nous ouvre la porte en nous préconisant de ne pas faire trop de bruit pour le bébé et Alex et quand je m'y engouffre, mon frère me tourne le dos.

— Hey ! nous salue ma belle-sœur, l'air épuisé et épanoui.

Je vais pour l'enlacer mais Josh se tourne à ce moment-là, le bébé perdu dans ses bras qui paraissent immenses.

— Oh mon dieu ! je m'exclame en portant mes mains contre mes lèvres. Il est minuscule.

Et alors que je ne m'y attendais pas une seule seconde, mon frère s'apprête à poser son enfant dans mes bras et j'ai à peine le temps de m'y préparer. Mes yeux baignent de larmes quand il dépose son crâne minuscule couvert d'un bonnet blanc contre mon bras et que ses petites mains fripées dépassent à peine de son pyjama. Instinctivement, je me mets à le bercer doucement en le serrant contre moi. Une vague d'amour m'incombe et j'en ai presque le souffle coupé.

— On vous présente Liam, lance Alex de son lit, un sourire rempli d'amour au coin des lèvres.

J'observe mon neveu avec admiration et caresse sa jambe à portée de doigt avec mon pouce. C'est ce que je ressens. Je m'y attendais, je savais que je ressentirais un trop plein d'amour en le découvrant mais c'est plus que ça, je vis un coup de foudre intense qui me prend aux tripes.

— C'est mignon, s'exclame Kevin. Salut, mon p'tit pote, le gratifie-t-il en caressant son ventre du bout des doigts.

— Tu pleures, Sophia ? s'attendrit ma belle-sœur en me couvant du regard.

— Bon sang, bien sûr que je pleure !

J'esquisse un sourire à travers mes larmes en les observant. Alex et Josh ont dépassé tellement d'épreuves ensemble, et maintenant, ils m'offrent le plus beau cadeau du monde. Et mon frère me sourit sans aucune rancœur.

— Salut, Liam, chuchote Lucas dans mon dos.

Son torse est collé contre mon flanc et sa main caresse tendrement sa tête couverte par son petit bonnet alors qu'il est littéralement penché sur moi.

— Dis bonjour à ton parrain, lance Josh en se rapprochant de nous, une main protectrice posée sur la main de son fils.

Je suis sans voix. Et mon frère lève lentement les yeux sur son meilleur ami posté derrière mon épaule. Josh n'est pas quelqu'un d'expansif. Il est réservé. Parfois froid et autoritaire. Il cède difficilement pour exposer ses sentiments. Mais ses yeux en disent tellement. Et quand je l'observe, je sais qu'ils échangent par le regard à ce moment précis. Parce que mon frère a l'air ému et confiant, fier aussi.

— Merci, lâche Lucas, sans voix.

Je n'arrive pas à distinguer son visage, mais je jurerais qu'il a les larmes aux yeux parce que Josh détourne le regard, comme s'il était pris sur le fait.

— Les gens les plus importants sont ici, avec nous. C'est nous qui devons vous remercier, sourit Alex depuis son lit.

— Bon Dieu, Alex, arrête, tu vas me faire encore plus chialer ! je grommelle alors qu'instinctivement je serre Liam contre moi.

— Kevin, ne sois pas jaloux. Tu es son tonton.

— Je ne suis pas jaloux ! fanfaronne mon meilleur ami. Je sais déjà qu'il m'aimera à la folie, regardez comme il serre mon doigt.

Je me mets à rire en voyant Kevin si fier.

— Il faut me rendre mon fils, Sophia, plaisante Alex en tendant ses bras.

Je n'ose même pas imaginer ce que ça représente pour elle de laisser quelqu'un d'autre prendre son enfant dans ses bras. Je ne sais même pas si j'en serai capable. Alors je fais les quelques pas qui nous séparent et le pose délicatement contre elle. Et elle le réceptionne comme une experte, en le couvant du regard. Je dépose un baiser sur son front et la remercie dans un murmure. Je suis tellement reconnaissante qu'Alex fasse partie de nos vies, de notre famille. Elle me sourit affectueusement et je recule d'un pas avant de serrer fort Josh dans mes bras sans lui demander son accord. Ma tête repose contre son torse et je ferme les yeux. Les derniers mois ont été compliqués entre nous, tendus même. Alors je suis soulagée quand je sens ses bras enserrer mes épaules tendrement.

— Hallelujah ! s'exclame Kevin dans mon dos.

J'entends vaguement deux mains claquer l'une contre l'autre et je me fous de savoir qui se paie nos têtes, mais j'imagine sans mal que son acolyte est ma belle-sœur. Quand je recule, je suis presque timide d'avoir eu un tel élan d'affection pour mon grand frère en public et il en est de même pour lui parce qu'il regarde sa famille, le regard lointain et les épaules bien droites.

Lucas me couve du regard quand Kevin me serre à son tour dans ses bras en me félicitant de faire enfin les bons choix dans ma vie. Je n'entends pas son ironie, parce que mes yeux sont plongés dans ceux de Lucas. Et je sais que je fais le bon choix à cet instant précis. Mon cœur le ressent, mon corps entier le sait.

— On va vous laisser vous reposer, je propose en m'extirpant, le souffle court.

— Je suis là dès demain huit heures, ce sera à mon tour de porter le bébé ! se réjouit mon meilleur ami.

Il attise l'hilarité générale et je le pousse vers la sortie pour lui parler en privé avant que Lucas ne nous rejoigne.

— Je dois parler avec Lucas.

Je fais la moue, parce que j'imagine bien qu'il nous voyait partir ensemble de la maternité. Mais je veux absolument rester seule avec mon ex-petit ami.

— Parler, raille-t-il.

Je lève les yeux au ciel et frappe son épaule en grommelant.

— Je t'aime, quoi qu'il arrive, me rappelle-t-il sérieusement.

— Je sais, je lui souris.

Il lève les yeux au ciel et soupire en s'éloignant dans le couloir après avoir souhaité une bonne soirée aux jeunes parents. Lucas m'interroge du regard quand il le regarde partir si brusquement et ferme leur porte derrière lui. Il ne doit pas être loin de minuit, je n'ai pas jeté de coup d'œil à mon téléphone mais j'imagine sans mal ma messagerie encombrée…

… et je m'en fiche.

— Tu… commence-t-il.

Je m'en fiche, parce que je saute littéralement au cou de Lucas pour l'embrasser. Mes doigts serrent sa nuque et je me presse contre lui, fiévreuse. Il m'accueille avec tendresse alors que je fais seulement preuve d'empressement.

— Soph', articule-t-il difficilement entre deux baisers.

— Je veux tout ça avec toi.

Je l'observe avec intensité et je me sens presque nue de lui avouer ça. Mes mains jouent avec ses cheveux rasés de près nerveusement tandis qu'il a l'air d'avoir du mal à assimiler ce que je viens de lui confier.

— Je veux me marier avec toi. Je veux avoir des enfants avec toi. Je veux vivre avec toi. Ma vie c'est toi, j'énumère sans le quitter des yeux.

Il a l'air complètement surpris et bouleversé mais ses bras continuent d'enserrer ma taille.

— Tu le veux toujours aussi ? je m'enquiers en le voyant si statufié, inquiète.

— Putain mais bien sûr que oui.

Il grimace presque de me voir le remettre en cause.

— Et Parker ?

— Demain, je le supplie. Ramène-moi chez toi.

Ses yeux s'ouvrent plus grand et il acquiesce lentement, comme s'il réfléchissait. Sa main attrape finalement la mienne et il me traîne presque dans le couloir, ce qui m'arrache un rire. La situation n'a rien de drôle : je suis déconcertée par ma décision soudaine, irréfléchie et imprévue. Je suis bouleversée. Mais je ris. Parce que l'homme que j'aime me tire par la main, aussi imprudent que moi. Rien n'est clair. Mon mariage est toujours prévu. J'aime toujours Parker. Mais au fond de moi, je sais que j'aime encore plus Lucas, et que ça a toujours été le cas.

Ma main tremble dans la sienne quand le taxi s'arrête devant la maison citadine de Brooklyn qu'il m'a fait visiter il y a quelques mois maintenant.

— Tu as vraiment acheté cette maison ? je lui demande, sur le pas de la porte.

Il acquiesce et glisse la clé dans la serrure, empressé. Mon cœur bat à cent à l'heure quand je l'observe faire, et que sa main n'arrive pas à lâcher la mienne depuis que nous avons quitté le couloir de la maternité.

Je suis déconcertée en trouvant le séjour à peine meublé, quelques meubles sommaires, par ci par là et des cartons encore scellés. Ses bras passent sous mes genoux et dans mon dos, et c'est lui qui nous fait passer le pas de la porte alors que je ris aux éclats dans ses bras.

— Bienvenue chez nous, murmure-t-il en me déposant au centre de la pièce.

Une vague de chaleur emplit tout mon corps quand je tourne sur moi-même pour détailler l'espace de vie. Mon cœur semble s'arrêter quand mes yeux se fixent sur lui. Il est dans l'attente, les mains dans les poches, et me sonde pour attendre ma réaction maintenant que je découvre la maison dans un tout autre état d'esprit.

— Ça te plaît ?

J'acquiesce vivement sans le lâcher du regard. Mon pouls bat à tout rompre et j'avale difficilement ma salive. Je n'ai pas touché cet homme depuis quatre ans. C'est presque comme si je ne le connaissais plus et pourtant, je me sens bien et timide à la fois. Il me tend sa main et je la prends en réduisant la distance entre nous. La tension est palpable, comme si l'atmosphère autour de nous se chargeait en électricité. Mes lèvres se déposent incertaines contre les siennes, alors que mes mains redécouvrent les traits de son visage. D'abord, lui comme moi picorons les lèvres de l'autre, comme si nous ne savions pas quoi faire, comment faire… J'esquisse un sourire entre deux baisers et il ferme la bouche pour se pincer les lèvres.

— Allons là-haut, je lui propose.

J'imagine sans mal que la chambre se trouve à l'étage, car tout le rez-de-chaussée semble être dédié à cette immense pièce de vie chaleureuse. Il acquiesce tendrement, et son nez frôle le mien à plusieurs reprises avant que sa main prenne la mienne. Le mur en pierre qui borde le salon et la rampe de l'escalier offre un espace cosy. Le charme de l'ancien est indéniable. Il est hors de prix aussi. Je le suis dans l'escalier en détaillant le salon. Il n'a visiblement pas encore emménagé ici. Les cartons sont soit encore fermés, soit ouverts mais toujours remplis. Au lieu de filer dans la chambre, il s'arrête sur le palier et m'invite à aller découvrir les pièces dissimulées par les portes fermées. La salle de bain est spacieuse et j'ai le plaisir d'y trouver une baignoire spacieuse et une douche à l'italienne. L'ensemble est moderne, tout en étant un peu vieillot. La double vasque me fait esquisser un sourire. Dans notre appartement d'étudiants, les disputes ont été nombreuses dans cette salle d'eau minuscule pour savoir qui allait être le plus en retard. Lucas m'attend sur le pas de la porte, les bras croisés sur son torse. Comme depuis notre arrivée ici, il me scrute, dans l'attente. Il est inattendu de me voir dans cette maison, mais surtout, de m'y voir à la fois timide et enthousiaste.

— Tu vis ici ? je lui demande, incertaine.

Le lavabo est absolument nickel et, pour le connaître, Lucas ne doit pas s'en servir souvent. Autrement, les tâches de dentifrice me feraient déjà grincer des dents.

— De temps en temps, me confie-t-il.

Je l'interroge du regard.

— Je suis entre mon appartement et cette maison pour le moment.

Mes épaules s'affaissent et j'acquiesce à plusieurs reprises en détournant le regard, consciente de la raison de son indécision à emménager ici. Quand nous sommes venus la première fois, il venait de l'acheter ; pour nous. Je repousse au fond de moi l'idée que j'ai déjà un foyer… Lucas est ma maison, qu'importe où nous vivons respectivement pour le moment. Et je sais que cette bâtisse abritera à merveille notre vie future. Ce n'est qu'une question de temps. Mon choix est fait. Il me brûle les entrailles, il me dévaste de l'intérieur comme un ouragan s'abattrait sur Miami, mais je ne peux plus lutter. Mon meilleur ami a raison ; je ne peux pas continuer éternellement à divaguer entre deux hommes, à leur faire espérer monts et merveilles… Les années passées loin de Lucas m'ont servie, en tant que femme. Et même si tout s'est basé sur une erreur, cela m'a appris qui j'étais, ce que j'étais capable d'affronter, ce que je suis au fond de moi. Je n'étais rien, et j'ai réussi à décrocher mon diplôme de communication digitale avec brio. J'avais l'impression d'avoir tout perdu et pourtant, je me suis relevée. Je pensais que l'amour était fini pour moi et finalement, j'ai réussi à retomber amoureuse. Je me suis construite loin de lui, mais il est temps pour moi de retrouver l'homme de ma vie. Même si ça me déchire de faire ça à un homme que j'aime profondément. Parker restera toujours une partie infime de moi. C'est juste que je n'avais pas conscience que notre couple était perdu d'avance…

— À quoi tu penses ? s'enquiert Lucas en enveloppant mes hanches entre ses bras.

— Ça a toujours été notre destin, pas vrai ?

Il sourit dans mon cou et son étreinte se resserre imperceptiblement autour de moi pour me serrer contre son torse.

— Ça n'est pas de ta faute, tente-t-il de me rassurer.

Malgré moi, je ramène Parker dans notre bulle…

— Je ne suis pas sûre qu'il soit d'accord, j'essaie de plaisanter avant de lâcher un soupir.

— C'est la vie. Un jour tu perds, un jour tu gagnes, observe-t-il en haussant les épaules.

Je fronce les sourcils en me dégageant.

— C'est comme ça que tu me vois ? Une peluche de fête foraine à gagner ?

— Soph', je n'ai jamais dit ça.

— La situation est compliquée pour moi Lucas, je lui reproche. Tu ne peux pas juste prendre ça avec philosophie.

— Et comment veux-tu que je le prenne ? Tu veux que je pleure pour lui ?

Son détachement m'agace mais au fond de moi, je sais qu'il a raison. C'est ce qui m'empêche de lui exploser à la figure à cet instant précis. J'inspire profondément, détourne le regard et inspire lentement. Je vaux mieux que ça ; une dispute d'adolescents portés par leurs hormones. J'ai grandi, je suis différente maintenant.

— Je veux que tu me soutiennes, je lui lâche à mi-voix en redressant la tête vers lui.

— Et je suis là, se calme-t-il instantanément en me reprenant dans ses bras.

J'appuie mon front contre son torse en fermant les yeux. Je suis satisfaite d'avoir réussi à désamorcer cette bombe qui planait au-dessus de nos têtes. Si la dispute avait continué à prendre en ampleur, j'aurais certainement quitté la maison en claquant la porte. Mais je ne le fais pas, et lui non plus. Au fond de moi, le calme règne finalement à l'idée d'avoir enfin trouvé la clé de notre bonheur. Les disputes desservent les couples. L'impulsivité brise des futurs. Et je l'ai enfin compris.

— Je suis toujours là pour toi Sophia, me rassure-t-il en caressant ma joue.

Lucas est l'homme de ma vie, je le sais quand je plonge au fond de ses prunelles bleues qui ne luisent que d'amour pour moi. On s'est aimés comme des enfants, on s'est déchirés comme des adolescents et on se retrouve finalement, comme des adultes.

— Je vais avoir besoin d'un peu de temps, je lui apprends dans un soupir.

J'ai le cœur lourd de penser à ce qui m'attend.

— Tu l'as, murmure-t-il en dégageant mon visage des mèches rebelles.

Il est sincère. Autant que quand nous nous sommes retrouvés chez Alex et Josh. Lucas est devenu un homme sage et raisonnable, parfois sanguin. Mais je lui suis reconnaissante de comprendre ma situation et de ne pas m'imposer ses choix comme lorsque nous étions au lycée. Je suis incapable de quitter Parker du jour au lendemain comme je l'ai fait pour William. Je suis encore plus incapable de le faire disparaître de ma vie en un claquement de doigts comme pour Evan. Je dépose mes lèvres contre celle de mon amour de lycée en nouant mes bras derrière sa nuque.

— Merci, je soupire de soulagement contre sa bouche.

Il me serre imperceptiblement plus contre lui et je profite de l'instant présent jusqu'à ce qu'il s'écarte en reprenant ma main pour emprunter le couloir. La porte s'ouvre sur une pièce vide qui contient seulement un dressing encastré dans le mur, et rien d'autre. Je fronce les sourcils en détournant la tête vers Lucas.

— Tu n'as pas de lit ? je m'enquiers, dubitative.

— Ce n'est pas notre chambre.

Il ponctue sa phrase par un sourire en s'adossant contre le pas de la porte. Et je comprends le sous-entendu qu'il laisse planer entre nous sans prendre peur. J'étais sincère, je veux construire ma vie avec lui avec tout ce que cela laisse entendre, notamment les enfants. Je connais cet homme sur le bout des doigts. Il n'est plus question de paniquer sur ce type de conversation.

— Et où est-elle alors ? je lui rétorque dans un sourire.

Il m'invite à passer devant lui dans le couloir et j'avance en sentant sa présence juste dans mon dos. Ses mains sur mes épaules me guident et finalement, il ouvre une nouvelle pièce en me poussant gentiment à y entrer la première. La décoration est plus que sommaire ; quelques costumes pendent dans le dressing attenant, le lit n'est pas fait, il n'y a qu'une lampe de chevet posé sur un carton fermé. J'esquisse un sourire en l'interrogeant du regard.

— J'attendais d'être sûr de ne pas avoir besoin de revendre la maison, se défausse-t-il.

Je ne peux pas m'empêcher de rire légèrement. Le risque est éloigné, je tiens déjà à cette maison et tout ce qu'elle représente. Lucas l'a achetée sans même savoir si j'allais un jour revenir vers lui. Il a misé gros, en espérant me récupérer. Je suis sous le charme de son excès de confiance en nous.

— Il est hors de question de la vendre.

Je me rapproche de lui pour passer les mains sous son pull en me hissant sur la pointe des pieds pour l'embrasser. Son ventre est plus ferme que dans mes souvenirs. Et il reste imperturbable malgré mes mains froides. Il fait rouler l'extrémité de mon chandail sur mes côtes avant de le laisser tomber à nos pieds en me faisant reculer lentement.

— Je voulais attendre. Mais j'en suis incapable, s'excuse-t-il à demi-mots en me faisant basculer sur le lit.

Ses mains s'enfoncent dans le matelas pour ne pas m'écraser mais je le tire contre moi volontiers, alors que ma langue part déjà à l'assaut de sa bouche. Il est hors de question d'attendre ; quatre ans ont déjà passé depuis nos derniers ébats et nous avons eu le temps d'y réfléchir. Sans hésitation, je déboutonne son pantalon et le mien avant de retirer son pull et son t-shirt d'un même geste. Son érection s'appuie déjà contre ma cuisse tandis qu'il parcourt mon corps du bout des doigts avec véhémence. Je savoure le fait de le retrouver et de le voir me cajoler comme il l'a toujours fait alors que mes mains caressent chaque parcelle de peau à portée de main.

— Enfin… susurre-t-il quand plongeant sa main dans mon soutien-gorge.

Ses lèvres et ses dents attisent mes tétons à tour de rôle à travers la dentelle et je me raccroche à ses épaules pour contenir mon gémissement.

— Retourne-toi, soupire-t-il de béatitude en m'aidant.

Je me sens rougir et dégage mes cheveux sur une seule épaule pour déposer ma joue sur l'oreiller alors qu'il attrape mes fesses en coupe tout en déposant des baisers le long de ma colonne vertébrale. Je me cambre pour le provoquer davantage et j'entends son soupir sur ma peau. C'est fantastique.

Sa main se fraye un chemin entre mes cuisses délicatement pour caresser mon intimité et il grogne de contentement en me trouvant déjà pantelante, pour lui. Je suis dans l'attente et j'ai hâte, hâte de le retrouver complètement. Sa main quitte mes lèvres et je sens son corps s'étaler dans mon dos, pour enfin sentir mes prières se réaliser. Son sexe m'emplit lentement et à la collision de nos deux corps, il lâche un gémissement aussi intense que le mien. Et je froisse la couette entre mes doigts.

Ses vas et viens sont lents, et lancinants. Comme s'il allait toujours plus profondément. Ses mains tiennent les miennes en étau et son souffle résonne contre ma nuque à chaque nouvelle poussée. Je suis couverte de sueur et l'oreiller ne sait plus retenir les sons de plaisir qui s'échappent de mes lèvres à chaque fois que je cambre le dos pour qu'il puisse marteler mon point G. Je sens l'orgasme monter en moi, et mes doigts serrent de plus en plus fort les siens alors que je le supplie presque en pleurant.

Il n'accélère pas la cadence, ne répond pas non plus, mais il continue à m'emplir pleinement en accentuant ses coups sur la zone la plus nerveuse de tout mon corps. Le nouveau coup m'entraîne directement au paradis et je me tends contre lui en le suppliant de continuer et de s'arrêter en même temps, tant mon sexe se tend autour de lui. C'est presque douloureux, mais ses vas et viens continuent et c'est absolument délicieux. Il mord brusquement mon épaule en atteignant à son tour l'orgasme, enfoncé au fond de moi jusqu'à la garde et je sens presque mes yeux rouler de bonheur. Son corps entier pèse contre le mien mais je ne me suis jamais sentie aussi bien, aussi complète.

— Je t'aime, je murmure sans voir son visage.

— Putain, et moi donc, souffle-t-il paresseusement dans mon dos en donnant un nouveau coup de reins.

J'esquisse un sourire nonchalant. Je suis chez moi, sans aucun doute.

Nous passons le reste de la nuit dans les bras l'un de l'autre, à parler de nous, de nous deux. La nuit n'a pas à connaître mes appréhensions, je ne veux me focaliser que sur nous deux. Et si la conversation est légère, nos mains ne peuvent pas s'empêcher de se caresser et nos lèvres de se frôler entre deux projets.

Au crépuscule, je flanche finalement vers le sommeil contre son torse. Nous sommes déjà demain, mais je suis incapable de m'arracher à lui et de faire face à mes obligations.

Chapitre 51

Avant de retourner chez Parker, sans avoir donné de nouvelles depuis hier soir et sans m'être présentée au bureau ce matin, je rejoins la maternité. Sans surprise, j'y trouve les jeunes parents, l'amour de ma vie, et mon meilleur ami. Mon père et Laurenn ne sont pas encore arrivés. Je crois avoir lu dans la conversation familiale qu'ils prévoient d'arriver en fin de journée. Je n'ose imaginer l'état d'excitation de mon père à ce moment précis. Je détesterais être loin des miens, rien que pour ce type d'évènement.

— Bonjour mon amour, je roucoule à voix basse en rejoignant immédiatement le berceau.

Quand je relève la tête, trois paires d'yeux sont posées sur moi. Bon sang, comment vais-je me sortir de ce guet-apens ? Il n'y a pas de secret. Lucas et moi n'avons pas prévu de nous cacher. C'est peine perdue, j'ai de toute façon avoué à demi-mots à Kevin qu'elle était ma décision hier soir. Je garde la main de mon neveu entre mes doigts.

— Alors ? me demande Josh en haussant un sourcil.

— Tu rayonnes, Sophia, me fait remarquer ma belle-sœur tout sourire.

— Oui, on s'est remis ensemble, je soupire à leur attention.

Kevin masque sa désapprobation, il fait au mieux, mais je le connais comme ma poche. Josh lance un sourire victorieux à sa femme et elle le gratifie d'un clin d'œil avant de me couver du regard de nouveau.

— Mais ?

— Mais j'aime Parker, je leur avoue en haussant les épaules. Et je ne sais pas comment je dois gérer la situation. Alors je vous le demande par avance, ne me mettez pas la pression.

Les hommes de ma vie me jettent des regards désabusés alors qu'Alex acquiesce, toujours aussi bienveillante.

— Bien sûr ma puce. De toute façon, c'est seulement à Parker et Lucas que tu dois des comptes. Nous, on sera juste là pour toi si tu as besoin.

Je lui suis reconnaissante d'être si attentionnée malgré la situation. Josh m'aurait foutu un coup de pied aux fesses et Kevin lèverait sûrement les yeux au ciel si elle n'était pas là en le laissant faire.

— Et combien de temps va durer ce cirque ? me demande Josh en haussant un sourcil.

— Je ne sais pas Josh, je soupire. Je vais essayer de faire les choses… aussi correctement que possible.

— Tu ne voulais pas qu'elle se marie avec Parker et de toute évidence ça va être le cas, alors fous-lui la paix maintenant, le réprimande Alex.

Il détourne le regard en hochant la tête et je fais la moue.

— Prends donc ton neveu pour te donner du courage, lance-t-elle en me souriant.

Kevin reste étonnamment silencieux quand je croise volontairement son regard pour le sonder. Mon meilleur ami retient certainement un « je te l'avais dit » bien senti mais je suis soulagée qu'il le garde pour lui.

Lucas et moi avons quitté le café qui fait l'angle de la rue de l'hôpital et nous sommes fait nos au revoir sur le trottoir, chaudement emmitouflés dans des manteaux qui nous couvraient du froid polaire qui souffle sur New York en ce mois de décembre. Je suis incapable de savoir quand je serai capable de le revoir, je suis incapable de prévoir quand je serai apte à quitter Parker… Mais Lucas a débloqué son numéro dans mon téléphone, alors nous serons au moins à même d'échanger le temps de régler cette situation. Je l'ai embrassé une dernière fois, puis j'ai tourné les talons pour rejoindre la maternité.

— Ton parrain a prévu de venir te voir ce soir Liam, je gâtise au bébé que je soulève tendrement dans mes bras.

— Tu peux l'appeler tonton du coup, observe mon frère en haussant un sourcil, fier de son pic.

— Ton papa est un affreux personnage tu sais.

Je le noircis du regard vainement. Je ne suis pas énervée ; la bulle qui entoure mon bonheur retrouvé dans les bras de Lucas est à rude épreuve, à l'effigie de notre relation. Et la seule personne capable de l'ébranler est mon fiancé. Mon cœur s'accélère dans ma poitrine quand je songe à lui, alors je concentre mon attention sur le visage boursouflé par le sommeil du nouveau-né.

— Il ne va pas tarder à avoir faim, remarque Alex de son lit.

— Hors de question que je lui donne un biberon ! J'ai trop peur de le noyer.

— Tu ne vas pas être comme ton frère ! se plaint ma belle-sœur alors que mon meilleur ami se marre sur le fauteuil.

— Je suis le seul sur lequel tu peux compter, lui lance-t-il Je te l'avais dit. Je la connais.

Elle lève les yeux au ciel et Josh enfourne les mains dans ses poches, comme si cela lui était égal qu'on parle de nous. La jeune maman attrape un minuscule biberon à porter de main et me fait signe de lui tendre son fils après l'avoir secoué d'une main experte. J'ai toujours eu du mal à croire à l'instinct maternel. À toutes ces choses que les femmes font instinctivement pour leurs enfants sans jamais l'avoir appris à l'école. J'ai peur d'être une de ces mères perdues qui questionnent les infirmières, consultent des forums, appellent le pédiatre pour un oui ou pour un non. Mais pour Alex, être mère semble être une deuxième nature. Et je suis admirative.

— Lucas nous a dit qu'il voulait au minimum trois enfants Sophia, alors tu ferais bien d'apprendre à donner un biberon, raille-t-elle en installant Liam dans ses bras pour le nourrir confortablement.

— Il s'y connaît en bébé, il gérera ça comme un chef, je lui assure, amusée.

Josh et Kevin me fixent et je me sens mal à l'aise de parler du futur que nous prévoyons ensemble quand il n'est pas à mes côtés. J'ai peur d'être jugée, de passer pour le monstre de service ou la salope de base. Je me sens déjà immonde de faire ça à Parker.

— Bon, je vais y aller, je marmonne après avoir jeté un œil à la pendule dans la chambre.

— J'imagine que tu ne dînes pas avec papa et Laurenn ce soir.

Et merde… J'avais complètement oublié qu'ils seraient évidemment seuls pour le dîner.

— Si, je ne peux pas leur faire ça… je réfléchis rapidement. Tu ne leur dis rien, je le mets en garde.

— Tu ne vas quand même pas ramener Parker au dîner.

— Et pourquoi pas putain ? je siffle d'agacement.

— Ton papa et ta tante sont de sacrés emmerdeurs mon amour, gronde Alex en nous toisant du regard.

Je leur fais un signe de main, tendue comme un arc, avant de quitter la chambre précipitamment. Josh ne se rend pas compte d'à quel point cette situation est compliquée. Il ne se rappelle pas quand sa relation est devenue sérieuse avec Alex et qu'Élodie a tenté de revenir. Il ne se rappelle pas qu'il a quitté Alex. Qu'il s'est détesté, a détesté chaque instant de sa vie à ce moment-là. Il ne se rappelle pas que tout n'a pas été facile maintenant que les problèmes sont terminés pour eux et qu'ils vivent une vie sans nuage.

Je rejoins l'immeuble la boule au ventre et avant de monter, j'envoie un message à mon père pour lui confirmer que nous dînons ensemble ce soir. Je suis incapable de me rendre à ce dîner sans Parker. Il est inenvisageable de lui annoncer ce soir que tout est fini parce que j'aime Lucas plus que je l'aime. Mais c'est impossible de l'écarter de ce dîner avec mon père sans tendre la situation plus qu'elle ne l'est déjà. J'inspire profondément et grimpe dans l'ascenseur. Il est certainement déjà rentré du travail. J'ai préféré ignorer les appels et messages en absence de lui et Sarah. Les portes de l'ascenseur s'ouvrent sur le tintement qui caractérise l'arrivée à son étage. Son appartement.

— Parker, je l'appelle machinalement sur le pas de la porte.

Ses pas résonnent dans le couloir et je repère son air furieux quand il entre dans le salon. Je fais trois pas vers lui tandis qu'il comble les mètres qui nous séparent, ses sourcils froncés sur son front.

— Où tu étais Sophia putain ?

J'enroule mes bras autour de son ventre pour appuyer mon front sur son torse et esquiver son regard ou un baiser.

— Alex a été accueillie à la maternité hier soir et a accouché dans la nuit.

— Quoi ? Mais pourquoi tu ne m'as pas prévenu ?

Ses mains caressent tendrement mon dos et j'appuie plus franchement ma joue contre lui pour y trouver du réconfort. Sa voix est un mélange de tendresse et d'empressement et je sens mon cœur gonfler dans ma poitrine de l'entendre avoir de l'intérêt pour ma famille.

— Je ne sais pas, j'étais angoissée d'abord… et après j'étais comme engourdie quand je l'ai vu.

Je relève les yeux vers lui et suis surprise de le voir réellement attendri. Son expression me frappe de plein fouet. Parker m'aime tellement. Je me hais d'aimer Lucas encore plus fort…

— Il s'appelle Liam, je lui apprends d'une voix blanche.

Si je me permets de ressentir quoi que ce soit, je vais fondre en larmes entre ses bras.

— Mon père et Laurenn dînent avec nous dans deux heures. Est-ce que tu sais où tu veux manger ?

Je tente de me détacher mais il me rattrape par le poignet en riant, me ramenant contre lui.

— Du calme ma petite tornade, tu viens d'arriver et tu me donnes trop d'informations en même temps.

Je pose mes mains sur son torse pour instaurer un espace infime entre nous mais il se penche lentement vers moi. Je compte les secondes s'égrener avant que ses lèvres n'entrent en collision avec les miennes mais je ne ressens que de la culpabilité. Les images de cette nuit défilent dans ma tête, de Lucas et moi nus et enlacés, du visage fier de Josh en nous voyant entourer son fils, de notre maison de Brooklyn… Je me recule en souriant.

— Je dois avoir une haleine abominable, je m'excuse. Il faut que je me douche.

Parker rit de bon cœur et me fait signe qu'il me laisse aller vaquer à mes obligations. Son visage est entièrement détendu et il a l'air totalement heureux. Lui qui me cerne habituellement sans le moindre encombre, je suis stupéfaite d'être si bonne actrice. Parce que mes épaules sont complètement tendues, mon cœur est meurtri et mon esprit est tourmenté. Je suis foncièrement heureux d'avoir retrouvé Lucas. Mais perdre Parker me brise le cœur. Et je ne sais pas comment me sortir de cette situation sans l'accabler de notre rupture. Je ne sais pas comment lui faire comprendre qu'il n'a rien fait de mal, qu'il n'a pas été une simple aventure, une histoire sans valeur, que ce n'est pas de sa faute et qu'il n'a rien à se reprocher. Je ne sais pas comment lui briser le cœur. Pire encore, je ne sais pas comment trouver les mots justes pour lui expliquer qu'il n'y a plus aucune chance à notre idylle.

Je sors de la salle de bain plus d'une heure plus tard, mais Parker est posé dans le canapé, toujours aussi décontracté et apaisé. Je n'ose pas imaginer le souci que j'ai pu lui causer ces dernières vingt-quatre heures. Pourtant il me pardonne sans sourciller. Comment ai-je pu mériter un homme si bon que lui ? Il se lève quand je le rejoins et m'observe d'un air appréciateur. J'ai simplement passé un pantalon blanc et un t-shirt échancré de la même couleur mais il me regarde comme si j'étais entièrement nue pour lui.

— J'ai réservé *Chez Alexandre.*

— Ton ami, n'est-ce pas ? je m'enquiers en enfilant une veste beige.

— L'ami de Garreth, me corrige-t-il en souriant brièvement.

Le mot ami pour Parker est important. Il a deux amis : Garreth et Collin. Les autres sont des connaissances, tout au plus. J'acquiesce en parcourant mes messages rapidement. Mon père et Laurenn nous attendent à leur hôtel.

— On prend ta voiture ? je lui demande en prévenant ce dernier qu'on ne va pas tarder.

— Oui bien sûr, comme ça on pourra faire un détour touristique si besoin.

Il me fait un clin d'œil et je ne peux pas m'empêcher de le trouver craquant quand il est si attentionné. Parce que s'il y a bien une chose que Parker est, c'est bien prévenant et attentif. Il ne manque jamais un geste ou une date importante. Il n'oublie rien, prête toujours attention ce que je dis ; que mes dires aient de l'importance ou non. Je lui fais un sourire que je ne sais retenir.

Mon père et Laurenn nous attendent sous le parvis de l'immeuble. Et au regard peu amène de mon géniteur, je peux devenir qu'il n'apprécie que très moyennement le climat de New York.

— C'est quoi ce temps de merde ? braille-t-il en grimpant sur la banquette arrière.

J'éclate de rire et Parker se marre en le saluant d'un signe de tête, à moitié tourné sur son siège.

— Vous allez bien, monsieur Rial ?

— Bon sang, Parker, si tu épouses vraiment ma fille, il va falloir que tu arrêtes avec ce monsieur.

Je me tends instantanément, mais vu qu'ils partent sur des échanges vifs de retrouvailles, ma réaction passe inaperçue, ce qui me rassure.

— Alors papa, comment tu trouves Liam ? je m'enquiers alors que Parker se réinsère dans la circulation.

— Parfait, bien sûr. Vu qu'il a mes gènes.

Laurenn ne retient pas son hilarité et le frappe gentiment sur le bras avant de se redresser.

— Il est tellement mignon, s'exclame-t-elle. Il a les yeux de sa mère.

Je fronce les sourcils alors que mon père vante les yeux de notre famille avec intérêt. Je suis incapable de trouver des points de ressemblance à l'heure actuelle, qu'ils soient d'Alex ou de Josh. Liam est juste minuscule et adorable. Qu'importe qu'il ait le nez de mon frère ou les yeux de sa femme. Je l'aime tel qu'il est.

— Ne me spoilez pas, je n'ai pas encore eu le temps de le voir, sourit Parker avant d'attraper ma main dans la sienne.

— J'ai un million de photos à te montrer, lui rétorque fièrement mon père.

J'esquisse un sourire en ne pouvant m'empêcher d'imaginer mon père grand-père. Je ne peux pas saisir la joie intense qui doit le prendre aux tripes de voir son fils enfin sur le droit chemin, lancé dans sa vie d'homme. Inconsciemment, je me demande comment il se sentira quand je deviendrai mère.

— On dîne français ce soir, j'espère que ça vous convient, lance Parker en s'engageant dans la circulation.

— Génial ! Je n'ai pas mis un pied à Paris depuis au moins vingt ans.

— C'est le restaurant d'un copain à moi, fraîchement arrivé de Bordeaux justement.

Laurenn s'extasie à l'arrière sur les vins de la région tandis que j'entends simplement mon père grommeler dans sa barbe qu'il n'y a jamais assez à manger dans les assiettes quand les Français passent en cuisine. La discussion s'anime tout de même autour de l'alcool fard du pays et unanimement, tout le monde est d'accord pour consentir qu'ils sont doués pour ça.

— Et voilà, déclare Parker en se garant dans une petite rue de Manhattan.

Le voiturier m'ouvre la portière, tandis que tous finissent par me rejoindre sur le trottoir. Au bar, un grand blond nous accueille d'un large sourire et le contourne rapidement en venant accoler mon fiancé un bref instant.

— C'est ta jolie fiancée je présume, lui demande le fameux Alexandre dans un clin d'œil avant de se pencher pour me faire la bise.

C'est marrant. Je n'avais en réalité vu ça qu'à la télévision. Quand les Américains se serrent joyeusement dans les bras, les Français s'embrassent à tour de bras. Il réitère le geste avec Laurenn puis serre la main de mon père en reprenant son sérieux.

— J'imagine que vous êtes ses parents, leur lance-t-il en nous jaugeant. Mec, tu me ramènes ta fiancée et tes beaux-parents dans la même soirée, j'ai la pression !

J'esquisse un sourire. Finalement, il attrape plusieurs cartes et nous demande de le suivre. Parker et lui ouvrent la marche, et j'entends vaguement qu'ils discutent ensemble de leur ami commun.

— Qui est ce type ? articule mon père sur ma droite.

— C'est un ami de Parker.

— Je ne veux plus qu'il embrasse ma femme.

J'éclate de rire et Laurenn rougit brièvement. J'ignorais que mon père était un homme jaloux. Pour moi, il suinte la confiance en lui depuis que ma belle-mère a rejoint nos vies. Je suis assez peu proche d'elle, parce que je n'oublierais jamais l'abandon dont j'ai été victime le jour de Noël. Mais je sais être objective ; elle a fait beaucoup de bien dans notre famille depuis qu'elle est arrivée. Elle a encaissé avec panache les remarques acerbes qu'on a pu lui lancer avec Josh. Elle a géré d'une main de maître les disputes que l'on a pu avoir pendant mes ruptures difficiles. Laurenn sait apaiser les tensions. Elle est une oreille attentive. Mon père est fou d'elle. Et si je dois l'admettre, je l'aime profondément aussi. Elle ne nous a pas quittés quand Josh a eu son accident, et elle participe à toutes les étapes de nos vies depuis des années maintenant. Je ne sais pas comment elle nous supporte ; nous et nos mauvais côtés. Nous et nos dîners gâchés à cause d'engueulades musclées. Mais elle le fait, et ce, toujours avec le sourire.

— Tu ne peux pas l'appeler ta femme si tu ne lui as pas passé la bague au doigt, je sermonne mon père. Ne sois pas comme ton fils.

Tous deux pensent avoir des droits de propriété sur Alex et Laurenn, sans assumer les frais d'un mariage. C'est risible. Je lance un clin d'œil à la femme qui partage sa vie. Elle a quarante ans, elle serait probablement magnifique dans une robe blanche ; elle qui n'a jamais eu cette chance. Je sais que mon père doit probablement être traumatisé par le départ de ma mère ; et que son idée du mariage doit être plutôt entachée par son passé mais… Elle y aurait droit, comme toute femme. Et sa réaction me conforte, elle pique un fard.

Parker recule une chaise pour que je m'y installe et dépose un baiser sur mon épaule avant de s'asseoir près de moi. Mon père ne se donne pas cette peine et j'esquisse un sourire. Il n'a jamais été reconnu pour sa galanterie.

— Qu'est-ce qu'on boit ici ? lance-t-il à l'attention de l'ami de Parker.

— Pressé le monsieur, ricane ce dernier avec son accent prononcé avant de lui tendre une carte.

— Au cas où vous ne l'auriez pas remarqué ; il gèle dehors.

— Vous êtes venus à pied ? s'inquiète Alexandre en interrogeant Parker.

Mon fiancé fait un signe de tête négatif avant de se marrer discrètement. Mon père est rustre. Autant que mon frère. Et que Lucas… Et c'est vrai que Parker dénote pour sa bienveillance.

— Vous voulez choisir le vin, monsieur Rial ?

Voir mon père relever la tête vers Parker pour le sermonner du regard est hilarant. Il lève les mains à hauteur d'épaules pour s'excuser mais c'est vain, mon père soupire lourdement ; comme si le poids du monde pesait sur ses épaules.

— Comment avancent les préparatifs ? me demande Laurenn alors qu'ils discutent de grands crus classés. Si tu as besoin d'aide, n'hésite surtout pas Sophia.

J'esquisse un sourire gêné. Au fil des semaines, le mariage approche à grands pas. Bien sûr, avant cela il y a Noël. Et je dois à tout prix trouver un moment pour parler à Parker mais mon père lit dans mes pensées. Et ma mâchoire peine à ne pas se décrocher.

— Alors Parker ? Est-ce que finalement tu passes les fêtes de Noël avec nous ou dans ta famille ? Sophia m'a dit que c'était un peu compliqué pour toi de déserter avec tes nièces et tes neveux.

— Ma famille est extrêmement traditionnelle. Si je rate Noël, ma sœur me tuera certainement.

— Et comment vous allez faire, je veux dire, dans le futur ? s'enquiert-il.

Mon père est plutôt coutumier de se mêler de ses affaires, de ne pas appuyer sur les sujets qui fâchent. C'est presque comme si Josh hantait son corps à présent.

— Un jour, nos familles devront se rassembler, ou bien nous devrons trouver une organisation. Il est hors de question que je fête Noël sans mes petits-enfants. Et pourtant je déteste Noël !

Seigneur… Je fixe le verre que le serveur est en train de remplir avec délicatesse sans oser lever les yeux vers les convives qui m'entourent. Le fait que mon père mentionne les fêtes de fin d'année avec Parker me met mal à l'aise car il sait maintenant pourquoi notre famille n'est pas une fervente adepte. Et comme je le connais sur le bout des doigts, je sais qu'il est sensible aux mal-être de son entourage.

— Il est évident qu'on trouvera des solutions pour que vous fêtiez Noël avec vos petits-enfants, lui répond Parker.

— Peut-être que vous pourriez ne pas parler de mon utérus comme si je n'étais pas là, j'interviens en haussant un sourcil.

— C'est légitime de parler d'enfants puisque vous vous mariez dans quelques semaines Sophia, objecte mon père. Et j'ai tellement hâte de voir la maison remplie de bambins.

Cette fois c'est sûr, Josh a dû appeler papa ou lui en parler à la maternité.

— Et si tu commençais par parler de nous, le coupe Laurenn sur un air entendu.

Mon père détourne brusquement la tête vers elle, alors qu'elle se contente de lui sourire ironiquement. Est-ce qu'elle lui fait un reproche sur le fait de ne pas l'inclure dans nos vies ?

— Sophia, ton père et moi avons quelque chose à t'annoncer.

Je fronce les sourcils et instinctivement, je porte mon attention sur mon père en sentant tous mes muscles se tendre. Bizarrement, cela n'a plus du tout l'air d'un règlement de compte.

— Tu vas avoir un petit frère ou une petite sœur.

Mon verre de vin s'arrête en chemin et flotte dans l'air, et putain, je me sens tétanisée. Mes yeux doivent presque sortir de leurs orbites alors que je les observe, sans un mot.

— Wahou, quelle nouvelle ! s'exclame Parker en posant une main dans mon dos. Félicitations !

— Josh est au courant ? j'arrive seulement à couiner en retenant toujours mon souffle.

— Pas encore, me sourit-elle avec indulgence. Mais Alex le sait.

Je porte mes doigts libres contre ma bouche tandis que je repose avec prudence mon verre. Ma gorge est obstruée. Mon père me regarde comme si j'allais le planter à coup de fourchette dans la poitrine. Mais je suis juste, sous le choc.

— Hum… s'il vous plaît ne m'invitez pas quand vous lui apprendrez, je m'éclaircis la gorge en détournant le regard.

Parker me scrute comme si j'étais une bombe à retardement mais je continue à les fixer, l'air atteint difficilement mes poumons. Bon sang, comment est-ce que je suis censée réagir ? Évidemment que Laurenn a encore l'âge. Elle a dix ans de moins que mon père. J'inspire profondément et me lève. Cela me demande un self-control hors du commun, un que je ne m'imaginais même pas avoir. Mais je contourne la table et vais les enlacer à tour de rôle. Je suis incapable de les féliciter à voix haute, mon esprit ne sait même pas ce qu'il pense de la situation. Mais ce que je sais, c'est que j'aime mon père indéfiniment et que Laurenn est presque une mère pour moi. Et ce bébé aura une famille qui l'aime ; à toute épreuve.

— Ça va Sophia ? Tu es pâle, s'inquiète-t-elle quand je vais pour me rasseoir.

Parker tire délicatement ma chaise et je dois bien avouer que… c'est vrai que je me sens fébrile.

Quand je rouvre les yeux brusquement, tout ce que je ressens est un bourdonnement assourdissant dans mon oreille, de la sueur sur mon front et le carrelage glacé sous mon corps.

— Hé, bébé, souffle la voix chaude de Parker dans mon oreille.

Je secoue la tête frénétiquement et on m'appuie la tête contre une épaule. Cela doit être la sienne. Laurenn est agenouillée devant moi et m'évente avec son menu quand j'arrive à distinguer des visages. Mon pouls s'accélère dans ma poitrine.

— Calme-toi Sophia, me sermonne Parker en posant la main sur mon front.

— Tu as fait un malaise, soupire mon père.

Leurs voix sont lointaines et je me redresse tant bien que mal en détestant l'attention générale portée sur moi.

— Ça va, ça va, je grommelle.

Je suis prise d'un haut-le-cœur quand j'essaie de me relever et un mal de tête lancinant s'installe dans mon crâne.

— Alex a pris la nouvelle un peu mieux que ça, plaisante Laurenn en me tendant sa main.

— Bois un peu d'eau, me conseille Parker une fois sur mes pieds.

Je lève les mains pour prendre quelques secondes et rassembler mes idées. Sophia, tu dois te lever, souffler un bon coup et te rasseoir à table pour faire face à ce repas. Et faire bonne figure. Ta vie ne ressemble pas à des montagnes russes, tu peux encaisser la nouvelle.

— OK, c'est bon, je soupire en m'asseyant de nouveau.

Je me marie dans quatre mois, mon fiancé est parfait mais je dois le quitter, j'aime toujours mon ex et je veux faire ma vie avec lui, ma mère m'a abandonnée et voilà que mon père et sa copine vont avoir un bébé du même âge que mon neveu.

Tout va bien. Rien n'est bizarre.

— Et quand est-ce que vous saurez le sexe ? lance Parker en me jetant un coup d'œil inquiet.

— En janvier, lui rétorque mon père en portant un regard similaire sur moi.

— Donc il est prévu pour mai-juin, je calcule rapidement.

Comme mon mariage. Tout est parfait.

J'espère que Josh a une bulle assez épaisse pour survivre à cette annonce sans exploser.

— La famille va s'agrandir considérablement d'un coup, plaisante mon futur mari. Et puis nous on ne suivra probablement pas longtemps après.

Je noircis Parker du regard. La question d'avoir un enfant ou pas n'est absolument pas à établir autour de cette table. À quel point ne réalise-t-il pas que ma vie est un vrai merdier en ce moment ? Je suis déjà rongée par la culpabilité et voilà qu'il parle de notre futur avec mon père.

— Laurenn, est-ce que vous avez le droit à une petite coupe pour fêter ça ? s'enquiert Parker en levant déjà la main pour appeler un serveur.

— C'est marrant comme tu arrives à l'appeler par son prénom mais que tu m'appelles toujours monsieur.

— C'est parce que je suis moins vieille que toi.

Je n'arrive pas à décrocher le regard du visage de mon père. Ses yeux dévient régulièrement vers moi, comme s'il était miné par la situation. Qui suis-je pour gâcher son bonheur ? Après tout, Josh et moi l'avons quitté à notre manière pour aller vivre loin de lui. Et Laurenn ? C'est son premier enfant. Bien sûr, elle a veillé sur nous toutes ces années mais… j'imagine que toute femme rêve un jour d'avoir son enfant bien à elle. Et puis, ça fait longtemps maintenant qu'ils sont ensemble. Ils le méritent, n'est-ce pas ? Ce bonheur incommensurable. Mes problèmes ne sont pas les siens après tout.

— Alex, rapporte-nous ton meilleur champagne, s'il te plaît.

J'esquisse un sourire mais au fond de moi, le chagrin est intense. Parker nous imagine déjà un futur que je ne suis pas prête à lui offrir. Annuler le mariage était une chose, et je savais que je lui briserais le cœur. Mais qu'en est-il maintenant qu'il veut avoir un enfant, avec moi ? Je suis incapable de faire ça. Je suis incapable de faire ça avec quelqu'un d'autre que Lucas. Il a toujours été toute ma vie. Il a affronté les bons, comme les mauvais moments à mes côtés. Et je n'imagine pas un autre homme embrasser mon ventre rond de femme enceinte, ou me serrer la main en salle d'accouchement.

Le reste de la soirée passe à une lenteur lancinante. Et le trop-plein d'émotions me submerge la majeure partie du repas. Je n'arrive pas à avaler quoi que ce soit, et deux coupes de champagne ne furent pas de trop pour me dérider. Devant leur hôtel, je serre fort mon père dans mes bras. Je ne lui en veux pas. Il a totalement le droit de refaire sa vie, d'oublier enfin maman. Il mérite le bonheur pour toutes les misères qu'on a pu lui faire subir pendant nos adolescences respectives. Et j'espère qu'il me pardonnera de ne pas lui avoir dit pour Lucas.

— Tu as été ailleurs toute la soirée, me fait remarquer Parker gentiment quand nous quittons l'hôtel.

— Comme quelqu'un qui apprend qu'elle va avoir une petite sœur à vingt-cinq ans, je soupire en appuyant ma tête contre la vitre.

— Tu ne veux pas d'enfant ?

— Pourquoi tu dis ça ?

— Parce que tu n'avais pas l'air enjouée quand j'ai annoncé qu'on suivrait certainement bientôt.

— Parce que tu as dit ça à mon père, je lui rétorque en fronçant les sourcils. Quel père a envie d'entendre ça ?

— Le mien serait ravi.

— Ah bon ? Avec ton assistante ? je pouffe ironiquement. C'est marrant, il ne me semble pas que ta famille ait fait un pas vers toi depuis le déjeuner chez eux, je lui souligne.

Et c'est la triste réalité. Parker n'a pas eu de signe de vie depuis notre passage chez eux et son annonce fracassante de dernière minute. Pire encore, il compte leur annoncer la date du mariage par un faire-part. Mais enverra-t-on vraiment des faire-part ?

— Mes parents sont traditionnels. Ils auraient voulu te rencontrer avant nos fiançailles, mais ça n'a pas d'importance.

— Ce sont quand même tes parents, j'interviens.

— Eh bien retournons dîner là-bas, comme ça ils apprendront à te connaître.

Sophia, ferme. ta. gueule.

— Tu devrais commencer par les appeler, j'ajoute sur une voix plus douce.

Je sais qu'il a pour devise d'emmerder l'avis des gens. Mais il ne s'agit pas simplement de gens, il s'agit de sa famille. Et eux, contrairement à moi, ne pensent pas à le quitter…

— Je le ferai, me lance-t-il en posant sa main sur ma cuisse. D'accord ?

J'acquiesce en appuyant ma tête contre l'appuie-tête. Parker est toujours à mon écoute, il est toujours soucieux de me rendre heureuse, de me faire plaisir. Il a la tête sur les épaules, et ne cache pas ses sentiments. Les seules fois où il a disparu sans réponse sont celles où il imaginait le pire. Et je n'ose pas penser à sa réaction quand je trouverais la force de le quitter. Et quand je croise son regard empli de tendresse, j'en suis incapable. Cet homme est incroyable. Et j'ai tellement, tellement de chance de l'avoir dans ma vie. Mon cœur se brise à l'idée même de l'écarter alors comment pourrais-je être capable de le quitter ? De briser son rêve de mariage ? De briser tous les espoirs qu'il a depuis que nous nous sommes rencontrés ? Bon sang, moi aussi j'étais pleine d'espoir jusqu'à ce que Lucas revienne dans ma vie. Moi aussi je me voyais descendre l'allée en robe blanche pour l'y retrouver. Je ne sais pas comment ma vie pourrait être plus éparpillée que ça…

Chapitre 52

J'arrive au bureau le lundi suivant et Sarah m'accueille chaleureusement avec un café avant de lancer un grand sourire à Parker dans mon dos. Les jours se suivent sans se ressembler. Je passe volontairement énormément de temps à la clinique, avec Josh et Alex pour profiter de Liam. Il est le seul homme qui ne me tourmente pas ces derniers jours. Et j'avoue me réfugier auprès de ce bébé pour prétendre que mes problèmes n'existent pas. Je ne sais pas si c'est sain pour lui, mais ces moments privilégiés me font beaucoup de bien. Mercredi, c'est Noël. Et Parker quitte la ville pour rentrer chez ses parents pour trois jours demain soir. Lucas s'envole pour la Floride mercredi matin. Cette fin de semaine s'annonce fortuite pour moi. J'ai besoin de déconnecter totalement de ces deux relations qui pompent mon énergie et de me ressourcer auprès de ma famille. Malheureusement, Kevin nous quitte aussi pour rejoindre sa ville natale.

— À tout à l'heure, susurre Parker en m'attirant contre lui, une main posée dans le creux de mes reins.

Je ferme les yeux. À la fois pour savourer ses baisers que je compte jusqu'au dernier, mais aussi parce que je suis incapable de croiser son regard rempli d'amour. Il dépose un baiser sur mes lèvres, puis sur mon front avant de me presser contre lui puis de s'éloigner vers son bureau.

— Vous êtes tellement mignons, roucoule Sarah en minaudant quand je rouvre les yeux.

J'esquisse un sourire la gorge nouée. Je sais à quel point j'ai de la chance d'être avec cet homme, mais je sais aussi à quel point ma chance est immense de connaître et d'être aimée par un homme tel que Lucas. Je rejoins mon bureau en plissant les lèvres et ferme derrière moi. Parker m'a assigné un nouveau contrat bien moins intéressant que celui de Ross, mais ce n'est pas plus mal pour moi. Cela me permet de décrocher, doucement mais sûrement. Parce que je sais que je perdrai le travail que j'aime en même temps que ma relation.

D'ailleurs, je perdrai tout ce que j'aime ; ce poste, mes dossiers, mon bureau, Sarah, la vue sur la ville, mon patron et fiancé extraordinaire… Je ne travaillerai plus avec l'homme que j'aime tous les jours. Il ne me taquinera plus, ne se montrera plus autoritaire. Je ne trouverai plus de roses sur mon bureau quand il part en déplacement, plus aucun commentaire ne sera murmuré à voix basse sur mon passage, plus d'intrusions inattendues. Au plus profond de moi, je sais que ça va me manquer. Parce que j'ai travaillé dur pour rattraper toutes les années où j'ai négligé l'école, parce que j'ai enchaîné les petits boulots pour payer mes années de fac, que j'ai passé beaucoup de soirées à réviser avec Lucas pour décrocher mon diplôme et que je l'ai finalement décroché par ma seule volonté. Tout comme ce poste que j'ai eu la chance d'avoir après tous ces petits stages merdiques que j'ai enchaînés. Bon sang, j'ai tout donné pour en arriver ici. Pour avoir cette vie de rêve que beaucoup m'envient.

Et je dois tout abandonner. Parce que j'aime passionnément Lucas, plus que je n'aime cette vie.

Et arriverais-je à retrouver un travail aussi motivant que celui-ci ?

Parker m'a donné ma chance. Est-ce que ce sera également le cas des autres employeurs de la Grosse Pomme ?

On toque à ma porte légèrement et je relève les yeux vers mon visiteur. Le sourire charmant de mon fiancé tranche avec sa barbe d'une dizaine de jours et je ne peux m'empêcher d'éprouver une explosion d'amour dans ma poitrine.

— Est-ce que tu as le temps d'aller déjeuner ?

Si j'y vais, je...

— Oui bien sûr.

Je suis incapable de ne pas passer de temps avec lui avant de définitivement renoncer à nous. Mon sac sur l'épaule, je le rejoins et serre ma main dans la sienne qu'il me tend tendrement.

— Où m'emmènes-tu ? je lui demande dans le hall d'entrée.

Sarah a déserté son poste pour aller déjeuner. J'ignore quelle heure il est.

— Financial district. J'ai un rendez-vous juste après avec Garreth.

J'acquiesce en détournant le regard et le suis jusqu'au chauffeur qui nous attend en bas de l'immeuble dans un SUV noir.

— C'est aujourd'hui qu'Alex et Josh rentrent chez eux avec le bébé non ? s'enquiert-il, son téléphone entre les mains.

— Oui, en fin d'après-midi.

— Je vais leur faire livrer des fleurs de notre part, quel bouquet tu préfères ?

Il me tend l'écran et fait défiler un certain nombre d'assortiments de fleurs, tous accompagnés d'un énorme ours en peluche blanc. Mon cœur fond et mon regard dévie sur lui pour observer son profil harmonieux.

— Lequel tu veux ?

— Le blanc, je lâche en détaillant ses lèvres pleines.

Il l'ajoute au panier sans ciller et je m'étoufferais presque à cause du prix, mais il n'hésite pas une seconde avant de valider l'achat. Parker pourrait paraître trop généreux pour être honnête et pourtant, je sais qu'il ne le fait sans aucune contrepartie. Il n'attend pas de remerciement de la part de mon frère, ne cherche pas à s'attirer ses faveurs. Il est simplement foncièrement bon. Et bon sang, je sais exactement pourquoi j'aime cet homme. Et surtout pourquoi il a été le seul autre homme dans ma vie à me faire tomber amoureuse.

La voiture ralentit devant un immeuble d'époque pour s'arrêter complètement près du secteur de Wall Street. Les baies vitrées offrent une vue imprenable sur l'intérieur du restaurant plutôt rococo. C'est assez peu le style d'endroit que nous fréquentons mais j'obtempère en passant devant Parker quand il m'ouvre la porte galamment.

— Vous avez réservé ?

— Au nom de Bailey, je lui réponds sans hésiter.

Le serveur vérifie rapidement avant de m'offrir un sourire de courtoisie et de nous inviter à le suivre. La main de mon fiancé trouve le bas de mon dos, comme à son habitude, et j'esquisse un sourire contrit. Qui s'efface instantanément quand je m'apprête à m'asseoir et que mon regard tombe violemment dans le sien.

Lucas me fixe un instant, comme s'il tombait sur un fantôme. Mais ce n'est pas son regard qui me glace le sang. C'est surtout la femme assise à ses côtés.

— Ça ne va pas ? s'inquiète Parker une fois sa place prise en face de moi.

— Si, bien sûr.

Je m'éclaircis la voix avant de reporter mon attention sur lui en lui concédant un sourire forcé. Bon sang, je suis à deux doigts de rendre mon petit déjeuner sur cette table. *Ils étaient quatre Sophia pour l'amour de Dieu, souffle un coup.*

— Est-ce que vous désirez un apéritif ?

Mon regard divague au-delà de l'épaule de Parker, où Lucas cherche à attirer mon attention discrètement. *Sale petit enfoiré.*

— Deux verres de Bourgogne ? s'enquiert mon fiancé en me jetant un coup d'œil pour m'interroger.

J'acquiesce et de nouveau, un sourire de façade étire mes lèvres. Il valide son choix auprès de notre serveur prestement. Mais je suis furieuse. Une bombe à retardement prête à exploser ici et maintenant. La main de Parker attrape la mienne sur la table et ses yeux cherchent les miens, tracassé par mon attitude âcre.

— Sophia, je te connais par cœur. Qu'est-ce que tu as ?

— Rien.

Mes yeux s'égarent à nouveau par-dessus son épaule contre ma volonté et j'expire lourdement en fermant les yeux quand il se retourne pour chercher l'objet de mon changement d'humeur. Je me hais.

— Tu es comme ça parce qu'il y a Lucas ?

Il n'a pas besoin de crier pour montrer à quel point il est en colère et je me pince les lèvres en détournant le regard penaud. Parce que le sien est accusateur et las.

— Combien de temps tu vas encore continuer ton cirque avec ce mec ? s'exclame-t-il avec plus d'ardeur. On se marie dans quatre mois, que te faut-il de plus ?

J'avale difficilement ma salive. Rien ne sort. Rien ne peut sortir. Je suis au pied du mur, putain.

— Bonjour, lance la voix rauque de Lucas.

Je suis incapable de croiser son regard alors je détourne la tête en portant mon poing contre ma bouche. Ce déjeuner tourne à la catastrophe. Tout comme ma vie. Et je ne suis pas en mesure de la reprendre en main.

— Qu'est-ce que tu veux encore ? soupire un Parker excédé à son attention.

Le serveur s'immisce dans la conversation pour déposer nos verres sur la table et déguerpit aussitôt sa mission accomplie. J'imagine qu'il sent la tension palpable qui émane de nous trois.

— Parker, je ne suis pas là pour me battre, s'excuse-t-il rapidement. Soph', écoute-moi.

— Putain mais de quel droit tu te pointes à notre table ? Qu'est-ce qui ne va pas chez toi ? s'esclaffe Parker nerveusement.

Je suis prête à taper ma tête dans un mur quand je le vois se lever aussi furieux qu'indisposé.

— Parker, je te le répète. Je ne suis pas là pour te parler, tente de l'apaiser Lucas.

— Donc maintenant tu penses que tu peux parler à ma fiancée sans ma putain de présence ?

— Bordel, je la baise même sans ta putain de présence ! lui rétorque-t-il furieusement. Qu'est-ce que tu vas me faire ?

Seigneur. Je me lève trop tard pour attraper le bras de Parker et son poing atterrit sur la pommette de Lucas brutalement et j'évite de peu son coude. Une première table valdingue sous leur poids quand Lucas s'effondre, Parker fermement agrippé au col de sa chemise.

Ça ne peut pas être pire que ça.

Les autres convives des tables voisines se lèvent apeurés quand ils continuent de se relever pour mieux se jeter aux quatre coins de la salle à tour de rôle et je reste complètement stoïque ; incapable de lâcher le moindre mot tant j'appréhende l'issue de la bagarre.

Les serveurs viennent à s'amasser autour d'eux pour les séparer en hurlant et mes mains tremblent contre mes cuisses sans pouvoir les retenir. Je suis dans l'impossibilité de réagir. Si j'interviens, la situation ne va que s'aggraver. Comme c'est le cas chaque fois que j'ouvre la bouche ces derniers temps. Et si je laisse un mot m'échapper, je crains de briser totalement le cœur de Parker en un quart de seconde.

Et le seul regard dans lequel je tombe pour ne pas assister à ce spectacle : c'est celui de Joy. À une dizaine de mètres de moi. La femme avec qui il m'a trompée au lycée.

Chapitre 53

L'un après l'autre, les policiers les guident menottés vers les voitures de patrouille garées le long du trottoir à la va-vite. Une fois maîtrisés par les serveurs, ceux-ci sont arrivés près de trois minutes plus tard, en trombe. Gyrophares allumés. Et je me sens la plus honteuse du monde parce que l'un comme l'autre ne me quitte pas du regard tant que ça leur est possible. Soit, jusqu'à ce que la portière se referme sur eux.

Nous avons tous les trois préféré ne rien dire durant les minutes silencieuses qui se sont écoulées. Le spectacle a assez duré. Et je ne supporterai pas d'être ainsi déshonorée devant cette garce cupide et manipulatrice qu'est cette connasse de Joy. Je rassemble justement mes affaires quand j'entends son rire se rapprocher de moi.

— Eh bien on peut dire qu'il est toujours aussi fou de toi malgré les années passées.

Je ne relève les yeux vers elle que quand je remonte mon sac sur mon épaule. Et mon regard doit être aussi glacial qu'un jour d'hiver à New York parce qu'elle hausse les sourcils, surprise et fait un pas en arrière.

— Sophia, tu ne crois quand même pas qu'il se passe quelque chose avec Lucas ?

Elle a l'air sincèrement stupéfaite mais je ne peux que m'empêcher de lui coller une baffe pour cet air surfait qui plisse son visage et pour les nombreuses fois où elle m'a regardé droit dans les yeux pour me faire sortir de mes gonds. Je reverrai toujours dans mon esprit cette photo où Lucas et elle s'embrassaient.

— On travaille dans le même cabinet. Kyle et Loris sont nos collègues.

Elle désigne de la main les deux hommes encore bêtement debout près de leur table. Et ils ont les yeux rivés vers moi comme s'ils étaient sidérés.

— Sophia, je ne suis plus une menace, me dit-elle en souriant.

Fièrement, elle exhibe sa bague et son alliance, comme si deux bijoux pouvaient arrêter qui que ce soit. J'ai la boule au ventre. Parce que pour elle, cela semble être une évidence. Je suis mal à l'aise, et prestement, je dissimule ma main gauche dans la poche de mon pantalon en cillant bêtement. Elle a revêtu un tailleur jupe droite et blazer rouge et ses talons sont aussi vertigineux que les miens ; elle est parfaitement professionnelle. Et je n'ai vu que la rage et la jalousie quand elle était assise près de Lucas.

— Vous travaillez ensemble ? je lui redemande, pour être sûre d'être une idiote de première.

Elle hoche la tête avec bienveillance. Et comme si elle souhaitait me remonter le moral, elle m'offre un sourire de compassion.

— Il n'a pas supporté une seconde de te voir avec un autre, ajoute-t-elle dans un clin d'œil. Je ne sais pas ce que tu lui as fait au lycée, mais tu devrais me donner ton secret.

J'avale difficilement ma salive avant de secouer la tête, complètement désabusée par la situation. Il faut que je sorte d'ici et que… Quoi ? Aller au commissariat ? Payer des cautions ? Les regarder droit dans les yeux.

— Je dois y aller, je balbutie. Bonne journée.

Les serveurs me lancent des regards mauvais sur le chemin de la sortie et je dépose un billet de cinquante dollars près de la caisse enregistreuse en partant. Parker a été le premier à lever la main mais Lucas a été tellement désobligeant et orgueilleux ; je… Je suis incapable de me rendre là-bas. Je suis même incapable de rentrer chez moi ce soir. Il va me poser un milliard de questions auxquelles je ne veux pas répondre. Auxquelles je ne peux pas répondre.

Alex m'accueille sur le palier dans une grenouillère loin d'être sexy mais visiblement très confortable. Je fais la moue et elle me serre dans ses bras en me réconfortant gentiment. Josh est parti à la salle de sport et j'ai une fenêtre de tranquillité avant qu'il ne rentre et que mon père et Laurenn débarquent. Les larmes commencent à rouler d'elles-mêmes sur mes joues alors qu'elle frotte vigoureusement mon dos au beau milieu de la cage d'escalier.

— Liam a hâte de voir sa tatie, tente-t-elle de me remettre du baume au cœur.

À peine déshabillée de mon gros manteau en laine, mon neveu atterrit dans mes bras dans une tenue similaire à celle de sa mère et j'esquisse un sourire en espérant que mes larmes cessent de couler. Sa minuscule main s'enroule autour de mon petit doigt et je cligne d'émerveillement.

— Interdit de pleurer avec mon fils dans les bras. Je ne veux pas qu'il devienne dépressif ! me réprimande-t-elle en s'affalant dans le canapé, les jambes croisées en tailleur.

Je réponds à sa boutade par un sourire puis vais pour m'installer près d'elle. Ma famille est mon soutien le plus précieux. Et si elle n'a pas mon sang, Alex est tout aussi importante.

— Qu'est-ce qui t'arrive alors ?

— Parker et Lucas viennent de se mettre sur la gueule en plein restaurant.

Ses sourcils se haussent et sa bouche forme un O l'équivalent de quelques secondes avant qu'elle ne se mette à rire, l'air halluciné.

— Pardon ?

J'acquiesce en soupirant lourdement avant de reposer les yeux sur mon neveu qui m'observe avec une grande attention.

— Mais pourquoi ? Parker sait ?

— Lucas a laissé entendre qu'on couchait ensemble.

— Ce que vous avez fait, me coupe-t-elle

— Oui mais… je ne sais pas si Parker a compris que c'était vrai. Lucas lui répondait dans une guerre de provocation pour savoir qui aura la plus grosse et… Je ne sais pas.

Elle me frotte le dos avec compassion.

— Tu sais Sophia, tu ne pourras pas repousser encore longtemps l'inévitable, soupire-t-elle en cherchant mon regard.

Mais je garde les yeux rivés sur son fils.

— Je sais. C'est juste que je l'aime tellement.

— Justement ; laisse-le partir. Il trouvera sa Lucas à lui.

— Est-ce que je fais une erreur, Alex ? je lui demande emplie de chagrin.

— Est-ce que j'ai fait une erreur en m'accrochant désespérément à ton frère alors qu'il me repoussait comme un acharné ? me rétorque-t-elle dans un sourire. Les erreurs des uns ne sont pas celles des autres.

Je fronce les sourcils et l'interroge du regard.

— Regarde où on en est. Et d'où on est partis avec Josh.

Elle essuie le bord des petites lèvres charnues de son fils du bout du doigt avant de me sourire à nouveau.

— Ils sont parfaits, tous les deux, ajoute-t-elle. Et il est évident que tu auras toujours quelque chose pour Lucas mais... Pose-toi les bonnes questions. Quand il n'était plus là, tu n'avais aucun doute sur tes sentiments pour Parker.

— Tu ne m'aides pas là.

— Je sais, ricane-t-elle. Et je ne le fais pas pour t'aider. Je le fais pour que tu réfléchisses en ton âme et conscience car c'est ta vie.

— J'aime vraiment Parker... je soupire.

— C'est bien pour cette raison que tu as cette bague, relève-t-elle avec indulgence.

— Et j'aime vraiment Lucas.

— Propose-leur une colocation alors ! plaisante-t-elle.

Je ne suis pas folle. Je sais qu'Alex m'encourage à faire preuve de discernement sans essayer de m'influencer et qu'elle ajoute une bonne dose de légèreté à cette conversation pour ne pas me faire perdre pied. Et je comprends où elle veut en venir : ma relation marchait comme sur des roulettes avant l'arrivée de Lucas. Alors Parker n'est pas juste un pansement. Il était mon tout. Comment puis-je arriver à le quitter parce qu'un fantôme de mon passé est revenu ? Je doute de tout.

— Sophia, me tempère-t-elle en dégageant les cheveux qui dissimulent mon visage penché sur son fils. Prends encore le temps de réfléchir. Tu n'as pas l'air sûre de toi.

— Je ne peux pas réfléchir, je geins comme une enfant. Je vis avec Parker, qui est parfait. Il fait tout comme il faut. Il pense à moi, à ma famille. Il veut qu'on se marie. Et dès qu'il a le dos tourné je vois Lucas, qui veut aussi qu'on se marie, et qu'on ait des enfants dans cette maison adorable qu'il a achetée pour nous.

— Tu es dans un sacré pétrin, relate-t-elle en grimaçant légèrement, la tête tournée vers le plafond.

— Je croyais que ma décision était prise mais…

Mes épaules s'affaissent alors que je relève le regard vers elle pour chercher son soutien mais son visage est terni par l'incertitude et la perplexité. Alex ne pourra jamais avoir la réponse que je cherche au fond de moi. Personne d'ailleurs ne peut m'aider. Je repose mon attention sur Liam qui baille à s'en décrocher sa petite mâchoire trognonne. Il est le seul à m'arracher un sourire.

La clé dans la serrure résonne à peine que la porte d'entrée s'ouvre déjà à la volée. Mon grand frère débarque dans le salon, son sac de sport bringuebalant sur son épaule et son visage s'éclaire instantanément. Il ne remarque pas l'air inquiet d'Alex, ou ma mine déconfite et mes yeux rougis. Son regard est uniquement posé sur son fils, et il est empli d'amour et de fierté.

— Mon fils Sophia, me réclame-t-il les mains tendues, alors que son sac s'écrase platement au sol.

Je lui cède volontiers le bébé dans un sourire attendri.

— Pour le câliner tu es là. Quand est-il de son changement de couche ? raille Alex, affalée contre mon épaule.

Il lui répond par un sourire entendu et je me sens presque de trop parce que leur complicité est étouffante. J'ai chaud au cœur de voir mon frère hisser son fils contre son torse pour déposer sa bouille contre son épaule et l'embrasser sur le sommet du crâne.

— Arrêtez de raconter vos histoires de gonzesses devant mon fils. Il a encore le temps d'apprendre que les femmes sont des chieuses.

— Alors tu seras prié de ne plus le laisser dans le salon quand toi et ton meilleur ami blasphémez des atrocités devant vos jeux vidéo.

J'esquisse un nouveau sourire en les imaginant tous les deux dans le canapé, comme ils avaient l'habitude de le faire chez nous alors que je révisais mes cours. C'est exactement pour cette sensation de chaleur qui irradie mon corps que j'ai pris cette décision à la maternité. Je veux retrouver Lucas, et tout ce que cela implique. Une grande famille. Bâtie sur des désillusions, des chagrins, des abandons, des disputes mais… de l'amour, beaucoup, des rires et une complicité sans faille.

Josh a les yeux rivés sur le crâne de son fils qu'il berce tendrement contre lui. Sa main est immense et couvre presque entièrement son dos. Bon sang, je ne peux pas me sentir plus heureuse en cet instant qu'en le voyant si épanoui. J'ai imaginé mon frère en père un millier de fois durant la grossesse et pourtant, je ne me suis jamais approchée de la vérité. Il est tellement à l'aise. Et confiant.

— Vous racontiez quoi ?

— Que tu vas sûrement être appelé par le commissariat d'ici quatre heures.

Il hausse un sourcil et directement, son attention se braque sur moi. Pourquoi faut-il qu'il n'ait aucune hésitation quand il s'agit de problème ?

— Qu'est-ce que tu as fait ?

— Qu'est-ce que j'ai fait ? je m'écris scandalisée. Demande à Lucas et Parker ce qu'ils ont fait plutôt.

Il retient visiblement son rire et finalement, il grimace en écartant son fils de son épaule.

— Alex, ton fils vient de me vomir dessus.

Elle se lève en riant tandis qu'il le porte à bout de bras, comme s'il ne savait plus quoi en faire.

— Alors maintenant c'est mon fils ! se moque-t-elle en récupérant le bambin. Il a à peine régurgité Josh ! Quel âge tu as ? Six ans ?

Ma belle-sœur lève les yeux au ciel en quittant le salon tandis que Josh retire comiquement son pull pour éviter d'être touché par le minuscule dégueulis blanc sur son épaule gauche.

— Douze ! lui crie-t-il pour rétorquer avant de froncer les sourcils en s'asseyant près de moi. Alors, qu'est-ce que tu as fait ?

— On mangeait tous au même restaurant. Et Lucas a pensé opportun de venir à notre table pour me parler, je lui relate les faits en soupirant.

— Tu sais qu'il ne va pas supporter longtemps le fait que tu vives avec Parker, n'est-ce pas ? persifle-t-il.

Je pousse un soupir de désespoir en posant ma tête contre son épaule et reste ahurie quand il enroule maladroitement son bras dans mon dos. C'est agréable. Je veux dire, le fait de l'avoir retrouvé. Même s'il fait des choses bizarres, comme me faire un câlin par exemple. Je fronce les sourcils et me laisse aller, après tout, j'ai besoin de réconfort et c'est à cause de lui que son fils n'est plus dans mes bras.

— Vous êtes sûrs que vous allez bien ? fait Alex, dubitative.

Je ricane en me dégageant, mal à l'aise.

— J'ai raté un épisode ? s'enquiert-elle en riant.

Elle s'assied prudemment dans le fauteuil en tailleur avant de caler Liam contre sa poitrine, sa main faisant des allers-retours sur son ventre avec bienveillance.

— Non je lui racontais l'histoire, comme à toi.

— As-tu condamné leur attitude ? demande-t-elle à mon frère en souriant.

— Évidemment que non, je réponds à sa place.

— Josh on en a parlé ! Commence à t'habituer à dire à Liam que la violence, c'est mal.

Il ricane en me donnant un coup de coude pour me remercier du soutien mais je hausse les épaules en lui répondant par un clin d'œil.

— Papa et Laurenn arrivent quand ?

— Ils ne devraient plus tarder.

Mon frère est insouciant, j'imagine que mon père ne lui a pas encore appris la nouvelle. Et Alex est une tombe quand il s'agit d'un secret. Elle et Laurenn ont un lien particulier, car elles sont toutes les deux des conjointes dans notre famille. Et l'évidence est là, nous nous serrons tous les coudes.

— Super, je marmonne.

Je dois absolument me tirer. Sinon je sens qu'ils vont s'appuyer sur moi pour contenir Josh et bon sang, j'ai bien d'autres problèmes à l'heure actuelle pour me rajouter ce poids sur les épaules.

— Bon, il va bien falloir que quelqu'un aille les sortir de cellule, je soupire en me levant.

C'est mon fardeau, en quelque sorte. Je ne peux pas rester éternellement terrée chez mon frère.

— Si jamais ça se passe mal… enfin tu sais, grimace Alex. La porte t'est toujours ouverte Sophia.

— Merci, je lui lance un signe de tête reconnaissant en souriant mollement.

Je récupère mon sac à main, renfile ma veste sous leurs regards incertains et vais pour les enlacer rapidement. Le poids sur mes épaules me pèse mais je leur offre un sourire plus rassurant avant de les quitter. Ils ont leur propre enfant à s'occuper maintenant, et je ne veux pas les inquiéter plus que nécessaire : ma vie n'est pas en jeu. Je suis, certes, en mauvaise posture pour le moment mais je suis en bonne santé, j'ai un toit au-dessus de ma tête et un travail qui me permet de vivre décemment.

Je jette un coup d'œil à mon téléphone une fois sur le trottoir et inspire profondément. Des mails non lus du bureau, mais pas d'appels répétés. C'est le calme avant la tempête.

La sonnette annonçant l'arrivée de l'ascenseur me sort de mes pensées et j'avance dans le hall d'accueil les yeux baissés vers le sol. Sarah va être joyeuse, comme à son habitude, et je n'ai pas le cœur à faire semblant aujourd'hui.

— Alors ce resto ? me questionne-t-elle sans surprise.

Étant donné que nous sommes restés en tout et pour tout une trentaine de minutes dans le restaurant, je ne suis qu'à peine en retard.

— Guindé, comme d'habitude.

Je m'exfiltre rapidement vers mon bureau pour ne pas lui laisser la possibilité d'enchaîner. Je mens délibérément et elle le saura, tôt ou tard. La bile remonte dans ma gorge et je la fais passer avec le fond de café froid qui restait de ce matin dans la tasse. C'est immonde.

Chapitre 54

Mon téléphone sonne alors que je suis en train de finaliser une présentation à proposer à Parker pour un plan de communication multimédia et je jette un coup d'œil à l'écran en redoutant d'y voir la photo de mon fiancé en train de clignoter. Le numéro m'est inconnu, je fronce les sourcils et le porte à mon oreille.

— Oui, allô.

— Putain Soph, c'était quoi ce plan ? résonne la voix de Lucas dans mon oreille.

Je vérifie à nouveau l'écran de mon portable, mais c'est bien un numéro non codé qui s'affiche.

— Quel plan ? je lui rétorque en fronçant plus durement les sourcils.

— Qu'est-ce que tu foutais au restaurant avec lui ?

— Et toi qu'est-ce que tu foutais avec Joy ?

— C'est une collègue. Elle est Junior, tout comme moi.

— Et évidemment, elle travaille dans ton cabinet, je raille.

— On a fait nos stages ensemble Soph'.

Il soupire au bout du fil. Et je sais comme lui que mes remontrances sont inutiles. J'ai vu l'énorme diamant qui pendait à son doigt, et ce n'est pas celui de Lucas. Elle a mûri, tout comme nous.

— Tu ne pouvais pas attendre de m'appeler plutôt que de venir me parler devant Parker ? je lui reproche à demi-mots.

— Tu crois vraiment que j'étais capable de te voir minauder pendant une heure sous mes yeux ?

Je détache mon regard de l'ordinateur pour le perdre dans mon bureau sans répondre.

— Il est sorti, lui aussi ?

— Son avocat était en train de remplir les derniers papiers.

J'acquiesce. Il devrait bientôt récupérer son téléphone donc.

— D'accord.

— Bébé, je t'aime, marmonne-t-il dans le combiné.

J'esquisse un sourire et détourne le regard pour dissimuler ma bonne humeur.

— Tu as plutôt intérêt à répondre que toi aussi.

J'éclate de rire en m'appuyant contre le dossier de mon fauteuil. C'est stupide, mais je me sens comme l'adolescente que j'étais quand on a commencé à sortir ensemble et que le moindre de ses faits et gestes me rendait toute chose.

— Moi aussi… même si tu as été un connard en parlant de moi comme si j'étais ta chose.

— Désolé, bougonne-t-il à l'autre bout du fil. J'étais incapable de ne pas répliquer.

Parker s'est imposé comme étant celui qui avait un droit de propriété sur moi. Il était évident que Lucas ne saurait pas rester de marbre. Je soupire en repensant à leurs échanges musclés au milieu de la salle de restaurant. La montée de testostérones était quasi insoutenable.

— Et puis… tu es ma chose.

Il rit de sa boutade en même temps que moi et même si j'étais furieuse en repensant à leur guerre d'ego, bon sang je ne peux pas m'empêcher de me sentir attendrie quand je l'entends.

— J'imagine que tu n'as pas prévu ce genre de discours pour tes vœux.

— Plus j'y pense, plus je songe à y incorporer quelques phrases d'hommes des cavernes.

— Ça te sied à ravir.

— Tu adores ça.

Mes lèvres s'étirent dans un sourire quand une sonnerie familière résonne dans mon oreille à travers la voix de Lucas.

— Je dois te laisser, je grimace légèrement.

Le visage de Parker éclaire tout mon écran et je raccroche au nez de mon amant sans attendre. S'il sort tout juste de garde à vue, je vais sûrement en prendre pour mon grade.

— Enfin ! je m'exclame en décrochant.

— Excuse-moi d'avoir pris du temps à sortir de taule…, me répond-il froidement.

Je grimace. Visiblement le temps en cellule ne lui a pas permis de calmer ses nerfs.

— Où es-tu ? reprend-il en soupirant.

— Au bureau.

— À vingt et une heures ?

Je fronce les sourcils en jetant un coup d'œil à l'horloge de mon ordinateur portable. Putain, je n'ai même pas vu le temps passer !

— J'ai complètement oublié de regarder l'heure.

Et c'est vrai. Je me suis plongée dans mon travail pour tenter de maîtriser mes angoisses. Je redoutais tellement l'appel de Parker que j'ai bossé cette présentation sans oser vérifier l'heure.

— Je rentre tout de suite. Tu es à la maison ?

Je commence déjà à rassembler mes affaires en faisant un tour global de mon bureau. Effectivement, la nuit est tombée sur la ville et New York la nuit ressemble à un immense halo lumineux.

— Je ne faisais que passer. Je vais boire un verre avec Garreth et Alex.

Tout de suite, mes épaules se détendent un peu. L'heure de la confrontation est reportée. Je n'ai pas besoin de quitter le bâtiment en trombe.

— Oh, d'accord. Du coup je ne t'attends pas pour dormir.

— En effet.

Sa voix est aussi tendue et sèche que celle d'un banquier après trois mois de découvert mais ça, il ne peut pas le savoir. Moi, ça me donne la chair de poule. Il raccroche sans un mot de plus alors que j'atteins l'ascenseur et je fais la moue en observant mon téléphone sur la page d'accueil. Je sais qu'il est légitime qu'il soit énervé, furieux et désemparé. Je ne peux pas imaginer une seule seconde sa situation mais Parker a toujours été un homme compréhensif et dans la communication. Alors le fait qu'il ne veuille plus m'adresser la parole me serre l'estomac. Il ne veut plus me parler, mais il m'appelle quand même. Il pense à moi, peu importe combien il est furibond.

Je soupire en grimpant dans l'ascenseur. Parker n'est presque jamais sorti avec ses amis depuis que nous sommes ensemble ; selon lui, il n'en ressent pas le besoin. Ses soirées sont bien plus intéressantes à mes côtés. Alors je suis perturbée de voir que ce n'est plus ce qu'il ressent visiblement. Du moins, ce soir.

Un instant, je suis tentée d'appeler Lucas pour profiter de lui. Après tout, j'ai des années à rattraper à ses côtés. Mais savoir que Parker se sent mal me retient. Je suis incapable d'ajouter un nouveau poignard dans son dos. Il fait tellement tout pour me rendre heureuse ; de quel droit puis-je lui infliger ça ? Notre rupture à venir n'est-elle pas suffisante ?

Chapitre 55

En janvier, les fêtes de fin d'année sont derrière nous et les vœux pour la nouvelle année s'accumulent. J'ai passé une semaine loin de Parker, auprès des miens en évitant mon portable au maximum. J'ai voulu me retirer, penser seulement à moi, à ma vie et ce que je voulais en faire.

Quand Parker est rentré cette nuit-là, il était ivre et complètement désabusé. Il n'est pas venu se coucher au lit et a pris le parti de dormir sur le canapé. J'ai attendu une vingtaine de minutes, mais il ne m'a jamais rejointe. Le lendemain matin, il m'apprit qu'il prenait finalement la route avant le déjeuner pour profiter de ses neveux et j'ai acquiescé pour encaisser le coup.

Lucas partit comme prévu en Floride pour quelques jours et quand il fût de retour à New York, son premier réflexe a été de m'appeler. Évidemment, j'étais ravie. Mais le regard de Parker rôdait dans mon esprit sans cesse et j'étais juste incapable de lui faire ça.

Depuis un mois, l'homme avec qui je dois me marier n'est que l'ombre de lui-même et j'ai beau tenter d'imposer une conversation, il arrive à l'esquiver si facilement que je suis déconcertée. Un rendez-vous urgent, un déplacement professionnel, un coup de fil important. Nos moments à deux sont réduits à ceux que nous passons avec notre wedding planner et le peu de soirées où il est à la maison en ce moment.

Lucas me tend les bras aussi fort qu'il le peut et aussi incroyable que cela puisse paraître… L'attitude de Parker me bouleverse et m'empêche de ressentir une quelconque joie.

Le mois de février avance sans que la situation ne s'améliore. Parker passe trois semaines en Californie et Élodie m'assure qu'il se comporte normalement, comme si rien n'était, toutes les fois où je l'appelle pour glaner des informations.

— Parker, je l'interpelle alors qu'il s'apprête à entrer dans la salle de bain.

Il est rentré depuis deux semaines de Los Angeles et s'il ne ressemble plus à un fantôme qui se déplace dans l'appartement, il est toujours incapable de me dire plus que le strict minimum.

— Est-ce que je peux te parler ?

À Noël, j'étais décidée à prendre un peu plus de temps pour moi, pour faire les choix nécessaires pour ma vie. Lucas est mon amour de toujours et au fond de moi, je sais qu'il a la place la plus importante dans mon cœur mais… Alex a raison d'insister sur le fait que Parker a été l'homme de ma vie les quelques mois avant que Lucas ne réapparaisse soudainement. Il faisait la pluie et le beau temps à mes yeux. Il a fait passer mes besoins avant les siens et je me sens mal d'abandonner une relation qui n'a jamais connu aucun mauvais moment pour un homme qui m'a déjà brisé le cœur plusieurs fois.

Il s'arrête sur le pas de la porte et détourne le regard, bien au-dessus de moi en acquiesçant.

C'est difficile de le voir se détacher de moi alors que j'en suis incapable moi-même.

Je dois quitter un homme que j'aime profondément pour un homme que j'aime passionnément depuis mes seize ans. Mais je n'y arrive pas.

— Parker… ça ne peut plus continuer comme ça, je soupire.

Il reste droit comme un i devant moi, mais ses yeux ne me portent toujours aucune attention. En revanche, son corps réagit et ses épaules frémissent vaguement sous sa chemise. Signe qu'il écoute quand même ce que j'ai à lui dire.

— Tu ne peux pas te murer dans le silence.

C'est ce qu'il fait, littéralement, depuis deux mois. Il m'adresse la parole pour le minimum syndical, ne me touche plus et n'aborde plus aucun sujet qui fâche. J'ai l'impression d'être avec l'ombre de l'homme que j'aime. Et si cela devait m'irriter profondément, je suis simplement touchée, triste et émue. Parce que si je suis incapable de le quitter, j'ai presque l'impression qu'il s'en charge à ma place.

— Parle-moi… ou au moins, hurle-moi dessus si tu en as besoin, je le supplie presque en attrapant sa main.

Je bats des cils pour contenir les larmes qui montent quand il a un sursaut en me sentant le toucher.

— Tu as couché avec lui, n'est-ce pas ?

— Non.

Je lui mens sans savoir pourquoi. Sûrement parce que je suis désespérée de le voir enfin accepter de me parler. Parce qu'il me porte enfin de l'attention ; je ne sais pas. Ses yeux dérivent vers moi.

— Je ne suis pas stupide, me lance-t-il, las.

— Parker je… je l'ai embrassé. Rien de plus.

Je continue : « Tu étais furieux contre moi et… »

— J'étais furieux contre toi donc tu l'embrasses ? me rétorque-t-il froidement.

— Non ! je m'écrie en rattrapant la main qu'il m'a arrachée. On venait de s'engueuler toi et moi et il a eu des belles paroles qui m'ont touchée.

— Visiblement il n'y a pas que ses paroles, crache-t-il à mon intention.

Voir Parker aussi distant me brise de l'intérieur. Il me regarde et pourtant, semble à mille lieues de moi. Il émane la colère mais reste stoïque. Il a l'air si mal, je suis terrassée par la honte.

— Est-ce que tout ça c'était un jeu pour toi Sophia ? me demande-t-il quand je suis perdue dans mes pensées.

— Non bien sûr que non.

— Alors pourquoi tu fais ça ? Pourquoi tu remets en question notre relation sans cesse depuis qu'il est rentré dans notre vie ? Putain, pourquoi même tu le laisses entrer dans notre vie ?

Parce que ma porte lui a toujours été ouverte… quoi qu'il arrive. Même dans les moments où j'étais les plus en colère contre lui, les moments où nous étions séparés, les moments où il me haïssait.

— Il est la plus grande partie de ma vie…, je lui avoue avec hésitation.

— Non c'est là que tu te trompes. Ta famille est la plus grande partie de ta vie, pas lui.

Il en fait partie…

Je soutiens son regard. Sa voix s'est adoucie, même si elle reste toujours aussi tranchante. Il ne se met pas en avant, lui ou sa place dans ma vie. Il me rappelle qu'elle est ma place dans ce monde, et que je ne dois jamais renier ce qui m'importe le plus. Malgré sa colère et son agitation, il se soucie de moi ; comme toujours. Je triture mes mains sans oser rien ajouter alors qu'il me fixe intensément. La chaleur de la fureur irradie toujours de lui mais ses yeux ne sont que tristesse et désespoir.

Voilà pourquoi j'aime cet homme. Il ne se positionne pas comme la personne la plus importante dans ma vie, il ne s'impose pas et fait toujours en sorte de me mettre avant tout sur un piédestal. Il sait combien j'ai souffert, et combien j'ai galéré ces dernières années. Il a été là pour me sortir la tête de l'eau où je voulais me noyer pour ne plus jamais connaître l'amour. Il me connaît, moi, la jeune fille de vingt-cinq ans. Et pas l'adolescente de dix-huit.

Si Lucas me connaît comme sa poche, il ne connaît en revanche pas la femme que je suis devenue.

Et si c'était l'adolescente au fond de moi qui brûlait pour lui ? Et si la femme que je suis mourait pour Parker ? Je suis mêlée entre souvenirs, passé, esquisses de futur et présent tumultueux, comme si je marchais sur un fil mal tendu.

Mon pouls bat à cent à l'heure dans ma poitrine et ma respiration est étriquée dans ma gorge qui reste sans voix.

Ses yeux noisette glissent sur moi comme s'ils cherchaient une réponse et je n'arrive pas à détacher mon regard de son visage charismatique.

Et si c'étaient seulement les souvenirs qui me ramenaient vers Lucas ? Et si je faisais une énorme bêtise…

— Sophia.

— Je suis perdue, je lui confie en sentant les larmes monter.

Je les contiens tant bien que mal en m'attardant sur sa fossette.

— Tu m'aimes, n'est-ce pas ?

J'acquiesce en avalant difficilement ma salive avant de replonger dans ses yeux, désorientée. Ses épaules se sont redressées, ragaillardi par ma confession et au fond de ses prunelles, je le décèle à nouveau, le patron qui m'a fait flancher.

— Alors ne le laisse pas nous enlever ça.

Le fait qu'il parle encore d'un nous me tord l'estomac et je ne sais pas comment l'interpréter. Une part de moi se sent coupable, l'autre est hystérique de soulagement. Je fais le pas qui nous sépare et joins mes bras derrière sa nuque en me hissant sur la pointe des pieds sans lui demander son accord. Mon corps s'entrechoque au sien et j'appuie ma joue sur son torse en fermant les yeux. C'est incroyablement difficile d'envisager de dire au revoir à quelqu'un qu'on aime. Et j'aime Parker, indéniablement. Sinon mon corps ne serait pas si tendu et mon cœur si douloureux.

— Tu t'es trop battue pour tirer un trait sur votre relation pour abandonner maintenant, me rappelle-t-il doucement en me pressant contre lui.

Je n'ai pas les mots parce qu'au fond, je sais qu'il y a une part de vérité. Une part de moi sait et ressent ce qu'il vient d'énoncer. C'est la réalité, je me suis éloignée de lui sans preuve tangible de la tromperie parce que je ressentais le besoin vital de me séparer de Lucas pour être heureuse. Je pensais que les histoires ne s'arrêteraient jamais, que j'avais beau m'accrocher corps et âme à cette relation, qu'elle ne m'apporterait jamais un bonheur total et sincère.

Qu'en est-il aujourd'hui ?

Chapitre 56

Je passe le restant de la semaine à profiter de Parker sans décrocher aux appels de Lucas. Mon fiancé est un homme adulte qui comprend, malgré sa réticence, ma situation. Je lui ai promis ce soir-là de m'accrocher à la femme que j'étais devenue, par conséquent, la femme que j'étais avec lui. Et ça a apaisé ses tensions. Ça n'apaise pas mon cœur en miettes, mais ça a au moins eu le don de rétablir la communication entre nous.

Le mariage n'est plus que dans deux mois et mes proches sont les premiers à me le rappeler. Parker est surexcité : pour lui, mes doutes se sont dissipés. Ce n'est pas le cas, mais le voir de nouveau heureux me remet du baume au cœur alors je n'aborde plus le sujet de Lucas avec lui.

Mon frère ne cesse de me rappeler l'état du compte à rebours qu'est ma vie actuelle à chaque fois que l'on se voit. Alex le morigène mais son regard est si inquiet que je sais qu'elle est maintenant retranchée à l'avis de Josh.

Je passe de plus en plus de temps avec Kevin à l'afterwork. On n'aborde pas le sujet de ma vie amoureuse parce que je suis incapable d'en parler. Bon sang, mon cerveau fait un blocage à la simple énonciation de Parker ou de Lucas. Je me mure dans le déni sans savoir comment m'en sortir.

Et évidemment, je ne réponds plus aux messages de Lucas. Ça fait bientôt trois mois que c'est le cas d'ailleurs.

Parfois, je lui réponds simplement que je vais bien. Et tous les soirs, je ferme les yeux avec la boule au ventre.

C'est plus qu'être déchirée entre deux hommes ; je suis déchirée entre deux parts de moi, deux versions de moi-même.

Chapitre 57

À la mi-mars, je suis dans une boutique spécialisée en gâteaux de mariage avec Élodie et notre wedding planner. Ma meilleure amie a pris un week-end prolongé pour prendre sa place de demoiselle d'honneur et participer à la préparation de ce mariage qui me ronge les sangs.

— Celui-là est…, elle gémit indécemment, une cuillère dans la bouche.

Ses sourcils font des rebonds au-dessus de ses yeux et j'esquisse un sourire discret alors que ses lèvres s'étirent pour former un O d'émerveillement. La prestataire est heureuse d'avoir enfin quelqu'un d'enthousiasme à ses côtés, alors je les laisse discuter et pars en vadrouille dans le magasin. Élodie dort chez nous ce week-end, ce qui va me permettre de mettre un peu de distance entre Parker et moi. Il m'étouffe littéralement d'amour et si la jeune femme au fond de moi sautille d'impatience pour ce mariage, l'adolescente est à deux doigts de la crise de panique.

— Sophia, goûte celui-là, me supplie ma meilleure amie, la main courbée sous une cuillère remplie.

J'obtempère en soupirant, la langue tirée pour marquer mon irritation. Elle n'en a que faire, évidemment. L'amas de crème au beurre est à deux doigts de me faire vomir mais j'avale en lui offrant un sourire contrit.

— Alors ?

— Parfait.

Élodie est excitée comme une puce par ce mariage. Et si Kevin est vraiment mon ami, il respectera ma volonté de ne pas la mettre dans la confidence. Je ne veux pas recevoir un avis de plus sur ma vie amoureuse, ma santé mentale est en jeu. J'ai déjà suffisamment de tracas à délibérer en mon âme et conscience pour y greffer les âmes et consciences de tout mon entourage.

Plus tard, alors qu'on l'attend justement toutes les deux dans un pub, je sirote ma bière en écoutant les dernières en date de la vie conjugale de ma meilleure amie avec attendrissement. Élodie supplie Collin corps et âme de divorcer mais il s'accroche et… bon sang, je ne sais pas comment l'expliquer mais je sais qu'il est fait pour elle. Collin est charismatique, entêté et beau à tomber.

— Tu m'écoutes, Sophia ? gronde-t-elle en fronçant les sourcils. Il veut qu'on emménage ensemble !

— Tu connais mon avis sur la question, je le lui rappelle pour la énième fois en souriant.

Elle refuse de l'admettre, mais je sais qu'elle est aussi sous son charme. Elle finira par craquer, aussi obstinée puisse-t-elle être. Et une part de moi ne peut pas s'empêcher de penser que Collin est le meilleur ami de Parker ; et si les choses tournent mal… Je ne sais pas si je pourrais garder la moindre chose pouvant me rappeler mon fiancé.

— Sur quelle question ? s'enquiert Kevin en passant son bras autour de la clavicule d'Élodie.

Elle s'appuie contre son torse et tourne la tête pour mieux le distinguer et son sourire n'est que pure tendresse. Mes meilleurs amis ont créé une relation plus adulte ces dernières années. Les pics ont été remplacés peu à peu par des conversations pleines de sens, par des week-ends de débauche et de la bienveillance saine.

Kevin, qui a été pris entre nous deux plusieurs mois, a développé un vrai instinct protecteur vis-à-vis d'elle et je suis émue de voir comme leur amitié a évolué.

— Collin, lui lance-t-elle en grimaçant.

Il me lance une œillade amusée en la contournant avant de s'asseoir à côté de moi. Un serveur arrive avant même qu'il ait pu retirer son manteau, coupant court aux jérémiades de ma meilleure amie.

— Vous avez pris quoi vous ? nous demande-t-il en détaillant nos verres déjà posés sur la table. OK, une bière.

Il acquiesce à son attention avant de nous quitter, son bloc et son stylo entre les mains. Kevin se dégage de sa doudoune en me donnant des coups d'épaules et de coudes, ce qui me fait lever les yeux au ciel en le morigénant. S'il y a bien une chose que Kevin n'est pas, c'est attentif.

— Alors la Californienne ? se moque-t-il en remarquant l'attirail de notre amie.

Élodie n'a pas quitté son manteau en fausse fourrure blanche, son bonnet et ses gants depuis son arrivée à Manhattan. Heureusement, elle se contente d'un pull quand nous entrons dans un endroit chauffé.

— Kevin, tu étais à la maison il y a un mois. Est-ce qu'il a fait une seule fois en dessous de vingt degrés ? lui fait-elle remarquer en haussant un sourcil.

Instinctivement, elle rabat les extrémités de son pull entre ses doigts.

— Tu as vécu toute ta vie sur la côte est, lui rappelle-t-il en remerciant le serveur qui dépose la bière devant lui.

— Los Angeles, ça change une femme Kevin.

— Je dirais même que ça engage une femme…

Elle lève les yeux au ciel en soufflant fort et j'éclate de rire en voyant le sourire ravi de mon meilleur ami.

— Arrête, c'est vraiment pas drôle. De toutes les conneries que j'ai faites, celle-ci est la pire ! dit-elle en le fusillant du regard.

— Collin est parfait, Élodie, laisse-lui une chance, je soupire en reprenant le parti de son mari.

Et je m'attire ses foudres.

— Parfait ? Il veut qu'on emménage ensemble.

— Ciel ! s'exclame Kevin faussement outré. Vous baisez depuis huit mois, vous êtes mariés depuis cinq mois et il veut que vous viviez ensemble… quel goujat !

Elle fait aller et venir son regard agacé sur nous alors que son visage entier témoigne de sa lassitude.

— Pourquoi tu ne veux pas vivre avec lui ? s'y intéresse-t-il.

— Parce que j'aime mon appartement.

— Alors il pourrait vivre chez toi.

— Il ne quittera jamais sa maison de Malibu pour vivre dans mon appartement de Pasadena.

— Donc tu y as déjà pensé, lui fait remarquer notre meilleur ami, fier de lui. Ta-ta-ta je ne veux rien entendre, j'ai les réponses à mes questions, la rabroue-t-il gentiment en secouant son doigt de gauche à droite.

Il exulte tandis qu'elle irradie l'exaspération. S'il y a bien une chose qu'Élodie déteste, c'est d'être dos au mur. Ma meilleure amie est une femme obstinée, ambitieuse et combative. Mais il y a une chose qu'elle ne maîtrise pas dans sa vie, et c'est l'amour. Elle ne sait pas lâcher prise ni faire confiance à un homme. Plus encore, elle a peur de se perdre en étant amoureuse. Et comme je peux la comprendre… Mais c'est le but même d'être amoureuse : se délaisser un peu, pour pouvoir devenir un nous. Et je sais qu'elle est terrorisée de cette idée. Tout comme l'est Kevin d'ailleurs.

— Et toi Kevin ? Quand est-ce que tu nous présentes quelqu'un ? je change délibérément de conversation pour qu'Élodie ne se braque pas ; après tout, c'est sa vie et nous ne sommes là que pour l'aider.

Il se renfrogne, pas franchement ravi de la tournure que prend cette réunion entre amis.

— Je n'ai pas le temps pour une femme, tu le sais très bien.

— Tu me dis ça à chaque fois, j'observe en haussant les sourcils légèrement.

J'aime que Kevin fasse partie intégrante de ma vie, et de ma famille. J'aime qu'il soit aussi protecteur, aussi compréhensif, aussi aimant envers nous tous. J'aime par-dessus tout que ma famille l'ait inclus dans nos vies. Mais je voudrais que Kevin ait la chance de vivre ce que nous vivons tous, qu'il rencontre la femme qui le fera vibrer, qu'il développe des projets d'avenir non pas seulement professionnels. Je sais que sa vie n'est pas sans intérêt, elle est même très remplie et je suis heureuse, du plus profond de mon cœur pour lui.

— Tu as pourtant le temps de traîner avec Josh et Alex quatre jours par semaine.

Mon meilleur ami est le seul qui me pardonne mes fautes, sans jamais m'aimer moins. Et même si je rêverais qu'il n'ait jamais aucune autre priorité que nous, je ne peux pas être égoïste à ce point.

— C'est vrai, m'appuie Élodie.

— Depuis quand est-ce que le sujet n'est plus Élodie et son mariage houleux ? objecte-t-il en nous regardant à tour de rôle.

Il rit nerveusement et je vois sa lèvre inférieure tressauter légèrement. C'est le tic qui prouve son mal être. Kevin n'est jamais mal à l'aise. Il me fait toujours remarquer mes fautes sans sourciller, il ne regrette que très peu souvent et la franchise est sa plus grande qualité. Mais quand on en vient à parler de relation, il fond comme neige au soleil.

— Depuis que tu n'as jamais eu de copines depuis le lycée, lui rétorque-t-elle en souriant, ravie de renvoyer la balle.

— Et c'est grave ?

J'esquisse un sourire et presse ma main sur son épaule en haussant un sourcil.

— Non. Mais je vais finir par croire que tu es gay et que tu as décidé de me le cacher.

— Je ne suis pas gay, bon sang, je suis juste plus ambitieux que fonder une famille et avoir beaucoup d'enfants.

Élodie éclate de rire.

— Parce que ce n'est pas mon cas ?

— Tu admets que tu imagines avoir un futur avec Collin, je lui fais remarquer prestement en me pinçant les lèvres. Mais Kevin, avoir des ambitions professionnelles n'empêche pas de vouloir être en couple.

— Est-ce que tu crois que Parker a fait passer l'amour en premier les premiers temps de Bailey Corp ?

— Parker était incapable de garder son pantalon en place avant que j'arrive, je soupire.

— Qui te dit que ça n'est pas mon cas ?

Je fronce les sourcils et une sorte de dégoût me prend aux tripes. Le Kevin du lycée était comme ça, mais la plupart du temps, il n'enchaînait pas les conquêtes ; il enchaînait seulement les flirts et les roulages de pelles.

— L'amour ça n'est pas de tremper son pénis dans un maximum de femmes, observe Élodie.

— Les filles c'est gentil, ricane-t-il en tendant ses mains en signe de supplique. Mais je vous en supplie, ne vous en faites pas pour moi. Inquiétez-vous plutôt pour vos situations respectives.

La salive reste coincée dans ma gorge et le temps s'arrête. Bon sang, je suis paniquée à l'idée que sa remarque mette Élodie sur la piste de mon malaise constant.

— Je n'ai pas de situation, j'attends mon annulation de mariage.

L'air qui était bloqué dans mes poumons s'exfiltre doucement à travers mes lèvres. La tempête est écartée.

Chapitre 58

Le samedi soir, Élodie et moi avons décidé de poursuivre notre week-end dédié aux souvenirs en retournant dans la boîte de nuit où nous avions nos habitudes pendant nos années lycée. Kevin tient à nous rejoindre et ça me fait chaud au cœur de retrouver l'adolescente cachée au fond de moi.

— Quand est-ce que Kenny et Nate arrivent ? s'enquiert-elle en sirotant son cocktail rose fluo d'un air absent.

— Ils viennent une semaine avant le mariage. Ils arrivent pour les enterrements de vie de célibataire.

Au plus Élodie est auprès de moi, au plus je réalise à quel point l'échéance approche… Elle hausse un sourcil, stupéfaite, avant d'éclater de rire. Nate et Kenny sont des amis du lycée. Ils sont cousins et nous sommes restés en contact alors je ne pouvais pas ne pas les inviter à mon mariage. Même s'il s'est déjà passé quelque chose avec Nate…

— Ils participent à ton EVJF ?

Je lève les yeux au ciel en me laissant égayer par l'idée de les voir avec des tutus roses. Finalement, je secoue vivement la tête pour dissiper ses fantasmes.

— Parker avait l'air mécontent que tu sortes. Il compte les jours pour te passer la bague au doigt.

Elle est si bienveillante que je ne peux pas lui en vouloir. Je sais que mon fiancé se confie beaucoup à elle et qu'ils ont développé une réelle amitié. Et ça me retourne l'estomac.

— Il compte les jours depuis notre virée à Vegas, je lui consens avec indulgence.

Le rappel de son mariage la plonge dans une horripilation totale qui me redonne le sourire.

— Collin t'appelle depuis que tu es ici.

— Tous les jours. Et il m'envoie sa queue en photo.

Elle lève des yeux malicieux vers moi, ce qui me fait tirer la langue pour faire mine de vomir. Ma meilleure amie et moi avons des questionnements bien différemment visiblement.

— Sophia, je peux te parler.

Une main sur mon épaule précède l'intervention mais au son de sa voix, je sais que c'est Lucas.

Élodie ouvre de grands yeux éloquents et finalement, elle me fait signe qu'elle déguerpit en grimaçant. Seigneur… J'inspire profondément et me tourne lentement vers lui, les lèvres pincées.

— Je ne t'ai pas vue depuis Noël, me dit-il accusateur. J'avais peine à croire que tu étais encore en vie.

La boule qui se forme dans mon estomac me compresse de l'intérieur quand il m'observe avec ces yeux-là. Il se redresse après m'avoir parlé à l'oreille et la honte m'envahit.

— Est-ce qu'on peut discuter dehors ? je lui propose en me dressant sur la pointe des pieds.

Sa mine déconfite me brise le cœur, mais au fond de moi, les fourmillements renaissent quand il attrape ma main pour me traîner dehors.

Il n'est ni tendre ni patient.

Sa poigne compresse mes doigts où ma bague de fiançailles s'amuse à pétrir ma chair et je suis obligée de trottiner pour tenir sa cadence. Je prie intérieurement pour qu'Élodie ne nous voie pas partir.

Il bouscule les gens entassés les uns contre les autres dans le coin fumeurs et l'odeur me prend aux tripes mais mon esprit est ailleurs, encombré par une inquiétude grandissante.

— Qu'est-ce que tu voulais me dire ?

Je soutiens son regard sans arriver à sortir un mot alors qu'il est à la fois tendu et visiblement inquiet.

— Lucas je…

Sa tête vacille légèrement de haut en bas, signe de son impatience. Mais je suis trop occupée à détailler son visage, ses traits et ses yeux bleu sombre. Il est en costume, j'imagine sans mal qu'il est sorti avec des amis après avoir passé trop de temps au boulot et qu'il n'a pas eu le temps d'aller se rafraîchir. L'idée de le savoir dans notre maison, sans moi, me brise le cœur.

— Quoi Sophia, quoi ? s'impatiente-t-il, sans une once de tendresse.

J'ai conscience d'avoir dépassé toutes les limites, et j'en prends la pleine responsabilité. Lucas attend depuis trois mois sans réelles nouvelles de ma part. Il m'a dit qu'il serait patient, mais… il est inhumain de laisser quelqu'un dans l'ignorance aussi longtemps.

Soudain, je me rappelle l'avoir laissé dans l'ignorance pendant trois ans auparavant. Je l'ai déjà fait. J'ai déjà outrepassé toutes les limites comprises dans l'entendement. Personne ne fait ça.

Putain je suis incapable de faire un choix.

Ses mains sur mes bras me secouent doucement alors que sa tête est abaissée au niveau de la mienne pour chercher mon regard. C'est à ce moment-là que je me rends compte que les larmes s'accumulent tout au long de mes cils.

— Putain mais parles ! siffle-t-il en me bousculant un peu plus fort.

Il est poussé dans ses retranchements. Moi aussi d'ailleurs.

La jeune femme que je suis devenue a enfermé l'adolescente que j'eus été dans une boîte à double tour après ma conversation avec Parker. Mais je n'en suis pas moins tourmentée, ou plus sûre de mon choix. La fougue qui sommeille est tempétueuse. Je ne suis qu'agitation et trouble. Et mon bouillonnement intérieur s'accélère dès que Lucas est près de moi.

— Ne me fais pas ça..., souffle-t-il en prenant pleine conscience de mon état d'anxiété.

Je ne peux pas tout plaquer. Je ne peux pas quitter Parker qui m'a tout donné sans retenue, qui n'a pas douté de nous une seule seconde. Je ne peux pas lui faire ça alors qu'il se comporte de manière si compréhensive vis-à-vis de ma situation.

Bordel, je ne peux pas annuler mon mariage à cinq semaines du jour J.

— Je suis désolée, je murmure et mes sanglots s'égosillent dans ma gorge.

Il serre plus fort mes bras entre ses doigts tandis qu'il perd la face devant moi. Je soutiens son regard difficilement, mais je suis en même temps incapable de ne pas profiter de chaque centimètre de lui. Pour garder ça avec moi, toute ma vie. Je suis partagée entre l'envie de vomir, l'envie de me laisser glisser contre le mur et l'envie de partir à toutes jambes. Mais son visage se décompose et je suis tremblante.

Il contracte ses mâchoires, déglutit difficilement et fait aller et venir son regard partout sur mon visage à la recherche d'un signe, quoi que ce soit.

Mais je reste stoïque : bouleversée et immobile. Les larmes roulent d'elles-mêmes sur mes joues.

— Pense à nous deux. Putain Sophia, on y est, ses sourcils sont froncés au-dessus de ses yeux. On va avoir enfin la vie dont on a toujours rêvé, ensemble.

C'est incroyablement déroutant d'entendre ses pensées à voix haute. Parce que c'est un homme qui ne se dévoile pas. Il ne l'a jamais été. Sauf depuis qu'il est revenu dans ma vie ; comme si toutes ces années, éloignés, lui avaient donné la force de formuler ses pensées sans plus se murer dans le silence.

— Je ne peux pas faire ça à Parker…

Ma voix est étranglée mais j'inspire profondément en détournant le regard.

— Je ne te suis plus, me confie-t-il en fronçant les sourcils. Avant Noël, tu voulais tout ça : la maison, les enfants, le mariage.

— L'adolescente en moi veut tout ça Lucas, je soupire, déchirée.

— Putain mais l'adolescente c'est toi.

Il perd patience et ses mains me secouent doucement de nouveau.

— On est tous les deux les adolescents qui sont tombés amoureux au lycée.

— Mais j'ai changé ! je sanglote. On n'est plus des ados Lucas.

— Moi aussi j'ai changé, bordel ça n'empêche pas que c'est toujours nous !

Les larmes continuent de couler sur mes joues alors que mon corps finit par être aussi agité que mon esprit. Je bouillonne de l'intérieur. Je suis médusée par mes propres sentiments.

— C'est lui ou moi Sophia, maintenant.

Mon cœur se fissure en mille morceaux.

— Je ne peux pas…

La panique me prend aux tripes quand pour la première fois, il détourne le regard, la tête baissée vers nos pieds. La crise se propage ; il est incapable de relever la tête. Et je prends toute conscience de mes mots, de la tournure de notre conversation, de ce nous qui tend à disparaître. Les spasmes dans mon estomac sont violents, j'aimerais qu'il me regarde, qu'il voie l'appel à l'aide dans le fond de mes yeux mais il ne veut plus me regarder, et je suis désemparée.

— C'est lui. Ou moi, répète-t-il en se redressant, mais sans croiser mon regard.

Ses mains glissent sur mes bras avant de ne plus me toucher et de retomber le long de son corps. Il garde la tête et les épaules droites. Mais je sais qu'il est autant déchiré que je le suis.

— S'il te plaît, je murmure en faisant le pas qui nous sépare.

C'est un mouvement désespéré. Désespéré qu'il me voie, qu'il me voie vraiment. Je tends les bras vers lui pour l'enlacer mais il se recule, ferme les yeux et interpose ses mains en signe de refus.

Il me porte le coup de grâce.

Et le temps s'arrête. Il ne me touche pas, ne me regarde pas non plus, comme s'il se renfermait pour se protéger.

— S'il te plaît, je le supplie en me mordant la lèvre.

Il rouvre les yeux après avoir humidifié ses lèvres, comme un boxeur après un coup sur le ring. Et c'est comme s'il me cherchait… Son regard va et vient autour de moi sans jamais croiser le mien réellement.

Comme s'il gagnait du temps. Un peu de temps auprès de moi.

— Prends soin de toi, souffle-t-il en me regardant finalement droit dans les yeux.

Un peu de temps avant de définitivement disparaître.

Je l'implore silencieusement mais il me tourne déjà le dos et bouscule les gens agglutinés les uns aux autres. Rapidement, je ne distingue plus que sa silhouette avant de ne plus le voir du tout…

Chapitre 59

Élodie m'a trouvée là, hébétée, je ne sais combien de temps plus tard. Je ne pleurais plus, les dernières larmes avaient séché, mais j'étais incapable de bouger ou de ressentir quoi que ce soit. Lucas est parti sans se retourner. Je lui ai fait plus de mal que tout ce que je pouvais imaginer. J'étais incapable de briser le cœur de Parker et pourtant, je venais de le faire à demi-mots à l'amour de ma vie. La bague de fiançailles pèse une tonne à mon annulaire gauche, et ce bijou me donne l'impression de me prendre en otage.

Ma meilleure amie me serre contre elle, me réclame des informations que je suis incapable de lui donner. Je suis détruite, tout simplement. Mais je suis inapte à lui confier à quel point mon monde s'est effondré.

— Sophia, le taxi est là, m'appelle-t-elle alors qu'elle m'a traîné jusque sur le trottoir.

Son visage est visiblement soucieux. Je l'ai entendue, mais mes yeux errent sur le trottoir. J'ai eu tellement de conversations ici avec Lucas, plus ou moins houleuses. Un jour, il m'a même offert une seconde fois la bague qui destinait notre couple. On s'est déchirés et aimés ici.

Avec hésitation, les doigts d'Élodie viennent trouver les miens et elle me guide vers l'habitacle avec précaution. Je me laisse tomber sur la banquette arrière, hagarde.

— Est-ce que tu as quelque chose à me dire ? me demande-t-elle embarrassée.

Je fais un vague signe de tête négatif avant de tourner la tête vers la rue.

— Est-ce que tu veux qu'on aille à l'hôtel ce soir ? insiste-t-elle en attrapant de nouveau ma main dans la sienne.

L'idée de ne plus jamais rentrer me paraît tentante. Comment pourrais-je croiser à nouveau le regard de Parker alors que je le tiens pour responsable de l'état de traumatisme dans lequel je suis plongée ? La situation est d'autant plus ironique que je suis la seule responsable. Je ne peux m'en prendre qu'à moi-même.

— Sophia, persévère-t-elle. Tu dois me dire ce qu'il y a. Sans quoi, je ne peux pas t'aider.

Ses doigts dégagent lentement les mèches accumulées autour de mon visage.

— Je ferais tout pour toi, tu le sais.

De nouvelles larmes perlent sous mes yeux alors que je regarde la rue défiler lentement.

— Si c'est lui que tu aimes, tu peux tout arrêter.

Je secoue doucement la tête pour marquer ma désapprobation. Je n'ai pas brisé le cœur de Lucas pour finalement tout annuler… Et je n'ai pas fait souffrir Parker pendant des semaines pour ne pas me marier avec lui.

Je l'entends vaguement interpeller le chauffeur pour changer de destination mais ça n'a pas d'importance. Je ne suis même pas en mesure de rentrer pour le moment. La tempête menace et j'aimerais d'autant qu'elle ne fasse pas plus de dégâts autour de moi.

***

La voiture s'arrête sous un parvis et j'obtempère quand elle me tire par la main pour en sortir. Je suis dans une sorte d'état second : les larmes ne coulent plus, mais mon corps irradie la douleur.

— Vous êtes enfin là, siffle la voix de mon meilleur ami.

Kevin apparaît de nulle part, et son regard tombe vite sur moi avant de défigurer son visage par l'effroi. C'est en le voyant que les larmes se remettent à dévaler mes joues. C'est mon meilleur ami, mon ancre, mon pilier.

Il s'avance vers moi avec empressement et son inquiétude me retourne l'estomac. Je le vois chercher des réponses auprès d'Élodie mais ses bras me serrent brusquement pour me ramener contre son torse. Ils parlent, ils échangent. Bon sang, je ne suis capable que de serrer son pull entre mes doigts avec véhémence.

Élodie et Kevin restent avec moi toute la journée qui suit dans cette chambre d'hôtel. Je parle peu, mais ils continuent de vivre, comme si mon monde ne venait pas d'imploser. Et ça m'apporte la normalité qu'il me fallait pour remonter la pente, pour relever la tête et être capable de pousser la porte de mon appartement, seule.

Ma meilleure amie a rejoint l'aéroport contre son gré. Elle a lourdement insisté pour rester avec moi, inquiète de me voir si mal. Mais je l'ai contrainte à rentrer à Los Angeles. Élodie n'a pas besoin de mes problèmes ; elle a besoin d'ouvrir son cœur à quelqu'un et mes histoires ne feraient que l'encourager à faire le contraire.

Kevin et moi l'avons accompagné jusqu'à La Guardia ; et mes nerfs à fleur de peau n'ont pas supporté de la voir rejoindre le portique de sécurité pour partir à des kilomètres de moi sans pleurer de nouveau.

J'aime Kevin et Élodie différemment. Mon amour pour cette dernière est dans la retenue et dans la pudeur tandis que celui pour mon meilleur ami est fusionnel et incandescent. Mais ils n'en changent rien, ils font partie de ma vie tout autant l'un que l'autre.

Chapitre 60

— Comment c'était ce dernier jour avec ta copine ? me sourit Parker avec amusement quand je le rejoins dans le selon.

Il est assis dans le canapé, les jambes étendues sur la table basse devant un match de basket. Celui-ci doit être joué en extérieur, car jamais ô grand jamais il ne raterait un évènement sportif qui a lieu à New York.

— C'était bien, j'élude en tentant de garder la face.

— Élodie était contente de son séjour ?

J'acquiesce en m'asseyant près de lui et me laisse faire quand il m'attire contre ses côtes pour déposer un baiser sur le sommet de mon crâne.

— Tu as pleuré, remarque-t-il en me serrant contre lui.

— C'est toujours dur de me séparer d'elle…, je soupire.

Et c'est vrai. Ça l'est d'autant plus quand ma vie est un véritable marasme et que les seules personnes dont j'ai besoin ne peuvent pas rester à mes côtés.

— Elle revient bientôt, pour le mariage.

Je hoche la tête et me redresse en soufflant un bon coup pour évacuer les tensions qui parsèment mon corps. Instinctivement, je fais tourner ma bague de fiançailles autour de mon annulaire. Je le fais depuis hier soir, depuis que j'ai songé à la jeter par la fenêtre du taxi avant de partir le plus loin possible de New York.

Cette option est toujours dans un recoin de ma tête.

— Quelque chose ne va pas ?

— Je suis seulement triste.

Je secoue la tête pour tenter de l'apaiser.

— P-r.

— Mes parents nous invitent à venir passer le week-end chez eux la semaine prochaine.

Il me questionne du regard pour connaître ma réponse et je me force à ébaucher un sourire en acquiesçant.

— C'est super.

Mon estomac fait le grand huit à l'intérieur de mon ventre et je suis à deux doigts de vomir.

La semaine est passée à une vitesse hallucinante. Kevin a tenté de m'appeler trois fois par jour, et ce fut aussi le cas de ma belle-sœur. J'imagine sans mal que ces deux-là ont discuté de mon week-end et de ma rencontre avec Lucas mais j'ai enfoui les évènements du week-end dernier au plus profond de moi, dans une boîte fermée à clé que j'ai délibérément choisi d'enfouir.

Je revois sans cesse le visage de Lucas, son sentiment d'abandon et sa résignation. Je l'ai vu baisser les bras pour la première fois, par ma faute, parce que je lui ai fait intentionnellement comprendre que je choisissais Parker. Que je choisissais la jeune femme que j'étais devenue au profit de l'adolescente fougueuse que j'étais.

Les cauchemars me hantent, les images me déroutent tout au long de mes journées.

Je ne suis plus qu'un automate dans mon propre corps.

J'ai jeté cette boîte mais mon âme semble s'en être allée avec elle.

Parker jubile depuis trois jours à l'idée que ses parents acceptent enfin notre relation. Je suis déjà allée trop loin, alors plus rien ne me retient… J'ai complètement déserté mon propre corps. Je suis dessaisie par la situation.

Mon futur mari veut m'embrasser et je le fais… parce que je le dois. Je n'ai plus rien à perdre puisque j'ai tout perdu.

Chapitre 61

— Vous voilà enfin ! chantonne la mère de Parker en nous voyant descendre de la voiture.

Elle serre son fils avec enthousiasme dans ses bras et j'esquisse un sourire forcé en restant près d'eux. Je suis dépossédée de mes sentiments depuis une semaine. Ils s'en sont allés, avec Lucas.

— Et voilà la future mariée, me salue-t-elle avec engouement.

Je remarque qu'elle est bien plus chaleureusement que la première fois que je suis venue ici. Il dépose nos sacs dans son ancienne chambre d'adolescent réaménagée en chambre d'invités. Mais ça n'est à y tromper personne, des portraits de Parker à tout âge sont cloués au mur avec fierté.

— Tu es beau sur celle-ci, je soupire en m'arrêtant devant un portrait de lui au lycée.

Il était visiblement dans l'équipe de hockey.

— Je ne suis pas beau sur toutes ? me demande-t-il en fronçant les sourcils alors qu'il fouille dans sa valise, amusé.

Je pointe une photo de lui avec ses dents incisives manquantes du bout du doigt pour le taquiner.

J'essaie de paraître la plus humaine possible pour que Parker ne souffre pas de ma décision. Ce n'est pas de sa faute si j'ai tiré un trait sur ma relation avec Lucas. C'est la mienne. Je suis fautive. Je ne peux pas lui faire payer les pots cassés.

Ça a le don de l'égayer car il vient jusqu'à moi pour me prendre par la taille avant de m'embrasser du bout des lèvres. Et je le laisse faire, mais plus aucune étincelle ne m'anime.

— On n'a pas vraiment apprécié de recevoir un faire-part pour nous annoncer votre mariage, grogne son père une fois attablés.

Il fait venir ses yeux de son fils à sa femme d'un air buté. Ce qu'elle lui fait remarquer en fronçant les sourcils pour montrer son désaccord. Il est évident que c'est madame Bailey qui a tenu à nous inviter.

— Je n'ai pas apprécié non plus votre réaction la dernière fois, et pourtant je vous ai invités, lui rétorque Parker et j'ouvre de grands yeux en m'étouffant avec la mie de pain que j'avalais pour couvrir mon malaise.

— Quel honneur d'être invités au mariage de mon fils !

— Et encore, sois heureux, à la base je voulais qu'on parte se marier à Vegas seulement tous les deux. Dis merci à Sophia.

Je baisse les yeux, stupéfaite par l'échange faussement enjoué qui se fait en toute impunité. Parker sait être glacial et froid au travail. J'ignorais qu'il savait également le faire en famille.

— Nous sommes très contents de venir, me lance sa mère en attrapant ma main sur la table avec bienveillance. Est-ce que vous avez déjà trouvé votre robe Sophia ?

J'acquiesce en lui offrant un sourire timide. Peut-être que cela se fait d'inviter sa belle-mère pour les essayages ? Je suis perdue, ma mère n'étant même pas là…

— Vous avez opté pour quel modèle ?

Les hommes continuent à échanger à voix plus basse tandis que madame Bailey a l'air vraiment intéressée par le moindre détail de ce mariage.

— Une robe sirène.

— J'espère que mon fils ne l'a pas vue. Ça porte malheur.

— Non, il ne l'a pas vue, je la rassure dans un mince sourire.

Parker ne m'adressait pas la parole quand je suis allée acheter cette robe en m'accrochant à ce mariage corps et âme.

— Une chose que tu ne veux pas maîtriser, le félicite sa mère avec amusement.

— Je vais payer Lucia pour la voir, me menace-t-il gentiment en posant son bras sur le dos de ma chaise, visiblement plus détendu.

— Ton argent n'achète pas tout le monde, je le lui rappelle dans un sourire.

Il lève les yeux au ciel riant, complètement dédaigneux et fier. Ces moments me rappellent pourquoi je l'aime. En revanche, ils ne me font plus vibrer. Sa mère se moque de lui avec mesure avant de me lancer un sourire complice.

Je sais pourquoi je fais tout ça. Je ne sais pas si je serais aussi heureuse que ce que la vie me réservait mais je suis heureuse dans une certaine mesure. Le temps pansera mes plaies, c'est sûr.

Chapitre 62

Dimanche, alors que nous sommes en route vers Manhattan depuis déjà deux heures, mon téléphone vibre dans mon sac et je m'autorise à le regarder pour la première fois de la semaine. Alex m'a envoyé une photo et je fronce les sourcils pour tenter de ne pas l'ouvrir complètement et lui montrer que j'ai ouvert son message.

Parker est si concentré sur la route que je me permets d'ouvrir, en proie à la curiosité.

Et mon cœur explose.

Il me faut un moment pour distinguer clairement la photo prise dans le clair-obscur du début de soirée. Mais la cheminée ne me trompe pas. Ni les murs ni la baie vitrée donnant sur le bout de jardin. Les larmes menacent et j'observe seulement Liam, allongé sur son tapis d'éveil posé au milieu du salon qui est celui de notre maison… Et Lucas est accroupi près de lui, lui tendant une peluche pour attirer son attention.

Il n'irradie pas le bonheur.

Comme moi.

Pourtant ils sont tous dans notre maison.

Quand je relève les yeux, la skyline se dépeint au travers du coucher du soleil et j'ai le souffle coupé. Mon cœur bat à mille à l'heure. Je le sens de nouveau et des fourmillements émergent sur tout mon corps ; comme si je reprenais vie.

Mes pensées se bousculent et je verrouille mon téléphone, les doigts tremblant.

Ma vie bascule.

Quand Parker se gare, je suis une bombe à retardement. Deux choix s'offrent à moi, le destin m'envoie un signe, je…

— Parker je ne peux pas, je murmure, les yeux rivés au travers du pare-brise.

— Tu ne peux pas quoi ?

Je suis incapable de croiser son regard. Mais ma décision est prise, alors je tourne la tête vers lui, le cœur qui bat à tout rompre.

— Je ne peux pas me marier avec toi.

Sa mâchoire inférieure semble se désolidariser de l'autre.

— J'aime Lucas. Je l'ai toujours aimé.

Le choc envahit l'habitacle alors que je tremble de toutes parts grâce à l'adrénaline. Je ressentirais peut-être le contrecoup demain, dans une semaine, dans dix ans. Mais pour une fois, mon cœur n'hésite plus une seconde.

— Tu te fous de moi ? me demande-t-il d'une voix blanche.

— Je suis désolée.

Et c'est vrai : je suis désolée d'avoir laissé traîner la situation, je suis désolée de l'aimer, je suis désolée d'être allée aussi loin et de le faire tomber d'aussi haut. Je suis désolée d'avoir brisé son cœur et je suis désolée d'avoir fait vivre cette situation à tout le monde.

— Je ne rentre pas à l'appartement avec toi, je lui avoue.

Il me regarde, toujours aussi sidéré, mais ce sont ses larmes qui me brisent le plus le cœur. Il est immobile, sous le choc et dévasté. Malheureusement je ne peux plus rien faire. Je ne peux plus me mentir à moi-même.

— Je suis désolée, je répète en me penchant pour l'enlacer.

Il se laisse faire certainement à cause du traumatisme. Et je sors finalement de la voiture, avec pour seules affaires mon sac à main. Ma bague de fiançailles trône sur le tableau de bord.

Je suis dévastée mais le poids sur mes épaules semble enfin avoir disparu.

Comme si le destin me confiait que j'avais enfin pris la bonne décision.

Chapitre 63

Le trajet dans le taxi me semble interminable et je perds patience à chaque feu rouge. Il s'arrête enfin devant chez moi. Chez nous. Là où a toujours été ma place.

Je grimpe les cinq marches qui mènent à la porte d'entrée, en trombe, et tape comme une forcenée à la porte.

Peut-être que Liam dort. Peut-être qu'ils sont déjà partis. Mais je ne veux pas que Lucas ne m'entende pas.

Elle s'ouvre enfin lentement, alors que mon cœur continue à battre la chamade et qu'aucune larme ne menace de couler. Lucas m'observe d'un air sidéré et, bêtement, je ne sais que lui sourire en reniflant. Maintenant, les larmes menacent d'arriver.

— J'ai quitté Parker.

Il s'appuie contre la porte comme s'il en avait besoin et ses yeux ne quittent pas les miens.

— Je lui ai dit que c'est toi que j'ai toujours aimé et que je ne pouvais pas me marier avec lui.

Je me sens légère. Le poids des mensonges m'a quittée.

— Dis-moi que ça n'est pas trop tard… je le supplie.

Il ferme les yeux et se pince les lèvres. Quand il fait valser la porte, je fronce les sourcils mais ses mains agrippent mon visage et il plonge sur moi en jurant inintelligiblement vers le ciel.

Ses lèvres entrent enfin en collision avec les miennes et ça y est : je sais que j'y suis. Je suis chez moi. À la place où j'aurais toujours dû être.

— Tu en as mis du temps.

Épilogue

Je soulève Liam dans les airs à bout de bras en gazouillant pour le faire sourire et ses éclats de rire me confortent.

La table de la cuisine a été improvisée comme un buffet pour mettre à disposition de tous des petits fours et mignardises.

J'ai eu à annoncer à mes proches l'annulation de mon mariage il y a un mois, tous n'ont pu annuler leurs billets d'avion.

La décision de tout arrêter a finalement été la meilleure de ma vie. Je ne suis plus anxieuse. Je ne me questionne plus sur mes choix. J'ai emménagé immédiatement ici, avec l'homme que j'aime et c'est ensemble que nous avons décidé de la décoration de notre maison. La maison qui verra mon neveu grandir, la maison qui verra ma petite sœur grandir quand elle viendra à New York et la maison qui abritera notre propre famille un jour.

Je suis partie sans me retourner et j'ai tout quitté du jour au lendemain. Mon fiancé, mon job, cet appartement de rêve et pourtant… je ne regrette rien.

Alex a réussi ce jour-là son coup, c'est une évidence. Elle a été une oreille attentive tout au long de cette histoire. Elle n'a jamais poussé dans un sens ni dans l'autre. Elle m'a soutenue, écoutée et encouragée. Mais elle a eu raison de m'envoyer cette photo à l'insu de Lucas et de Josh. Sans ça, je me marierais sûrement le week-end prochain, sans vraiment avoir envie d'être liée à Parker jusqu'à ce que la mort nous sépare.

Mon frère et sa femme rient ensemble à l'autre bout de la pièce et je suis toujours aussi charmée par leur complicité.

On sonne à la porte, alors je me tourne pour donner Liam à Lucas. Les dernières personnes à arriver sont mes invités. Mes invités de marque. Et son sourire est si étincelant envers Liam, et son regard si brillant d'amour pour moi que je sais que c'est lui. L'homme de ma vie.

J'ouvre la porte après avoir réajusté ma robe rapidement et je ne peux pas m'empêcher de sourire malgré la situation.

Nate fait un pas pour me soulever dans les airs le premier, tandis qu'Élodie, Kevin et Kenny se chamaillent en arrière-plan.

Je leur ai expliqué la situation par téléphone pour les plus éloignés, et ils ont tout de même insisté pour garder leurs billets d'avion. D'une part, pour profiter d'une semaine de vacances, d'autre part, pour venir m'apporter leur soutien.

— Je savais que tu allais le faire, me dit ma meilleure amie avant de me serrer dans ses bras.

Elle était là le jour où tout a basculé. Et elle a tenu à venir malgré la présence de Josh et de sa famille. Bon sang, je lui en serais éternellement reconnaissante.

— On te laisse quoi ? Trois ans ? Et tu nous fais tout ce bordel ! ricane Kenny avant de me serrer dans ses bras.

Je réalise à quel point je suis chanceuse dans la vie.

Kevin me donne une tape amicale dans le dos avant de foncer dans la pièce de vie, complètement à l'aise et à sa place. Il va d'abord à la rencontre des jeunes parents et étreint Alex en chahutant mon grand frère, avant de saluer brièvement les collègues de Lucas invités et de foncer vers ce dernier pour le centre d'intérêt de tous ; mon neveu, le coup de foudre de ma vie.

Élodie s'arrête près de moi pour observer la scène et je passe délicatement mon bras dans son dos. Je n'ai pas toujours été là pour elle. J'ai même souvent failli à mon devoir de meilleure amie mais je mesure la chance de l'avoir dans ma vie malgré nos erreurs communes. Être en présence du fruit de l'amour de Josh ne doit pas être des plus agréable pour elle, et pourtant, elle ne rechigne pas à être ici. Pour moi.

Son combat pour l'amour est encore compliqué, mais j'ai foi en elle, en sa force de caractère et son ambition tenace. Je sais qu'on fera sûrement encore toutes les deux des erreurs, mais Élodie restera à jamais gravée dans mon cœur, qu'importe ses choix amoureux.

— Lucas porte plutôt bien le bébé, me glisse-t-elle avant de me sourire joyeusement.

On s'échange un regard complice. On a tout le temps pour ça… Plus besoin de se précipiter.

— Sophia, tu as deux bières pour nous ? me demande Kenny en me donnant un coup de coude. Après tout, tu es la maîtresse de maison.

Je fais découvrir avec joie notre nouveau chez nous à mes trois comparses. Élodie s'extasie devant chaque détail à l'étage, les garçons ont seulement repéré le panier de basket dans le jardin et je suis simplement heureuse de les voir ici.

Alors que je m'affaire à enchaîner les plateaux de petits fours, deux bras se scellent autour de ma taille pour m'arrêter brusquement sur mon chemin. La pluie de baisers dans mon cou m'arrache un sourire et je profite de poser ma tête contre son épaule.

— Tu es heureuse ? me questionne Lucas en fronçant les sourcils, soucieux.

— Est-ce que j'ai déjà paru plus heureuse ? je lui rétorque en souriant.

Je noue mes doigts derrière sa nuque et la bague de fiançailles à mon doigt me fait comme un clin d'œil pour répondre à ma question.

Lucas m'a offert une bague très simple dès le lendemain de mon choix. Il voulait sceller, au plus vite, toutes les promesses qu'il m'avait faites ces derniers mois et comme pour chaque bague reçue de sa part, j'ai fondu en larmes.

— Tiens tiens… marmonne-t-il, les yeux rivés au-delà du sommet de mon crâne.

Je fronce les sourcils pour l'interroger et finalement, cède à la tentation de savoir ce qui se passe. Près de la cheminée, Josh et Alex sont accompagnés d'Élodie. Et ma belle-sœur irradie la bienveillance, un léger sourire aux lèvres.

Je sais à quel point ça doit leur coûter de discuter tous les trois. Mais j'espère sincèrement que cette conversation enlèvera le poids du doute des épaules de ma meilleure amie. Parce que j'ai porté ce poids quelques semaines, et je sais à quel point il peut peser sur une vie.

— Merci Lucas, je chuchote pour attirer son attention.

Merci de m'avoir offert cette vie dont j'ai tant rêvé…

Kevin

J'ai une routine bien précise le matin ; je vais courir pendant quarante-cinq minutes avec comme destination à mi-chemin l'East River pour découvrir Brooklyn et le Queens qui s'éveillent. Après ça, je rentre me doucher et j'avale mon smoothie protéiné en finissant de nouer ma cravate.

Le café attend toujours que j'arrive au coin de Beaver St et William St dans ce Starbucks à 3 minutes de marche du building de Ward Incorporation.

Je jette un œil à ma montre, car bien évidemment, c'est l'heure de pointe dans le Financial District. Je commande un Americano et je file, mon badge déjà agrippé entre les doigts, prêt à le présenter à la sécurité.

— Ça va Garry ? je lui demande poliment.

— Comme un mec qui a passé sa soirée dans un off Broadway.

J'éclate de rire. Sa femme lui fait des misères et c'est exactement pour cette raison que je hais l'idée d'être en couple. Qu'est-ce que c'est que cette manie de perdre ses couilles en cours de route ?

Mon open space se trouve au 26ème étage ; au même endroit que le service Marketing et ses cheffes de projet tout en jambes et en jupes sexy. Seigneur. Je ne suis qu'un homme, pas un prêtre. Je les salue en passant, et c'est terrible mais dans cette entreprise l'ambiance est vraiment bonne et bon enfant, compte tenu de l'envergure de la boîte.

— Kevin, m'interpelle mon boss.

Will est dans l'entreprise depuis six ans et a pris la position de General Manager de notre pôle gestion économique et commerciale. Mon job, celui que je vise. Mais je ne lui ai pas encore dit que je lui donnerai du fil à retordre d'ici deux-trois ans.

— Réunion à neuf heures pour l'arrivée du nouveau VP de l'agence de New York.

Quand une réunion n'est pas annoncée au moins de la veille pour le lendemain, j'appelle ça une convocation mais soit. Dans ce cas-là, je veux absolument vérifier si mes containers sont arrivés en temps et en heure au Havre, en France. Il faut que je vérifie si l'organisation des marchandises me fait gagner en efficacité – et par conséquent, en facturation des dockers – au moment du dédouanement. On me donne pour le moment des tâches peu importantes, les portefeuilles capitaux sont destinés à Will, évidemment.

— Kev'.

Je finis scrupuleusement la ligne de mon fichier Excel de coûts avant de lever les yeux, impatient.

— Leslie, ça va ?

Elle fait partie des cheffes de projets, toute en jambes et en jupes sexy, ce qui explique que je me lève pour l'enlacer professionnellement. Ses cheveux blonds sont tirés dans une queue de cheval basse et j'apprécie tout particulièrement sa main baladeuse qui se pose sur ma chemise, juste sous ma veste de costume lors de l'accolade.

— Ça va, me répond-elle dans un sourire discret.

Leslie et moi entretenons une relation platonique depuis mon arrivée dans l'entreprise mais je ne suis pas un idiot. Ses cils battent toujours dans ma direction quand on reste dans une même pièce et à la pause-café, on ne cesse de se jeter des regards enflammés sous une attitude parfaitement professionnelle.

Or sa main naïvement posée sur mon ventre, ça. C'est nouveau.

— Le département marketing va boire un verre ce soir après le boulot, ça te dit de te joindre à nous ? me propose-t-elle en se reculant d'un pas.

C'est comme si elle m'avait proposé de la baiser. Littéralement. C'est pour ça que j'accepte tout de suite, dans un sourire mesuré. Bordel, il faut absolument que j'appelle Sophia à la pause déjeuner. Elle doit à tout prix me rappeler pourquoi mêler vie privée et vie professionnelle est la pire erreur que je ferai de ma vie avant cet happy-hour. Son laïus est implacable et particulièrement convaincant.

— Cool, on se voit plus tard alors.

À nouveau, elle me regarde par-dessous ses cils épais et tourne les talons pour rejoindre leurs bureaux en accentuant le balancement naturel de ses hanches. Je devrais peut-être songer à appeler également Élodie pour qu'elle m'engueule comme elle sait si bien le faire quand je me comporte comme un abruti.

Kevin : pas. de. sexe. au. travail.

J'inspire profondément avant de me réengager dans mes calculs de coûts de fonctionnement. Jouer avec des nombres à plus de cinq chiffres en moyenne, à longueur de journée, est particulièrement prenant.

— C'est l'heure, marmonne Will en tapant d'un coup sec sur la cloison d'un mètre qui me sépare de mon collègue de cinquante ans.

Lui aussi ses couilles sont en inaction depuis une bonne vingtaine d'années. Il est marié.

L'arrivée du nouveau VP se fait évidemment dans la salle de conférence réservée habituellement aux conférences de presse. C'est la seule qui peut abriter les soixante-seize employés que nous sommes. Rien n'est installé sur la scène et je fronce les sourcils, surpris. Pas d'arrivée en grande pompe ? Vraiment ? Je suis déçu. Il aurait tout aussi bien pu faire le tour des bureaux pour nous serrer la main. Tous mes collaborateurs commencent peu à peu à descendre des étages du building au fur et à mesure pour remplir la salle déjà bruyante. Mettez des dizaines d'adultes en costume et tailleur dans une pièce aux heures de bureau mais loin de leurs responsabilités ; cela ressemble à une cour de récréation.

On s'éclaircit la voix brièvement dans un coin de la salle pour ramener l'attention de tout le monde ; et je me tourne en croisant les bras sur mon torse. Je m'ennuie déjà. Un arc de cercle se compose autour de notre Directeur Général. La plupart du temps, il reste dans son bureau en ronchonnant, mais Daniel Ward s'adresse peu à son personnel la plupart du temps. Je suis même surpris de le voir sourire d'un air pincé.

— Merci à tous d'être venus. Comme vous le savez, Philippe a dû nous quitter pour partir vers de nouvelles contrées lointaines.

Bordel, j'ai l'impression d'être dans un de ses épisodes où l'animateur emmène une vedette à l'autre bout du monde, dans un coin de civilisation reculée. Will m'a expliqué qu'il avait demandé sa mutation en Inde pour suivre sa femme qui était promue à l'autre bout du monde. Sans commentaire, vous savez déjà ce que j'en pense.

— Mais nous avions la chance d'avoir un Directeur financier particulièrement brillant dans notre équipe de Londres qui avait les épaules assez solides pour prendre sa suite. Lana, si vous voulez bien.

Il fait un signe de main à l'assemblée et contre toute attente, une femme se dirige vers lui. Dans sa robe blanche, je ne vois que ses cheveux flamboyants lâchés qui couvrent une bonne partie de son dos. Et son cul, évidemment. Kevin, calme-toi. Elle a le droit de vie et de mort sur toi, oublie. Il lui donne une accolade professionnelle, comme s'ils ne s'étaient pas vus depuis ce matin et finalement, elle se tourne vers nous dans un sourire étincelant.

Putain. de. bordel. de. merde.

Mon premier réflexe stupide est de tourner la tête, vivement, pour que nos regards ne se croisent pas. Putain, putain, putain.

Mon plan cul du Nouvel An est là, sous mes yeux, dans une robe parfaitement chaste.

Imprimé en Allemagne
Achevé d'imprimer en janvier 2022
Dépôt légal : janvier 2022

Pour

Le Lys Bleu Éditions
40, rue du Louvre
75001 Paris